Die Ironie im Spätwerk Goethes
„... diese sehr ernsten Scherze ..."

Studien zum ‚West-östlichen Divan',
zu den ‚Wanderjahren' und zu ‚Faust II'

von

Ehrhard Bahr

ERICH SCHMIDT VERLAG

ISBN 3 503 00596 X

Druck: Berliner Buchdruckerei Union GmbH., Berlin 61
Printed in Germany ·

Denn was wäre Dichtung, wenn nicht Ironie, . . .?

THOMAS MANN

INHALT

VORWORT

Die vorliegende Studie versucht, die Erscheinungsformen der Ironie und deren Struktur und Funktion in Goethes Spätwerk zu erfassen. Dabei werden unter Spätwerk „Goethes Altersroman" *Wilhelm Meisters Wanderjahre oder die Entsagenden*, „sein Altersdrama" *Faust II* und „seine Alterslyrik" der *West-östliche Divan* verstanden.[1] Goethes Spätwerk ist lange Zeit mißverstanden worden. Es sei hier nur an die vielzitierten Stichworte aus dem Sachregister von Friedrich Theodor Vischers Buch über Goethes *Faust* erinnert: „Altersschwäche der Phantasie", „Geschmacksnachlaß", „Naturlosigkeit".[2] Heute bedarf das Spätwerk nicht mehr der Verteidigung gegen diese Vorurteile. Die Entwicklung, die die Goethe-Forschung genommen hat, und die Neueinstellung zum Spätwerk zeigen sich deutlich in der neuen Auflage des *Goethe-Handbuchs* von 1961. Während das *Goethe-Handbuch* von 1916—1918, herausgegeben von Julius Zeitler, lediglich einen Artikel unter dem Stichwort „Alter" enthielt, weist die neue Auflage zwei Artikel über Alterslyrik und Altersstil auf. Diese beiden Artikel fassen die Ergebnisse der Forschung der letzten Jahrzehnte zusammen, in denen der Rang und die Bedeutung der Goetheschen Spätdichtung festgelegt worden sind.

Das Problem der Ironie bei Goethe wird fast überall in der Sekundärliteratur erwähnt. Über Goethes Spätwerk kann man heute nicht mehr schreiben, ohne das Wort Ironie zu nennen. Aber es fehlt bis heute eine Monographie zu diesem Thema.[3] Schon Goethes Zeitgenossen haben die Bedeutung der Ironie für sein Wesen und Werk erkannt. Friedrich Schlegel stellt 1798 in seiner berühmten *Wilhelm Meister-Rezension* die Ironie im Roman heraus. Ernst v. Pfuel, der Goethe 1810 in Teplitz kennenlernte, beschrieb den Dichter folgendermaßen: „Aus dem einen Auge blickt ihm ein Engel, aus dem andern ein Teufel, und seine Rede ist eine tiefe Ironie aller menschlichen Dinge."[4] Eckermann berichtet

---

[1] HA 8, 579.

[2] Friedrich Theodor Vischer: Goethes Faust. 3. Aufl. Berlin/Stuttgart: Cotta 1921. S. 571—583; s. auch Erich Trunz: Altersstil. In: Goethe-Handbuch. Goethe, seine Welt und Zeit in Werk und Wirkung. 2. vollkommen neugestaltete Aufl., unter Mitw. zahlreicher Fachgelehrter hrsg. v. Alfred Zastrau. Bd. I. Stuttgart: Metzler 1961, Sp. 178.

[3] Gustav Reglers Schrift Die Ironie im Werk Goethes. Leipzig: B. Dietze o. J. [1923] ist überholt, Hans-Egon Hass' Habilitationsschrift Demiurgische Subjektivität und Ironie (bei Goethe). Bonn 1955 ist z. Z. nicht zugänglich.

[4] Biedermann, 2, 86.

von Goethes „Malice und Ironie" im Gespräch, von Unterhaltungen „voll Übermut, Ironie und mephistophelischer Laune von seiten Goethes". Dabei hebt er die Verbindung von Tiefsinn und Scherz besonders hervor: „Goethe ... sagte noch manches bedeutende Wort, das, den Schein des Scherzes tragend, dennoch aus dem Grund eines tieferen Hinterhaltes hervorging."[5] Kanzler v. Müller nennt die Ironie Goethes „Lieblingsform".[6] Johannes Falk spricht von jenem „schalkhaften Ernst", der Goethe zu eigen ist, „und dem oft die feinste Ironie zum Grunde liegt".[7] Friedrich Riemer widmet der Ironie ein ganzes Kapitel in seinem Buch über den Dichter.[8] Heinrich Heine erwähnt in der *Romantischen Schule* die Ironie als Kennzeichen der „Goetheschen Kunstschule".[9] Und Sören Kierkegaard stellt in seiner Magisterdissertation die „beherrschte Ironie" Goethes der unendlichen Ironie der Romantiker gegenüber.[10]

Die Goethe-Biographie des späten 19. Jahrhunderts von Herman Grimm bis zu Georg Witkowski verleugnet weitgehend die Existenz der Ironie in Goethes Wesen und Werk. Erst im 20. Jahrhundert wird dieser Zug Goethes, der bis zur Mitte des 19. Jahrhunderts wohl bekannt war, wieder erwähnt und hervorgehoben von Friedrich Gundolf bis zu Richard Friedenthal. Erich Franz hat 1932 in seinem Buch über Goethe als religiösen Denker die Ironie als „eins der letzten Fundamente" bezeichnet, „von wo aus die gesamte Persönlichkeit Goethes, seine Weltanschauung und Religionsauffassung verstanden werden müssen".[11] Aber die entscheidenden Anregungen im Hinblick auf die Ironie hat die moderne Goethe-Forschung wohl von Paul Hankamer empfangen. Er hat der Wissenschaft Weg und Richtung gewiesen, indem er vielleicht als erster die Bedeutung der Ironie für die Dichtung herausgestellt hat, und zwar für das Spätwerk: die *Sonette, Pandora* und die *Wahlverwandtschaften* (1943). Die Bedeutung der Ironie für die Spruchdichtung des alten Goethe ist dann von Wolfgang Preisendanz herausgearbeitet worden (1952) und für den *Faust* von Erich Franz in seinem späteren Buch von 1953.[12] Am einprägsamsten aber hat

---

[5] Eckermann, 558, 560, 219.

[6] Biedermann 4, 425.

[7] Johannes Falk: Goethe aus näherm persönlichen Umgange dargestellt. Leipzig: Brockhaus 1832. S. 87.

[8] Friedrich Riemer: Mittheilungen über Goethe. 2 Bde. Berlin: Duncker u. Humblot 1841. Bd. I, S. 275—281; s. auch S. 42, 132, 469.

[9] Heinrich Heine: Romantische Schule. In: Sämtliche Werke. Hrsg. v. Ernst Elster. Leipzig/Wien: Bibliographisches Institut o. J. Bd. V, S. 290; s. auch S. 288.

[10] Sören Kierkegaard: Über den Begriff der Ironie mit ständiger Rücksicht auf Sokrates. Düsseldorf/Köln: Diederichs 1961 (= Gesammelte Werke, 31. Abt.). S. 328 ff.

[11] Erich Franz: Goethe als religiöser Denker. Tübingen: Mohr 1932. S. 62.

[12] Paul Hankamer: Spiel der Mächte. Ein Kapitel aus Goethes Leben und Goethes Welt. Tübingen: R. Wunderlich 1943. Wolfgang Preisendanz: Die Spruchform in der Lyrik des alten Goethe und ihre Vorgeschichte seit Opitz. Heidelberg: Winter 1952

Thomas Mann das komplexe Wesen der Goetheschen Ironie in seinen Essays erfaßt und in verdichtetster Form in seinem Roman *Lotte in Weimar* dargestellt. Die Goethe-Forschung hat, von wenigen Ausnahmen abgesehen, Thomas Manns unschätzbare Hinweise entweder ignoriert oder gegen sie polemisiert. Thomas Mann setzt die Tradition der Goethekritik fort, die mit Friedrich Schlegel, Riemer, Heine und Kierkegaard beginnt, und gibt Goethe wieder als den großen „ironischen Deutschen" zu erkennen. Die vorliegende Untersuchung ist diesem Goethe-Bild Thomas Manns verpflichtet.

Wenn man also die Ergebnisse der Goethe-Forschung zusammenfaßt, so ergibt sich, daß zwar allgemein anerkannt wird, daß Goethe ein großer Ironiker ist und die Ironie besonders in seinem Spätwerk eine große Rolle spielt, es aber keine grundlegende Einzeluntersuchung zu diesem Thema gibt. In den meisten Arbeiten, so richtungsweisend und bedeutsam sie im einzelnen auch sein mögen, wird die Ironie Goethes entweder stillschweigend vorausgesetzt oder sehr unverbindlich behandelt.

Die methodische Grundlage der vorliegenden Untersuchung bildet der Ironiebegriff der literarischen Rhetorik. Es gehört zu den Gemeinplätzen der Literaturwissenschaft, daß sich die dichterische Ironie überhaupt nicht definieren läßt, bzw. auf keinen Fall als rhetorische Stilfigur. Beda Allemann erklärt: „[Der] Gebrauch der Ironie als eines rhetorischen Kunstmittels ist ... literarisch eng begrenzt. ... Keineswegs kann er zur Kennzeichnung des Verfahrens der eigentlichen Ironiker der Literaturgeschichte verwendet werden."[13] Reinhard

---

(= Heidelberger Forschungen). Erich Franz: Mensch und Dämon. Goethes Faust als menschliche Tragödie, ironische Weltschau und religiöses Mysterienspiel. Tübingen: Niemeyer 1953.

[13] Beda Allemann: Ironie. In: Literatur II, Erster Teil. Hrsg. v. Wolf-Hartmut Friedrich u. Walther Killy. Frankfurt a. M.: Fischer-Bücherei 1965 (= Das Fischer-Lexikon, 35/1). S. 307. Allemanns Definition aus dem Fischer-Lexikon wird hier zitiert, weil sie die Einseitigkeit seiner Auffassung am deutlichsten herausstellt. Im Reallexikon der deutschen Literaturgeschichte (2. Aufl.) hebt Allemann lediglich den Gegensatz zwischen rhetorischer und literarischer Ironie hervor: „Im literar. Kunstwerk kann I.[ronie] in der einfachen Form als rhetorische Figur und Redewendung jederzeit auftreten, sobald die Ebene der puren Naivität verlassen und ein gewisser Grad von Reflektiertheit erreicht ist. Dagegen erscheint I. als ein das literar. Werk wesentlich strukturierendes Prinzip nicht allzuhäufig und ist an bestimmte weitergehende Voraussetzungen gebunden" (Bd. 1, S. 758). S. auch Allemann: Ironie und Dichtung. Pfullingen: Neske 1956. S. 11; 13. Der Haupteinwand gegen Allemanns Ironiebegriff wendet sich jedoch gegen seine Auffassung der Gebundenheit der Ironie vornehmlich an das Epos bzw. den Roman. Allemann erklärt im Reallexikon: „In den knapperen Formen der Lyrik und in der innern Gespanntheit des Dramas bietet sich [der Ironie] ... kein eigentliches Feld zur Entfaltung" (Ebd.). Ähnlich heißt es in Ironie und Dichtung: „Im Epischen ... scheint die Ironie eigentlich zu Hause zu sein" (S. 30). — Zur Kritik an Allemanns Ironiebegriff s.: Helmut Arntzen: Satirischer Stil in Robert Musils Der Mann ohne Eigenschaften (= Abhandlungen zur Kunst-, Musik-

Baumgart hat den Gegenbeweis angetreten: in seinem Thomas Mann-Buch stützt er sich auf den „Fundamentalbegriff alles Ironischen": auf die „ironische Redefigur".[14] Er geht dabei zurück auf Kierkegaard, der in seiner Magisterdissertation den engen Zusammenhang zwischen der ironischen Redefigur und der Ironie als einem philosophischen Problem aufgewiesen hat. Die Rhetorik hat in ihrem System ausdrücklich Vorsorge getroffen für diese beiden Pole, die das Feld der Ironie beherrschen. Sie unterscheidet zwischen Ironie als Wort- und Gedankenfigur, aber stellt auch zugleich die Verbindung zwischen beiden Formen her. In Kierkegaards Definition der Gedankenironie — „daß die Erscheinung nicht das Wesen, sondern das Gegenteil des Wesens ist"— läßt sich unschwer auch die Wortironie erkennen, die darin besteht, „daß man das Gegenteil dessen sagt, was man meint". Hier zeigt sich die Gemeinsamkeit von Wort- und Gedankenironie: „der Gedanke, der gemeinte Sinn [ist] das Wesen, und das Wort die Erscheinung".[15]

Es ist nun aber nicht damit getan, bestimmte Formen der Ironie in Goethes Spätwerk zu identifizieren und registrieren. Wie Walter Müller-Seidel sagt, ist „ihre Erkenntnis im sprachlichen Kunstwerk ... eine Erkenntnis ihres Vorhandenseins, nicht schon ihrer Funktion oder ihrer Bedeutung. ... Über eine Dichtung ist so gut wie nichts ausgesagt, wenn wir nur sie ermitteln".[16] Die Methode

---

und Literaturwissenschaft, Bd. 9). Bonn: Bouvier 1960. S. 206; 208/9; Alexander Schweickert: Heinrich Heines Einflüsse auf die deutsche Lyrik 1830—1900 (= Abhandlungen zur Kunst-, Musik- und Literaturwissenschaft, Bd. 57). Bonn: Bouvier 1969. S. 137—140; 241. — Auch Ingrid Strohschneider-Kohrs meint, daß die Ironie als „Redeweise" schwer zu fassen sei und beschränkt sich auf eine philosophisch-ästhetische Betrachtungsweise. „... mit der Ironie wird das Gebiet des rein Sprachlichen verlassen", zitiert sie nach Wilhelm Schneider. Sie kann sich dabei außerdem noch auf Beda Allemann, Rudolf Jancke und Wolfgang Kayser stützen (Die Romantische Ironie in Theorie und Gestaltung [= Hermaea, N. F. 6]. Tübingen: Niemeyer 1960. S. 1; 241/2). Erich Heller erklärt, daß sich die Ironie der Begriffsbestimmung entzieht: „Denn sie ist kein Begriff, sondern ein Affekt des Begreifens ... Entmutigt vom Mißerfolg selbst der feinsten Denker über den Gegenstand ... haben wir von einer allgemeinen Definition der Ironie Abstand genommen. Wie das Wort ‚romantisch' ... hat sie sich aller definitionslüsternen Nachstellungen ... erwehrt. Sie will, daß man ironisch über sie spreche; — — der Ernst bekommt ihr so wenig wie der Liebe eine nüchterne Untersuchung über sich ..." (Thomas Mann. Der ironische Deutsche. Frankfurt a. M.: Suhrkamp 1959. S. 277). Eine Beziehung der Ironie zur Rhetorik kommt bei Heller überhaupt nicht zur Sprache. Hermann J. Weigand spricht von „entfernter Verwandschaft" (The Magic Mountain. A Study of Thomas Mann's Novel „Der Zauberberg". 2. Aufl. Chapel Hill: University of North Carolina Press 1964. S. 60).

[14] Reinhard Baumgart: Das Ironische und die Ironie in den Werken Thomas Manns. München: Hanser 1964 (= Literatur als Kunst). S. 13.

[15] Kierkegaard: Über den Begriff der Ironie. S. 251.

[16] Walter Müller-Seidel: Probleme der literarischen Wertung. Über die Wissenschaftlichkeit eines unwissenschaftlichen Themas. Stuttgart: Metzler 1965. S. 38.

der literarischen Rhetorik fordert also, daß vom sprachlichen Befund zur Frage nach Funktion und Struktur übergegangen wird. An diesem Punkt setzt die eigentliche Interpretation ein.

Alle Verweise auf ein System der Rhetorik beziehen sich in der vorliegenden Untersuchung auf Heinrich Lausbergs *Handbuch der literarischen Rhetorik.* Nur mit Hilfe dieses grundlegenden Werkes ist die Studie in der gegenwärtigen Gestalt möglich gewesen. Ferner ist in diesem Zusammenhang Ernst Robert Curtius zu erwähnen, der der rhetorischen Literaturbetrachtung in diesem Jahrhundert erneut den Weg gebahnt hat. Die Auseinandersetzung mit der Sekundärliteratur, die die Abhängigkeit der vorliegenden Arbeit von der Goethe-Forschung dankbar bezeugt, ist soweit wie möglich in die Fußnoten verwiesen worden. Ein kurzer Bericht zum Stand der Forschung sowie die Wortbelege befinden sich im Anhang. Die Bibliographie beschränkt sich auf die Hauptwerke zur Rhetorik und Ironie sowie zur Spätdichtung Goethes, die die vorliegende Untersuchung entscheidend beeinflußt haben. Zitiert wird nach der Weimarer Ausgabe. Lediglich für den *West-östlichen Divan* und besonders für *Wilhelm Meisters Wanderjahre* sowie für die *Maximen und Reflexionen* sind andere Editionen mit herangezogen worden.

Die vorliegenden Studien gehen zurück auf eine Dissertation, die 1968 unter Professor Heinz Politzer an der University of California, Berkeley abgeschlossen wurde. Eine programmatische Einführung in das Problem erschien 1969 im *Jahrbuch der Goethe-Gesellschaft.*

Zu Dank verpflichtet bin ich den Arbeitsstellen des *Goethe-Wörterbuchs* für Einblick in das Belegmaterial sowie Maris Lynn Ward für zuverlässige Hilfe bei der Ausarbeitung des Manuskripts. Ruth Goldschmidt-Kunzer danke ich für beratende Mitgestaltung des Buches. Mein besonderer Dank gilt meinem Kollegen und Freund Franz H. Bäuml, der meine Arbeit mit Rat und Zuspruch gefördert hat. Der University of California, Los Angeles, danke ich für großzügige Bewilligung eines Forschungsstipendiums und eines Druckkostenzuschusses. Ferner Dr. Ellinor Kahleyss vom Erich Schmidt-Verlag, die den Druck der Studien empfohlen und betreut hat.

Meinem verehrten Lehrer Heinz Politzer, der die Entstehung dieser Abhandlung mit Anteilnahme und fördernder Kritik begleitet hat, möchte ich an dieser Stelle meinen ganz besonderen Dank aussprechen.

Zuletzt gilt es, eines Ausfluges mit Professor Herman Meyer (Amsterdam) im Jahre 1968 zur Huntington Library in Kalifornien zu gedenken, auf dem es sich herausstellte, daß er an einer Studie mit dem identischen Titel arbeitete. Professor Meyer schlug damals großzügig vor, die Übereinstimmung ironisch als mystische „Duplizität der Fälle“ festzuhalten. Es ist mir eine Ehre und aufrichtige Freude, dieses Versprechen jetzt einlösen zu können. Professor Meyers Studie ist inzwischen im Lothar Stiehm-Verlag in Heidelberg erschienen, und ich kann mir keine schönere Ankündigung der vorliegenden Untersuchung denken als das Postskriptum, das er diesem „reizvollen Scherz" gewidmet hat, „den der Zufall sich, so richtig im Goetheschen Sinne, mit uns gemacht hatte".

Santa Monica, Mai 1971 E. B.

KAPITEL I

„... diese sehr ernsten Scherze ...“

„Diese sehr ernsten Scherze“ ...
ist die Definition aller Kunst.
THOMAS MANN

Im Juli 1831 beendet Goethe sein Lebenswerk, den *Faust,* an dem er „über sechzig Jahre“ gearbeitet hat. Am 22. Juli vermerkt er in seinem Tagebuch: „Das Hauptgeschäft zu Stande gebracht. Letztes Mundum. Alles rein Geschriebene eingeheftet.“ Das Manuskript wird „in einem aparten Kistchen verwahrt“ und „in der Hälfte des Augusts“ „endlich eingesiegelt“, um dann nach seinem Tode im ersten Band der *Nachgelassenen Werke* veröffentlicht zu werden.

Anfang Januar 1832 ist dann das Siegel noch einmal aufgebrochen worden, aber dieser Monat ist lediglich die Zeit der letzten Durchsicht eines Werkes, dessen Vollendung dem Dichter inzwischen sicherer und selbstverständlicher Besitz geworden ist. Goethe geht noch einmal in gemeinsamer Lektüre mit seiner Schwiegertochter Ottilie das Gesamtwerk durch. Einige Verbesserungen werden angebracht: „Einiges im *Faust* Bemerkte nachgeholfen“, „einiges umgeschrieben“. Am 24. Januar heißt es sogar noch einmal: „Neue Aufregung zu *Faust* ...“, aber es handelt sich nicht mehr um wesentliche Änderungen, sondern nur um „Ausführung der Hauptmotive“, die „allzu lakonisch behandelt“ worden waren. Am 29. Januar schreibt Goethe: „Abends Ottilie. *Faust* ausgelesen.“[1]

Goethe durchlebt seine letzte Schaffensperiode besonders intensiv. Er kommentiert seine dichterische Verfahrensweise und erklärt sie ausführlich in seinen Gesprächen und Briefen. Dabei zeigt sich, wie sehr er die Vollendung des *Faust* als Wunder, Gnade und Geschenk empfunden hat. Am 22. Oktober 1826 schreibt er an Boisserée: „Ich will des mir gegönnten Glücks, so lange es mir auch gewährt sein mag, mich würdig erzeigen, und ich verwende Tag und Nacht auf Denken und Tun, wie und damit es möglich sei.“[2] Und in einem Brief vom 29. Juni 1829 heißt es: „Unser Leben gleicht denn doch zuletzt den Sibyllinischen Büchern; es wird immer kostbarer, je weniger davon übrig bleibt.“[3]

---

[1] WA IV 49, 282; WA III 13, 112; WA IV 49, 64; 62; 64; WA III 13, 207; WA III 13, 210; WA III 13, 212.

[2] WA IV 41, 208.

[3] WA IV 45, 310—311.

Goethe hat den Tod der meisten seiner Zeit- und Weggenossen erlebt. Er hat das Glück, die Lebensbegabung und -kraft besessen, sich Krisen und Krankheiten fernzuhalten oder sie zu überwinden. Ihm stellt sich nicht das Problem der Zeitnot. Was der jüngeren Generation der Romantiker verwehrt blieb, ist Goethe vergönnt: ihm gelingt „das Gedicht“, „das am Herzen“ ihm lag.[4] Schaffensmüde und -glücklich sagt Goethe am 6. Juni 1831 zu Eckermann: „Mein ferneres Leben ... kann ich nunmehr als ein reines Geschenk ansehen, und es ist im Grunde ganz einerlei, ob und was ich noch tue.“[5] Goethe zitiert aus den Reden des Predigers: „Solche Mühe hat Gott dem Menschen gegeben.“[6] Es liegt ein Abglanz des biblischen Segens vom Genesis-Sabbat, von der Berg Nabo-Stimmung und vom 90. Psalm — vom Leben, das „achtzig Jahre“ währt, „wenn's hoch kommt“, und „Mühe und Arbeit“ ist, „wenn's köstlich gewesen ist“ — über dieser letzten Schaffensperiode.

Es gibt kaum einen Biographen oder Faustkommentator, der nichts von diesem Segen gespürt hat und es sich hat entgehen lassen, darüber eingehend und voll Ergriffenheit zu berichten. Dabei ist besonders Goethes letzter Brief, der an Wilhelm von Humboldt gerichtet war — der sogenannte Merlin-Brief —, herangezogen worden, zumal dieser Brief, der zufällig Goethes letzter wurde, etwas von der Absicht eines Kunstwerkes hat.[7] Man hat diesen Brief als „Epilog zum *Faust*“, „Fausts letzten Monolog“, als Goethes „letzte Konfession: das einfachste, großartigste, inhaltsvollste Bekenntnis über sich selbst“, als „Goethes ... Testament“, als „seine letzte Botschaft an sein Volk und die Menschheit“

[4] Friedrich Hölderlin: Sämtliche Werke. Große Stuttgarter Ausgabe. Bd. I. Stuttgart: Cotta 1946. S. 241.

[5] Eckermann, 383.

[6] WA IV 49, 11; siehe dazu Friedrich Wilhelm Riemer: Briefe von und an Goethe. Desgleichen Aphorismen und Brocardica. Leipzig: Weidmann 1846. S. 370—71.

[7] WA IV 49, 281—284; siehe ferner Barker Fairley: Goethe's Last Letter. In: University of Toronto Quarterly 27 (1957—58) S. 1—9; Andreas Flitner: Goethe an Wilhelm v. Humboldt. Ein unbekannter Brief und vier weitere Originale aus dem Archiv Schloß Tegel. In: Goethe 27 (1965) S. 309—331; der Brief vom 17. März 1832 S. 329—331; Franz Schmidt: Goethes letzter Brief. In: Goethe 28 (1966) S. 284 bis 288. Hans Böhm: Neue Weimarer Ausgabe. Bemerkungen zur Neubearbeitung der Briefe und Tagebücher Goethes (Abteilung III und IV der Weimarer Ausgabe). In: Goethe 29 (1967) S. 104—138; Erwähnung des Briefes vom 17. März 1832 S. 111; Ehrhard Bahr: „... diese sehr ernsten Scherze ...‘ Zur rhetorischen Struktur und Funktion der Ironie in Goethes Spätwerk. In: Goethe 31 (1969) S. 157—173. Siehe ferner: Gerhart Baumann: Maxime und Reflexion als Stilform bei Goethe. Karlsruhe: Braun o. J. (1949). S. 53; Werner Danckert: Goethe. Der mythische Urgrund seiner Weltschau. Berlin: de Gruyter 1951. S. 35.

[8] Julius Bab: Faust. 2. Aufl. Stuttgart/Berlin/Leipzig: Union Deutsche Verlagsgesellschaft 1926. S. 213, 221; Herman Grimm: Goethe. Vorlesungen. 5. Aufl. Berlin: Besser 1894. S. 464, 467; Eugen Kühnemann: Goethe, Bd. 2. Leipzig: Insel 1930. S. 364.

bezeichnet.[8] Emil Staiger sagt in seiner Goethe-Biographie: „Es gibt in der Weltgeschichte nichts, womit sich dies vergleichen ließe.“[9]

Was ist aber Goethes letztes Wort über den *Faust?* Was ist seine letzte Deutung von Leben und Dichtung, seine „letzte Konfession“, sein dichterisches Vermächtnis, „der Wahrheit letzter Schluß“? Kein eindeutiges Wort von großem Pathos verwendet Goethe, sondern vielmehr ein höchst zweideutiges, rätselhaftes: er kennzeichnet den *Faust* mit dem Wort: „... diese sehr ernsten Scherze ...“

Natürlich enthält der Brief noch andere Mitteilungen, aber für sein Lebenswerk findet Goethe in seinem letzten Brief kein anderes Wort als diese zweideutige Bemerkung. Es handelt sich dabei nicht um eine zufällige Äußerung, die man außer acht lassen kann. Es ist bereits das zweite Mal, daß Goethe diese Formulierung auf den *Faust* anwendet. Er hat sie bereits vorher in einem Brief an Sulpiz Boisserée vom 24. November 1831 gebraucht. Goethe spricht dort von „diesen ernst gemeinten Scherzen“.[10] Man muß Goethe hier beim Wort nehmen, so befremdend diese Wendung zunächst auch wirken mag. Sie gehört zu dem typischen Wortschatz seines Altersstils und der Problematik seines Altersdenkens.

Von einem Scherz erwartet man, daß er lustig, leicht und erheiternd ist, während man die Qualität sehr ernst gewöhnlich im Zusammenhang mit Strenge, Feierlichkeit und Trauer sieht. Die Kombination von Scherz und Ernst ist ein Widerspruch. Dieser Widerspruch ergibt sich, wie Heinrich Lausberg sagt, „aus der Spannung zwischen Qualitätsträger (Substantiv, Verbum, Subjekt) und Qualität (Attribut, Adverb, Prädikat).“[11] In der Rhetorik wird diese Figur als Oxymoron bezeichnet. Das Oxymoron wird dem *acutum dicendi genus* zugeordnet, das sich die intellektuell verfremdende und provozierende Wirkung von Wort- und Gedankenparadoxien zunutze macht, um eine Aussage zu intensivieren. Die konventionelle Bedeutung der Wörter wird durch die widersprüchliche Kombination in Frage gestellt. Die Logik der konventionellen Sprache, bei der man ein eindeutiges Verhältnis von Wort und Bedeutung voraussetzt, ist aufgehoben. Der Hörer bzw. der Leser wird auf ein vielfältig gebrochenes Verhältnis von Wort und Bedeutung hingewiesen. Er wird aufgefordert, die vom Autor intendierte neue Bedeutung, die in der unerwarteten Wortkombination angelegt ist, aufzuspüren und zu erfassen.[12]

Das *acutum dicendi genus,* das aus der forensischen Rhetorik stammt, wird empfohlen, wenn der „vom Redner vertretene Parteistandpunkt“ nur einen „schwachen Grad der Glaubwürdigkeit“ besitzt, wie Lausberg es formuliert.

[9] Staiger, III, 262.

[10] WA IV 49, 149—154.

[11] Heinrich Lausberg: Elemente der literarischen Rhetorik. 3. durchgesehene Aufl. München: M. Hueber 1967. S. 126.

[12] Ebd., S. 39—41; siehe auch S. 61.

Es hat die Funktion, durch Schockeffekte von paradoxen Wortkombinationen einen höheren Grad der Glaubwürdigkeit für die Partei des Redners zu erzielen.[13] In der literarischen Rhetorik tritt das Paradox dort auf, wo es darum geht, trotz der Unzulänglichkeit der Sprache ein Unsagbares ahnbar zu machen.[14] Wie vertraut Goethe mit dieser scheinbar ausschließlich modernen Problematik ist, zeigt eine Bemerkung aus einem Brief vom 21. Oktober 1831 an Carl Ludwig von Knebel, in dem Goethe es als „verdienstlich“ bezeichnet, „für das Unaussprechliche einen wörtlichen Ausdruck zu versuchen“.[15]

Goethes Formulierung „... diese sehr ernsten Scherze ...“ steht aber noch in einem weitaus differenzierteren Zusammenhang. Durch die Bezugnahme auf *Faust* erhält das Oxymoron noch eine weitere Dimension. Zu den beiden Gliedern der Wortantithese tritt ein *tertium comparationis* hinzu durch die Tatsache, daß das Oxymoron auf eine Tragödie bezogen ist. Es geht also nicht nur um das Paradox von Ernst- und Scherzhaftigkeit, sondern darum, daß eine Tragödie als „Scherz“, und dieser „Scherz“ wiederum als „sehr ernst“ bezeichnet werden. Die einzelnen Bezugselemente stehen in einem ironischen Verhältnis zueinander. Heinrich Lausberg definiert Ironie als „Ersatz des gemeinten Gedankens durch einen andern Gedanken, der zum gemeinten Gedanken im Gegensatzverhältnis steht“.[16] Anhand dieser Definition der literarischen Rhetorik zeigt es sich nun, daß es sich bei Goethes Formulierung um eine Ironie der Ironie handelt, denn zu dem „Ersatz des gemeinten Gedankens“ Tragödie durch den Gedanken Scherz, „der zum gemeinten Gedanken im Gegensatzverhältnis steht“, tritt der Gedanke der großen Ernsthaftigkeit hinzu, der wiederum im Widerspruch zum Ersatzgedanken Scherz steht. Die Hintergründigkeit von Goethes Formulierung wird offenbar. Durch jeden weiteren paradoxen Zusatz zu dem Bezugswort Tragödie eröffnet sich ein weiterer Hintergrund, hinter jedem angeschnittenen Problem, wie z. B. dem der Tragödie als Scherz, zeigt sich ein neues, wie z. B. Scherz als Ernst. Diese Struktur der potenzierten Ironie verdeutlicht in der Sprache, was Goethe dem Grafen Reinhard in einem Brief vom 7. September 1831 zu erklären versucht, als er über den *Faust* sagt: „Aufschluß erwarten Sie nicht; der Welt- und Menschengeschichte gleich, enthüllt das zuletzt aufgelöste Problem immer wieder ein neues aufzulösendes.“[17] Oder wenn er im Gespräch mit Eckermann am 13. Februar 1831 den *Faust* „als ein Ganzes immer inkommensurabel“ nennt und hin-

---

[13] Ebd., S. 23—24.

[14] Heinz Politzer: Franz Kafka der Künstler. Frankfurt: S. Fischer 1965. S. 43; Lowry Nelson, Jr.: The Rhetoric of Ineffability. In: Comparative Literature 8 (1956) S. 325; siehe auch Literaturangaben in Gerhard Neumann: Umkehrung und Ablenkung: Franz Kafkas Gleitendes Paradox. In: DVjs. 42 (1968) S. 704, Fn. 6.

[15] WA IV 49, 124.

[16] Elemente der literarischen Rhetorik. S. 140—141.

[17] WA IV 49, 62.

zufügt, daß er „aber eben deswegen, gleich einem unaufgelösten Problem, die Menschen zu wiederholter Betrachtung immer wieder anlockt“.[18] Aber diese Aneinanderreihung von Problemen wird nicht ins End- und Sinnlose fortgesetzt. Der Zusatzgedanke der großen Ernsthaftigkeit, der einerseits im Gegensatz zum Ersatzgedanken Scherz steht, stimmt andererseits mit dem gemeinten Gedanken Tragödie überein. Dadurch schafft Goethe ein dialektisches Gegengewicht und verleiht der potenzierten Ironie den Charakter der Ausgeglichenheit und Ausgewogenheit. Die Problematik verliert sich nicht in einer ins Sinn- und Endlose auslaufenden Linie, sondern sie wird gleichermaßen polarisiert, so daß sich die Gedankenfluchtlinien zwar jenseits der Sprache, aber noch im Bereich des Erahnbaren bedeutungsvoll schneiden. Die gemeinte Bedeutung, die nicht mehr unmittelbar ausgedrückt werden kann, wird indirekt, *par ricochet* getroffen, wie Goethe zu sagen liebte.[19]

Die ironische Struktur von Goethes Formulierung „... diese sehr ernsten Scherze ...“ verdeutlicht das Darstellungsprinzip der indirekten Aussage, das so typisch ist für Goethes Altersstil. In dem bekannten Brief an K. J. L. Iken vom 23. September 1827 hat Goethe dieses Prinzip erläutert: „Da sich gar manches in unseren Erfahrungen nicht ... direkt mitteilen läßt, so habe ich seit langem das Mittel gewählt, durch einander gegenübergestellte und sich gleichsam einander abspiegelnde Gebilde den geheimeren Sinn dem Aufmerkenden zu offenbaren.“[20]

Der geheimere Sinn ist nicht festgelegt, sondern wird indirekt angenähert durch die Gegenüberstellung polar spiegelbildlicher Gedanken. Damit wird ein Hauptcharakteristikum der Goetheschen Ironie deutlich. Die rhetorische Ironie ist im Gegensatz dazu präzis. Der Autor, der sie anwendet, ersetzt zwar den gemeinten Gedanken „durch einen anderen Gedanken, der zum gemeinten Gedanken im Gegensatzverhältnis ... steht“, aber der gemeinte Gedanke ist doch genau festlegbar, und der Autor ist sich ganz klar bewußt, zu welchem Standpunkt er sein Publikum überreden will. Die Zweideutigkeit, das Schweben zwischen den Gedanken, besteht nur für das Publikum, das die Ironie nicht sofort durchschaut, aber nicht für den Autor. Es handelt sich bei Goethe nicht um eine *ironie qui sait,* sondern um eine *ironie qui cherche.* Die Goethesche Ironie ist bereits für den Autor vieldeutig. Es handelt sich bei ihm gleichsam um eine Verlagerung der Positionen der Ironie. Die Position des Autors ist vorverlegt auf die des Publikums. Er befindet sich jetzt genau so in der Schwebe wie sein Publikum. Die Gewißheit des rhetorischen Autors wird transzendiert in den Bereich dessen, was Goethe „das Unaussprechliche“[20a], „das Unschaubare, das

---

[18] Eckermann, 339.
[19] Sulpiz Boisserées Tagebuch, Wiesbaden, 3. Aug. 1815. Zitiert nach HA 3, 430.
[20] WA IV 43, 83.
[20a] WA IV 49, 124.

ewig tätige Leben“[21], die Idee nennt.[22] Bei Goethe gibt es keine Gewißheit für den Autor. Die „rhetorische Gewißheit“ liegt bei ihm im Bereich des Absoluten.

Es zeigt sich hier deutlich, daß man die Struktur von Goethes Formulierung „... diese sehr ernsten Scherze ...“ nicht isoliert als ein rein stilistisches Phänomen betrachten kann. Es handelt sich eben nicht nur um eine sprachliche, sondern auch um eine erkenntnistheoretische, ontologische, metaphysische und ethische Struktur, die sich in der Ironie offenbart. Wie die Ironie beim alten Goethe mit Erkenntnis- und Wahrheitstheorie sowie mit seinem Weltverständnis verbunden ist, hat Hermann Schmitz erneut dargelegt.[23] In seinem hohen Alter glaubt Goethe, daß jeder Wahrheitsanspruch, der etwas eindeutig festzulegen versucht, die Wirklichkeit nicht erfaßt. Dieser Glaube ist im Grunde die Ursache für seine Gegnerschaft gegen Newton. Goethe erklärt: „Alles ist einfacher, als man denken kann, zugleich verschränkter, als zu begreifen ist.“ Goethe will das Problematische an sich nicht lösen, sondern es bewahrt wissen, um der Wirklichkeit des Daseins gerecht zu werden: „Man sagt, zwischen zwei entgegengesetzten Meinungen liege die Wahrheit mitten inne. Keineswegs! Das Problem liegt dazwischen, das Unschaubare, das ewig tätige Leben, in Ruhe gedacht.“[24] Die Problematik läßt sich nicht auf irgendwelche begrenzten Wahrheitsinhalte zurückführen, sondern wirkt als „ewig tätiges Leben“. Jede Lösung ist Simplifikation und Komplikation zugleich, d. h. eine Verfälschung des Lebens. Die Ironie hat dabei die Funktion, immer wieder herauszustellen, daß die Dinge nicht eindeutig festzulegen sind, sondern immer problematisch bleiben müssen, wenn man ihnen gerecht werden will. Goethe schreibt in diesem Sinne an den Grafen von Sternberg am 26. September 1826:

> Doch fällt mir bei meiner Art, die natürlichen Dinge zu betrachten, jenes geistreiche Wort dabei ein: „Der Franzose liebt das Positive, und wenn er's nicht findet, so macht er es.“ Dieses ist zwar aller Menschen angeborne Natur und Weise, die ich, wenn nicht zur Erbsünde, doch wenigstens zur Erbeigenheit rechnen möchte und mich deshalb möglichst davor zu hüten oder vielmehr sie auszubilden suche.
>
> Der Mensch gesteht überall Probleme zu und kann doch keins ruhen und liegen lassen, und dies ist auch ganz recht, denn sonst würde die Forschung aufhören; aber mit dem Positiven muß man es nicht so ernsthaft nehmen, sondern sich durch Ironie darüber erheben und ihm dadurch die Eigenschaft des Problems erhalten.[25]

---

[21] MuR 616.

[22] MuR 375.

[23] Hermann Schmitz: Goethes Altersdenken im problemgeschichtlichen Zusammenhang. Bonn: Bouvier 1959. S. 113; 305—306, 370. — Die Darstellung folgt hier den Gedankengängen von Hermann Schmitz.

[24] MuR 1209; 616.

[25] WA IV 41, 168—169.

Im Sommer 1822 führt Goethe mit einem „jungen, munteren Badegast“ in Eger eine Diskussion über den Vulkanismus. Die Diskussion kommt aber zu keinem Ergebnis, da beide Parteien „durch ein doppeltes Problem... durch Klüfte“ geschieden sind. Goethe gibt sich nun Rechenschaft über diese Diskussion, indem er feststellt: „Hierdurch mußte bei mir eine milde, gewissermaßen versatile Stimmung entstehen, welche das angenehme Gefühl gibt, uns zwischen zwei entgegengesetzten Meinungen hin und her zu wiegen und vielleicht bei keiner zu verharren.“[26] Wie Hermann Schmitz sagt, hat die Ironie dabei die Aufgabe, „den Sinn für die Schwebe zu bewahren, in der sich das Wahre hinter allen eindeutigen Entscheidungen noch hält“.[27] Das Motiv der Schwebe ist von höchster Bedeutung für Goethes Dichtung, und die Ironie ist seine „Lieblingsform“, weil sie den Zustand der Schwebe herstellt.[28]

Daher erhebt Goethe in dem Vorwort *Zur Farbenlehre* die Forderung, in den Naturwissenschaften „mit Selbstkenntnis, mit Freiheit, und um uns eines gewagten Wortes zu bedienen, mit Ironie“ vorzugehen, um die Verfälschung der Wahrheit des „ewig tätigen Lebens“ in Form der Abstraktion, „vor der wir uns fürchten“, zu vermeiden und ein „Erfahrungsresultat, das wir hoffen, recht lebendig und nützlich werden soll“, zu erreichen.[29] Auch die naturwissenschaftliche Erkenntnis soll im Zustand der Schwebe gehalten werden. Der einzig ausschlaggebende Faktor ist die Kategorie des Nützlichen. Das Nützliche wird zu einem Kriterion für das Relativ-Wahre. Goethe sagt: „Was fruchtbar ist, allein ist wahr.“[30] Goethes Haltung bedeutet aber keinen unverbindlichen Relativismus oder primitiven Pragmatismus.[31] Wie Hermann Schmitz sagt, wird bei Goethe die Wahrheit „zum Produkt einer nie endenden Auseinandersetzung mit dem Problematischen, dem sie sich nie ganz entwinden und vor dem sie sich nur durch Bewährung und Fruchtbarkeit behaupten kann“.[32] Es handelt sich bei Goethe im Grunde um zwei Aspekte desselben Wahrheitsbegriffes: einmal um das Relativ-Wahre, das in zwei gegensätzlichen Meinungen zum Ausdruck kommt, und dann das Absolut-Wahre oder das, was Goethe die

[26] WA II 10, 173.

[27] Goethes Altersdenken im problemgeschichtlichen Zusammenhang. S. 114.

[28] Eugen Wolf hat die Bedeutung des Motivs der Schwebe in Goethes Dichtung von der Frühzeit bis zu einem späten Gedicht wie „Schwebender Genius über der Erdkugel“ (1826) aufgewiesen. In: E. W., Über die Selbstbewahrung. Zur Frage der Distanz in Goethes Dasein. Stuttgart: Cotta 1957. S. 138—139. — Siehe ferner Wolfgang Preisendanz: Die Spruchform in der Lyrik des alten Goethe. S. 156—160; 162; Staiger, I, 19; II, 514—515; Werner Danckert: Goethe. S. 104 f.

[29] WA II 1, XII.

[30] WA I 3, 83; ferner WA IV 46, 199.

[31] Georg Simmel: Goethe. Leipzig: Klinkhardt & Biermann 1913. S. 20—49; Rudolf Eisler: Wörterbuch der philosophischen Begriffe. 4. Aufl. Berlin: Mittler 1930. Bd. 3, S. 456.

[32] Goethes Altersdenken im problemgeschichtlichen Zusammenhang. S. 115.

Idee nennt: „Die Idee ist ewig und einzig ... Alles, was wir gewahr werden und wovon wir reden können, sind nur Manifestationen der Idee.“[32a] Das Relativ-Wahre ist ein Aspekt des Absolut-Wahren, es ist im Absolut-Wahren — in der Idee, dem Ewigen, Einzigen, Göttlichen — miteingeschlossen und aufgehoben.[33] Das Wahre ist eine vielfältige Einheit: es ist Einheit als Idee und Vielheit als Realmanifestation der Idee in der Erscheinung. Es gibt Stufengrade der Wahrheit, die sich steigern lassen, aber es bleibt immer nur bei einem Mehr oder Weniger von Wahrheit. Das Absolut-Wahre, die Idee lassen sich nicht direkt erfassen, sondern nur „im Abglanz, im Beispiel, Symbol, in einzelnen und verwandten Erscheinungen“ schauen.[34] Goethes Auffassung der Symbolik — „[sie] verwandelt die Erscheinung in Idee, die Idee in ein Bild, und so, daß die Idee im Bild immer unendlich wirksam und unerreichbar bleibt“ — kommt hier mit ins Spiel.[35] Zugleich findet auch die große Bedeutung, die Goethe dem Schauen zuschreibt, ihre metaphysische Rechtfertigung. Es sei nur erinnert an Lynkeus, den Türmer, und an Doctor Marianus im *Faust*, Wilhelm Meister mit Jarno-Montan auf dem Berggipfel und mit dem Astronomen auf der Sternwarte in den *Wanderjahren* und an den Dichter im „Schenkenbuch“ des *Divans*, der es liebt, „das Unendliche zu schauen“.[36] Das Schauen, das nicht begrifflich begrenzt und sondert wie der Verstand, sondern „zusammenschaut“, immer das Ganze im Blickfeld behält, soll über die Vielfalt der einzelnen Erscheinungen hinaus die dahinter- und darüberstehende Einheit mit erfassen. Goethe sagt: „Das Höchste ist das Anschauen des Verschiedenen als identisch.“[37]

Hier wird nun auch die metaphysische Funktion der Ironie bei Goethe deutlich. Die Ironie reißt den Menschen fort vom Hängen am Relativ-Wahren, an der begrenzten Einzelmeinung oder Einzelerscheinung und hält ihn im Zustand der Schwebe offen und bereit für das Schauen des Absolut-Wahren „im Abglanz, im Beispiel, in einzelnen und verwandten Erscheinungen“.[37a] Aus diesem Grunde findet Kant Goethes Billigung, weil er „sich mit Vorsatz in einen gewissen Kreis“ beschränkt und „ironisch immer darüber“ hinausdeutet.[38] Er verschließt sich nicht dem Absoluten, sondern weist in der Beschränkung stets ironisch darauf hin und bezeugt in dieser ironischen Schwebe zwischen Begrenzung und Offenheit seine Bereitschaft für das Schauen des Absoluten.

[32a] MuR 375.

[33] Diese Aufzählung von Ewigem, Einzigem, Göttlichem als identisch mit dem Wahren mag willkürlich erscheinen, wird aber durch folgende Maximen und Reflexionen gestützt: MuR 375, 619 sowie durch § 741 der Farbenlehre (WA II 1, 296—297).

[34] WA II 12, 74.

[35] MuR 1113.

[36] WA I 6, 220.

[37] MuR 1137.

[37a] WA II 12, 74.

[38] MuR 1198.

In der vieldeutigen Formulierung „...diese sehr ernsten Scherze...“ spiegelt sich die Problematik der Tragödie *Faust* und wird in ihr als Problematik bewahrt. Die Formulierung ermöglicht das ironische Hin-und-Herwiegen, das eine der Grundvoraussetzungen von Goethes Erkenntnistheorie darstellt. Jede Frage an das Werk, die auf eine eindeutige Antwort hinzielt, ist nach Goethes Auffassung einfach falsch gestellt. Ein Gespräch mit Eckermann am 6. Mai 1827 zeigt deutlich, wie verfehlt Fragen dieser Art sind: „Da kommen sie [die Leute] und fragen, welche Idee ich in meinem *Faust* zu verkörpern gesucht. Als ob ich das selber wüßte und aussprechen könnte.“[39] Die Idee läßt sich nicht direkt aussprechen, aber die ironische Formulierung vermag das Blickfeld offenzuhalten für die Idee, für das Absolute, und sie ahnbar zu machen. Hier zeigt sich die Verwandtschaft der ironischen Darstellung mit der symbolischen. Wie das Symbol „... die Sache [ist], ohne die Sache zu sein und doch die Sache“, so ist die Goethesche Ironie das Gegenteil des gemeinten Gedankens, ohne das Gegenteil zu sein und doch das Gegenteil.[40] Beide verweisen *par ricochet* auf die Idee. Dieses Vermögen stellt vielleicht einen der höchstmöglichen Grade an sprachlicher Annäherung dar, der in einem Werk, in dem es um das Absolute geht, erreicht werden kann. Die sprachliche Form der indirekten Annäherung entspricht der indirekten Erkenntnisweise, in der der behandelte Gegenstand des Werkes ahnbar wird.

In der Formulierung „...diese sehr ernsten Scherze...“ kommt zugleich auch die ontologische Struktur zum Ausdruck, die Goethes Altersdenken beherrscht. Es handelt sich um die vielzitierten Begriffe der Polarität und Steigerung, die Goethe als die beiden „großen Triebräder aller Natur“ bezeichnet hat.[41] Goethe weist diese beiden Prinzipien sowohl im Natur- als auch im Kulturgeschehen nach. Es sei hier nur an den spruchartigen Vierzeiler in „Gott, Gemüt und Welt“ erinnert —

Die endliche Ruhe wird nur verspürt,
Sobald der Pol den Pol berührt.

Drum danket Gott, ihr Söhne der Zeit,
Daß er die Pole für ewig entzweit.[42]

---

[39] Eckermann, 481.

[40] WA I 49I, 142.

[41] WA II 11, 11; siehe dazu Ewald A. Boucke: Goethes Weltanschauung auf historischer Grundlage. Stuttgart: Frommann 1907. S. 218—452; Otto Harnack: Goethe in der Epoche seiner Vollendung. 3. Aufl. Leipzig: J. C. Hinrichs 1905. S. 100; 125; 134; 216; 240; Franz Koch: Goethes Gedankenform. Berlin: de Gruyter 1967. S. 1—48; Hans Leisegang: Goethes Denken. Leipzig: F. Meiner 1932. S. 28—29; 64—65; 132 bis 133; 157—158; Fritz Joachim von Rintelen: Der Rang des Geistes. Goethes Weltverständnis. Tübingen: F. Kupferberg 1955. S. 15—64; Hermann Schmitz: Goethes Altersdenken im problemgeschichtlichen Zusammenhang. S. 541—557; Staiger, II, 468, 518; Ferdinand Weinhandl: Die Metaphysik Goethes. Berlin: Junker & Dünnhaupt 1932. S. 61—99.

[42] WA I 2, 217.

— sowie an das Vorwort *Zur Farbenlehre,* in dem es heißt: „Man hat ein Mehr und Weniger, ein Wirken ein Widerstreben, ein Tun ein Leiden, ein Vordringendes ein Zurückhaltendes, ein Heftiges ein Mäßigendes, ein Männliches ein Weibliches überall bemerkt und genannt.“[43] Es wird klar ersichtlich, daß das Oxymoron die perfekte sprachliche Ausdrucksform dieser ontologischen Struktur darstellt, und wie die Formulierung „... diese sehr ernsten Scherze ...“ dem Prinzip der Polarität entspricht.[44]

So wie die Pole geschieden und einander entgegengesetzt sind, ist es auch gerechtfertigt, die beiden Elemente des Oxymorons zu trennen und einander als Scherz und Ernst gegenüberzustellen. Fausts Tragödie spielt sich zwischen diesen beiden Polen von Scherz und Ernst ab. In Abwandlung eines Spruches aus den *Maximen und Reflexionen* läßt sich sagen: die Tragödie ist

„sehr ernst“
(und doch)
„Scherz“,

zugleich ist sie aber auch

„sehr ernst“
(als) (mit)
„Scherz“.[45]

Die Elemente des Oxymorons sind zugleich auch als Einheit, als *coincidentia oppositorum* zu sehen, da in Goethes Denken die Geschiedenheit der Pole zugleich auch wieder aufgehoben wird.[46] In der *Farbenlehre* sagt Goethe: „Das Geeinte zu entzweien, das Entzweite zu einigen, ist das Leben der Natur; dies ist die ewige Systole und Diastole, die ewige Synkrisis und Diakrisis, das Ein- und Ausatmen der Welt, in der wir leben, weben und sind.“[47]

Das Prinzip der Steigerung erwächst aus der Polarität in der Bezugnahme auf ein Drittes, Höheres: „das Ewige“, „Gott“. Es sei hier nur an die Gedichte „Eins und Alles“ und „Selige Sehnsucht“ sowie an den bekannten Spruch aus dem *Divan* über Systole und Diastole erinnert:

---

[43] WA II 1, XI.

[44] siehe Bernhard Blume: Thomas Mann und Goethe. Bern: A. Francke 1949. S. 57—58; Boucke: Goethes Weltanschauung auf historischer Grundlage. S. 376—378; Paul Knauth: Goethes Sprache und Stil im Alter. Leipzig: G. Fock 1898. S. 114; Otto Pniower: Goethe als Wortschöpfer. In: Euph. 31 (1930) S. 362—383; Franz Koch: Goethes Gedankenform. Berlin: de Gruyter 1967. S. 6 f.

[45] MuR 1309.

[46] Schmitz: Goethes Altersdenken im problemgeschichtlichen Zusammenhang. S. 547 bis 550; Leisegang: Goethes Denken. S. 29—36; 65; 159; Boucke: Goethes Weltanschauung auf historischer Grundlage. S. 7, 405; Staiger, II, 468.

[47] WA II 1, 296; siehe auch WA II 1, 15.

Im Atemholen sind zweierlei Gnaden:
Die Luft einziehen, sich ihrer entladen.
Jenes bedrängt, dieses erfrischt;
So wunderbar ist das Leben gemischt.
Du danke Gott, wenn er dich preßt,
Und dank' ihm, wenn er dich wieder entläßt.[48]

In ähnlicher Weise stehen sich „Scherz“ und „Ernst“ polar in der Schwebe gegenüber und verweisen, über sich hinaussteigernd, auf ein Drittes, Höheres. Die Goethesche Pyramide des Daseins ist hier reduziert auf die Struktur eines offenen Dreiecks. Die Basis ist „angegeben und gegründet“ durch die Gedanken „Scherz“ und „Ernst“. Die Schenkel des Dreiecks schneiden sich nicht, sondern sind bestimmt von dem Bestreben, „so hoch als möglich in die Luft zu spitzen“.[49] Die Funktion der Goetheschen Ironie besteht in der Annäherung an das „Unaussprechliche“.[49a] Goethes Ironie ist darauf ausgerichtet, sie strebt danach, „so hoch als möglich in die Luft zu spitzen“, und ist sich zugleich bewußt, daß sie das „Unaussprechliche“, das Absolute nicht direkt erreichen kann. Dazu bedarf es der kosmischen Liebe, der „Liebe gar von oben“. Aber das „Unaussprechliche“, Absolute, kann doch in Form der Ironie umschrieben und so ahnbar gemacht werden. In diesem Sinne ist Goethes Ironie als eine Ironie der Ehrfurcht zu verstehen.[50] Nun darf man allerdings nicht erwarten, diese Dreiecksstruktur von Polarität, Steigerung und kosmischer Liebe stets in reiner Form bei Goethe vorzufinden. Es gehört zum Wesen seiner Ironie, daß die reine Struktur, sobald sie zum Schema zu erstarren droht, von „wiederholten Spiegelungen“ durchkreuzt wird.

Bei Goethes Formulierung „... diese sehr ernsten Scherze ...“ handelt es sich aber nicht nur um ein stilistisches, epistemologisches, ontologisches und metaphysisches Problem, sondern auch um ein ethisches Problem, ein Problem der Lebensgestaltung. In Goethes Formulierung spiegelt sich zunächst einmal die gesamte Skala der Reaktionen, die Goethe fast immer gezeigt hat, wenn er als Autor vor die Öffentlichkeit getreten ist. Diese Skala reicht von Eitelkeit und Empfindlichkeit wegen mangelnder Anteilnahme an seinem Werk über Verletzbarkeit durch Kritik und über scharf polemische Reaktionen seinerseits bis zu Vorsicht, Resignation und selbstironischer Distanznahme. Mit leicht antiquiert höfischen und ironisch verschnörkelten Widmungen sendet Goethe Freiexemplare seiner Werke an seine Freunde. *Wilhelm Meisters Lehrjahre* schickt er 1796 mit den folgenden Worten an Friedrich August Wolf:

---

[48] WA I 6, 11.
[49] WA IV 4, 299.
[49a] WA IV 49, 124.
[50] siehe Otto Friedrich Bollnow: Die Ehrfurcht. 2. Aufl. Frankfurt a. M.: Klostermann 1958. S. 147—179.

> Der Gartenliebhaber pflegt von den Früchten seines kleinen Bezirks, die er mit Sorgfalt gewartet, wenn sie reif werden, seinen Freunden gewöhnlich einen Teil zu übersenden, nicht eben, weil er sie für köstlich hält, sondern weil er anzeigen möchte, daß er die ganze Zeit über, da er sich mit ihnen beschäftigte im Stillen an diejenigen gedacht habe, die ihm wert sind.[51]

Hinter dem Topos der affektierten Bescheidenheit verbirgt Goethe seine Sehnsucht nach Anerkennung und Anteilnahme an seinem Schaffen.[52] Die Kritik an seinem Werk sucht Goethe zu entkräften, indem er die zu erwartenden Einwände vorwegnimmt und sie widerlegt: „Zusammenhang, Ziel und Zweck liegt innerhalb des Büchleins selbst; ist es nicht aus Einem Stück, so ist es doch aus Einem Sinn, und dies war eben die Aufgabe: mehrere fremdartige, äußere Ereignisse dem Gefühl als übereinstimmend entgegenzubringen“, so schreibt er über die *Wanderjahre*.[53] Der Kritiker wird von vornherein auf einen wohlwollenden Ton festgelegt und durch ein indirektes Kompliment zu einer positiven Besprechung verpflichtet, insofern er nicht als beschränkt gelten will:

> Zuvörderst aber habe meine Verpflichtung auszusprechen daß Sie über die *Wanderjahre* ein freundliches Wort sagen wollen. Dem einsichtigen Leser bleibt Ernst und Sorgfalt nicht verborgen, womit ich diesen zweiten Versuch, so disparate Elemente zu vereinigen, angefaßt und durchgeführt, und ich muß mich glücklich schätzen wenn Ihnen ein so bedenkliches Unternehmen einigermaßen gelungen erscheint. Es ist wohl keine Frage daß man das Werk noch reicher ausstatten, lakonisch behandelte Stellen ausführlicher hätte hervorheben können, allein man muß zu endigen wissen ...[54]

Die affektierte Selbstunterschätzung, die nicht ernst genommen werden will, sondern auf Widerspruch in Form von Lob hofft, spricht sich in den zahlreichen Litotes aus. In Diminutivformen wie „Büchlein“, „Werklein“ oder ironisch untertreibenden Bezeichnungen wie „Spaß“, „Sächelchen“, „Siebensachen“ sowie in der Bezeichnung „ganz verteufelt human“ für die *Iphigenie* oder „armer Hund“ für seinen Romanhelden Wilhelm Meister nimmt Goethe Abstand von den eigenen Werken, um sich vor verletzender Kritik zu schützen und sich die Freiheit, Überlegenheit und Distanz zu sichern, die notwendig sind zu seiner Selbstbewahrung.[55]

---

[51] WA IV 11, 296.

[52] Wie vordringlich das Problem der Anteilnahme des Publikums an seinem Werk für Goethe nach der Rückkehr aus Italien wird, zeigt allein schon die immer häufiger werdende Verwendung der Wörter „Anteil“ und „Teilnahme“. Siehe dazu: WA IV 10, 239; WA IV 11, 268; WA IV 12, 37; WA IV 24, 225; WA IV 35, 6; WA IV 35, 39.

[53] WA IV 35, 74.

[54] WA IV 46, 66.

[55] WA IV 6, 301; WA IV 7, 194; WA IV 10, 223; WA IV 11, 260; WA IV 27, 233; WA IV 46, 166; WA IV 19, 323; Eckermann, 237; WA I 32, 66; WA I 2, 279;

Die Spektren dieser Skala von Goethes Reaktionen als Autor gegenüber der Öffentlichkeit sind auch in der Formulierung „... diese sehr ernsten Scherze...“ abzulesen. Goethe fällt es schwer, bei der Vollendung seines Hauptwerkes „sein Licht unter den Scheffel zu setzen“, wie er in einem Brief an Sulpiz Boisserée am 24. November 1831 schreibt, und auf die Teilnahme seiner „werten, durchaus dankbar anerkannten, weitverteilten Freunde“ zu verzichten, wie er Wilhelm von Humboldt in seinem letzten Brief versichert. „Dichter lieben nicht zu schweigen, / Wollen sich der Menge zeigen“, heißt es in einem Gedicht von 1799.[56] Andererseits ist Goethe besorgt um die Kritik, denn, wie er einmal sagt, im Alter verliert man „eins der größten Menschenrechte: ... [man] wird nicht mehr von seines Gleichen beurteilt.“[57] Goethe will sich und sein Werk nicht mehr verständnisloser Kritik aussetzen. Er versiegelt das Faustmanuskript, weil er befürchtet, wie er in seinem letzten Brief an Wilhelm von Humboldt schreibt, seine „redlichen, lange verfolgten Bemühungen um dieses seltsame Gebäu würden schlecht belohnt und an den Strand getrieben wie ein Wrack in Trümmern daliegen und von dem Dünenschutt der Stunden überschüttet werden“. Goethe spricht bereits zur Nachwelt über die Köpfe seiner Freunde und Zeitgenossen hinweg. Wie betroffen Goethes Freunde über dieses Urteil waren, läßt sich aus der Tatsache ersehen, daß dieser Abschnitt bei der ersten Veröffentlichung des Briefes im Schlußheft von *Über Kunst und Altertum* von 1832 ausgelassen und erst siebenundsechzig Jahre später gedruckt worden ist.[58]

Mit einer Ironie, die nicht mehr seine Sorge zu verbergen vermag, bedauert Goethe in dem Brief an Boisserée vom 24. November 1831, daß seine „wertesten, im allgemeinen mit ... [ihm] übereinstimmenden Freunde nicht alsobald den Spaß haben sollten, sich an diesen ernst gemeinten Scherzen einige Stunden zu er-

---

WA IV 16, 11; Biedermann 2, 497; siehe ferner: Hankamer: Spiel der Mächte. S. 172; Arthur Henkel: Die verteufelt humane Iphigenie. Ein Vortrag. In: Euph. 59 (1965) S. 1—17; Oskar Seidlin: Goethes Iphigenie — „verteufelt human“? In: O. S.: Von Goethe zu Thomas Mann. Göttingen: Vandenhoeck & Ruprecht 1963. S. 9—22; Staiger, II, 316.

[56] WA I 1, 12.

[57] MuR 371.

[58] Der Merlin-Brief wurde zuerst im Schlußheft von Über Kunst und Alterthum 6, 3. Stuttgart: Cotta 1832. S. 622—625 veröffentlicht. Dabei wurde der Abschnitt von „Ganz ohne Frage...“ bis „... bewerkstelligen.“ (WA IV, 49, 283, Z. 10—25) ausgelassen. Auch in Goethes Briefwechsel mit den Gebrüdern von Humboldt. Hrsg. v. Franz Thomas Bratranek. Leipzig: Brockhaus 1876. S. 301—302 wird der Brief in der verkürzten Fassung wiedergegeben. August Fresenius, der in einem Artikel über „Goethe und die Conception des Faust“. In: GJb. 15 (1894) S. 251—256 auch den Merlin-Brief heranzieht, kennt nur die verkürzte Fassung. Erst 1899 veröffentlichte Otto Pniower den vollen Wortlaut des Briefes in Goethes Faust. Zeugnisse und Exkurse zu seiner Entstehungsgeschichte. Berlin: Weidmann 1899. S. 276. Pniower führt dazu aus: „Aus begreiflichen Gründen wagten die Redaktoren des letzten Heftes von Kunst und Alterthum nicht, diese Äußerungen Goethes mitzuteilen“ (S. 276).

götzen“. Das Lebenswerk *Faust* wird an Stelle des Wortes Tragödie, das einer hohen Stilebene entstammt, mit dem vieldeutigen Ausdruck „diesen ernst gemeinten Scherzen“, das einer niedrigeren Stilebene zugehört, gekennzeichnet. Im Hinblick auf Goethes Reaktionen als Autor gegenüber der Öffentlichkeit entspricht dieser Ausdruck für den *Faust* im Jahre 1831 durchaus der Bezeichnung „ganz verteufelt human“ für die *Iphigenie* aus dem Jahre 1802. Der Unterschied liegt lediglich im Ton: Goethes Selbstironie und Unterbewertung des eigenen Werkes ist im hohen Alter vielleicht etwas gelassener und gefaßter geworden — Paul Stöcklein spricht von „liebevoller Geringschätzung“[59] —, aber es fehlen nicht völlig die Elemente von Eitelkeit, Verwundbarkeit, Sorge und Resignation.

Die Worte über *Iphigenie* und *Faust* lassen sich auf dieselbe Neigung und dasselbe Bedürfnis in Goethes innerstem Wesen zurückführen, das er in einem Brief an Schiller vom 9. Juli 1796 folgendermaßen erklärt hat:

> Der Fehler, den Sie mit Recht bemerken, kommt aus meiner innersten Natur, aus einem gewissen realistischen Tic, durch den ich meine Existenz, meine Handlungen, meine Schriften den Menschen aus den Augen zu rücken behaglich finde. So werde ich immer gerne *incognito* reisen, das geringere Kleid vor dem bessern wählen, und, in der Unterredung mit Fremden oder Halbbekannten, den unbedeutendern Gegenstand oder doch den weniger bedeutenden Ausdruck vorziehen ...[60]

Die Sprache des 18. Jahrhunderts hatte für diese Eigenschaft das Wort K l e i n t u n, Goethe selbst gebrauchte die Redewendung „von sich selbst lassen“.[61] Diese Charaktereigenschaft ließe sich durch unzählige Beispiele belegen. Die Sekundärliteratur hat auf Goethes „Liebe zum Geheimnis“, seinen „Hang zur Mystifikation“, seine „Lust am Incognito“, seine Maskenkunst, „die starre Undurchdringlichkeit, ... das elastische Spiel der Verwandlungen“ im einzelnen hingewiesen.[62] Es sei hier nur die Bezeichnung „Proteus“ angeführt, die für

---

[59] Paul Stöcklein: Wege zum späten Goethe. 2. Aufl. Hamburg: M. v. Schröder 1960. S. 350.

[60] WA IV 11, 121.

[61] DWB V Sp. 1132; Biedermann, 2, 9.

[62] Barker Fairley: Goethe. München: H. C. Beck 1953. S. 6—13; 244—245; K. R. Mandelkow: Der Proteische Dichter. Ein Leitmotiv in der Geschichte der Deutung und Wirkung Goethes. Groningen: Wolters 1962; Josef Pieper: Über das Schweigen Goethes. München: Kösel 1951; Pyritz, 1—16; 72—95; 97—124; Riemer: Mittheilungen über Goethe. Bd. 1. S. 239—252; Wolf: Über die Selbstbewahrung. S. 111—118; siehe ferner: Nils Antoni: Många maskers man. Konturer till ett Goetheporträtt. Stockholm: Bonnier 1963; Ernst Bertram: Goethes Geheimnislehre. In: E. B.: Deutsche Gestalten. 2. Aufl. Leipzig: Insel 1935. S. 81—112; Wilhelm Emrich: Die Symbolik von Faust II. 3. Aufl. Bonn: Athenäum 1964. S. 92—98; Ludwig Klages: Bemerkungen über die Schranken des Goetheschen Menschen. In: L. K.: Mensch und Erde. 5. Aufl. Jena: Diederichs 1937. S. 97; Wolfgang Kayser: Goethe und das Spiel. In:

Goethe zumindest seit 1792, wie K. R. Mandelkow sagt, „geradezu ein Topos der Goethekritik seiner Zeitgenossen“ wird.[63] So sehr Goethe einerseits auf Teilnahme an seinem Werk angewiesen ist, so bedarf er andererseits Zeit seines Lebens der Heimlichkeit und Verborgenheit, um überhaupt schreiben zu können.[64]

Die Formulierung „... diese sehr ernsten Scherze ...“ entspringt dieser Liebe zum Geheimnis, die Goethe wiederum ironisch als einen „gewissen realistischen Tic“ bezeichnet hat. Wie so oft in seinem Leben wählt er auch in diesem Falle „den weniger bedeutenden Ausdruck“. Goethe ist dabei, wie er selbst sagt, „durch die sonderbarste Naturnotwendigkeit gebunden“. „Die letzten bedeutenden Worte“ wollen ihm nicht „aus der Brust“; es ist, als ob er sie „nicht auszusprechen vermag“.[64a] Diese „wunderliche Scheu“, wie sie Wilhelm Grimm einmal genannt hat[65], die sich im gesellschaftlichen Leben in der Maske des Hofmenschen, im dichterischen Sprechen im Andeuten eher als im Aussprechen zeigt, reicht bis mitten in das Gefühl hinein, das Goethe als Ehrfurcht bezeichnet hat.[66]

Goethe ist sich dabei bewußt, daß seine untertreibenden Bezeichnungen in vieler Hinsicht „viel beschränkter sind, als der Inhalt des Werks“. Fast wie aus einer mutwilligen Laune heraus „verringert“ er den Anspruch seiner Werke, aber nur scheinbar, denn es geht Goethe nicht nur darum, den „bedeutenden Gegenstand“ — in diesem Fall das Thema der Tragödie *Faust* — den Lesern als Geheimnis „aus den Augen zu rücken“, sondern gleichzeitig auch darum, durch die eigenwilligen, überraschenden und verwirrenden Kennzeichnungen den Gegenstand den Lesern als Geheimnis in die „Augen zu rücken“[66a] (Hervorhebung vom Verfasser). Es sei hier nur daran erinnert, daß auch der Begriff Geheimnis — wie alle anderen Begriffe in Goethes Altersdenken — für ihn nicht starr und inflexibel ist, sondern auch ironisch zu verstehen ist. Der Inbegriff des Geheimnisses ist für Goethe das „offenbare Geheimnis“.[67] Dieser Begriff

---

W. K.: Kunst und Spiel. Göttingen: Vandenhoeck & Ruprecht 1961. S. 37—38; Walter Muschg: Wiederholte Pubertät. In: W. M.: Studien zur tragischen Literaturgeschichte. Bern/München: A. Francke 1965. S. 68—69; Karl Justus Obenauer: Goethe in seinem Verhältnis zur Religion. Jena: Diederichs 1921. S. 3—14; Ursula Wertheim: Von Tasso zu Hafis. Berlin: Rütten & Loening 1965. S. 306—310.

[63] Mandelkow: Der Proteische Dichter. S. 8.

[64] WA I 27, 319—322; WA I 28, 233 f.; WA I 15II, 199.

[64a] WA IV 11, 121.

[65] Biedermann 2, 329.

[66] Erich Franz: Goethe als religiöser Denker. S. 109—150; Otto Harnack: Goethe in der Epoche seiner Vollendung. S. 65—73; Otto F. Bollnow: Die Ehrfurcht. S. 147—179.

[66a] WA IV 11, 121.

[67] WA I 2, 64; WA I 6, 41; WA IV 35, 192; WA I 3, 88; Henri Birven: Goethes offenes Geheimnis. Zürich: Origo Verlag 1952; Eberhard Sarter: Zur Technik von Wilhelm Meisters Wanderjahren. Berlin: G. Grote 1914 (= Bonner Forschungen, N. F. VII). S. 1—14.

ist eines der Schlüsselwörter in Goethes Leben und Denken: es handelt sich hier um die gleiche rhetorische Stilfigur wie bei der Formel „...diese sehr ernsten Scherze...“, um einen Widerspruch, der genauso ironisch vieldeutig und vielsagend ist.

Seit der Wiederaufnahme der Arbeit am Vierten Teil von *Dichtung und Wahrheit* im Herbst 1821 und den Gedanken an eine Ausgabe letzter Hand, seit der bewußten Förderung von Eckermanns Plänen zu den *Gesprächen* ab 1825 erscheint Goethe sich „selbst immer mehr und mehr geschichtlich“, und versteht er seine „Beschäftigung“ gleichsam nur noch „testamentarisch“.[68] Wie er sagt, ist jeder echte Künstler „als einer anzusehen, der ein anerkanntes Heiliges bewahren und mit Ernst und Bedacht fortpflanzen will“.[69] Aber Goethe fürchtet, seinen Zeitgenossen nicht mehr bzw. noch nicht verständlich zu sein. Er spricht davon, daß man das Jahrhundert, den Augenblick „betrügen müsse“ und „im Geheimen fortführen, worüber seine Enkel erstaunen müssen“.[70] Wenn es um das „anerkannte Heilige“ geht, um die „offenbaren Geheimnisse“, so spricht Goethe orakelhaft. Die Aussageform des Orakels hat von jeher etwas Ironisches an sich gehabt. Der Reiz des Orakels liegt in der Herausforderung und Erforschung des Schicksals auf einen zweideutigen Spruch hin. Und so verhüllt Goethe sein Vermächtnis mit rätselhafter Ironie, um es als Geheimnis weitergeben zu können: „Außerdem hat das Geheimnis sehr große Vorteile: denn wenn man dem Menschen gleich und immer sagt, worauf alles ankommt, so denkt er, es sei nichts dahinter. Gewissen Geheimnissen, und wenn sie offenbar wären, muß man durch Verhüllen und Schweigen Achtung erweisen.“[71] Und wie ironisch selbst noch Goethes Schweigen sein kann, ist dem Gespräch über die Mütterszene im *Faust* zu entnehmen, in dem Goethe Eckermann nicht mehr verrät als „Die Mütter! Die Mütter! ’s klingt so wunderlich!“[72] Dieses ironische Sich-Verhüllen erfährt seinen Höhepunkt, wenn Goethe erklärt: „Darüber spreche ich eigentlich nur mit Gott.“[73]

In einem Brief an Zelter vom 27. Juli 1828 schreibt Goethe „von allem dem, was da“ in den *Faust* „hineingeheimnisset ist“.[74] Goethe vergräbt sozusagen in seinem Lebenswerk einen Schatz von Geheimnissen, der für die nachfolgenden Generationen bestimmt ist. Der *Faust* ist daraufhin angelegt, daß neue Generationen auf immer neue Schätze von Geheimnissen stoßen, ja, daß sie „sogar

---

[68] WA IV 49, 165; WA IV 45, 182; WA IV 46, 128; WA IV 49, 147.
[69] WA IV 22, 68.
[70] MuR 909.
[71] HA 8, 150—151.
[72] Eckermann, 293.
[73] Aufzeichnungen von Carl Gustav Carus. Mitget. Goethe-Kalender 24 (1931). S. 202—204. Zitiert nach Pyritz, 114.
[74] WA IV 44, 226.

mehr finden als ... [Goethe] geben konnte“.[75] In diesem Zusammenhang läßt sich die Funktion der Formel „... diese sehr ernsten Scherze ...“ als eine Art Schatzgräberironie verstehen. Mit dieser ironisch geheimnisvollen Bezeichnung verweist Goethe indirekt auf das Geheimnis des *Faust*, denn „[d]ie Geheimnisse ... darf und kann man nicht offenbaren ... Der Poet aber deutet auf die Stelle hin“.[76] Auf Grund der verwirrenden und überraschenden Wirkung der Kennzeichnung der Tragödie *Faust* wird der Leser darauf aufmerksam gemacht, daß es sich hier um etwas Besonderes handelt. Goethe verwendet das *genus acutum dicendi*, um seinen Leser zu überreden, nach dem Geheimnis zu suchen. Goethe setzt ihn mit dieser Bemerkung auf die Spur, versucht ihm Anhaltspunkte zu geben, wie das Werk zu lesen ist, ohne jedoch das Geheimnis zu verraten. Die ironische Kennzeichnung verbirgt und enthüllt zugleich, alles und nichts wird gesagt. Die Formulierung ist abgestellt auf Suchen, Finden und erneutes Suchen. Sie charakterisiert das Werk, dem Goethe eine fortdauernde Wirkung und Unerschöpflichkeit gesichert hat, indem er auch Deutungsmöglichkeiten autorisiert, an die er nicht gedacht hat.[76a]

Die Geheimnisse, die Goethe in seinem hohen Alter zu vermitteln hat, sind in ihren wesentlichen Grundgedanken in einem Brief an Zelter vom 11. Mai 1820 zusammengefaßt: „Unbedingtes Ergeben in den unergründlichen Willen Gottes, heiterer Überblick des beweglichen, immer kreis- und spiralartig wiederkehrenden Erdentreibens, Liebe, Neigung zwischen zwei Welten schwebend, alles Reale geläutert, sich symbolisch auflösend. Was will der Großpapa weiter?“[77] In diesen Worten zeigt sich Goethes Ironie sowohl als Darstellungs- und Denkweise wie auch als Lebensart. Diese Ironie läßt sich nicht im einzelnen klassifizieren, z. B. als ethische Forderung im „unbedingten Ergeben“, im „heiteren Überblick“ und in der „Liebe“, als Denkproblem im Schweben „zwischen zwei Welten“ und als Problem des dichterischen Verfahrens in der Verbindung von hohem Stil und Wendungen der Umgangs- und Kindersprache sowie in der Läuterung und symbolischen Auflösung „alles Realen“. Das Schweben zwischen zwei Welten z. B. muß sicherlich verstanden werden sowohl als Schweben zwischen Kunst und Leben, zwischen poetischer Sprache und Umgangssprache als auch als Schweben zwischen zwei Meinungen, die die absolute Wahrheit zu vertreten glauben, als auch das Schweben zwischen sinnlicher und geistiger Welt, Endlichem und Unendlichem, Zeit und Ewigkeit. Jeder einzelne Grundgedanke aus dem Brief an Zelter bezieht sich sowohl auf das stilistisch-dichterische, das philosophische und das ethische Problem der Ironie. Form, Inhalt und Forderung der Goetheschen Ironie bilden eine Einheit, auch wenn sie aus heuristischen Gründen zunächst und im folgenden immer wieder getrennt interpretiert werden.

---

[75] WA IV 49, 64; WA IV 29, 239.
[76] MuR 617.
[76a] WA 49, 64.
[77] WA IV 33, 27.

In *Dichtung und Wahrheit* bekennt sich der alte Goethe ausdrücklich zur Ironie als Prinzip der Dichtung. Dieses Bekenntnis erwächst aus der Erinnerung an die Lektüre von Oliver Goldsmiths Roman *The Vicar of Wakefield* in Straßburg. Goethe bewundert den „hohen Sinn“ des Verfassers, „der sich hier durchgängig als Ironie zeigt“, und erklärt rückblickend: „... eigentlich fühlte ich mich ... in Übereinstimmung mit jener ironischen Gesinnung, die sich über die Gegenstände, über Glück und Unglück, Gutes und Böses, Tod und Leben erhebt, und so zum Besitz einer wahrhaft poetischen Welt gelangt.“ Aber diese Einsicht konnte ihm, wie Goethe sagt, „nur später... zum Bewußtsein kommen“.[78]

Es mag hier der Eindruck entstehen, daß die Beziehungen von Goethes Formulierung „... diese sehr ernsten Scherze ...“, die hier herausgearbeitet worden sind, weithergeholt und konstruiert sind, und daß die Bedeutung der Formel für Goethes Altersdenken und -dichten überschätzt und überinterpretiert wird. Um diesen Einwänden zu begegnen, sei hier nur an die zahlreichen Oxymora in Goethes Altersstil erinnert, wie z. B. „häßlich-wunderbar“, „dunkel-hell“, „zartkräftig“, „ernst-freundlich“, „geeinte Zwienatur“, „tätige Weile“, „kluge Torheit“, „schweres Leichtgewicht“, „Rachesegen“, „Wechseldauer“.[79] Die Beispiele ließen sich noch beliebig vermehren. Das Sprechen in Gegensätzen ist typisch für den alten Goethe. Im Jahre 1814 beklagt sich Charlotte von Schiller: „So sprach Goethe in lauter Sätzen, die einen Widerspruch auch in sich hatten, daß man alles deuten konnte, wie man es wollte.“[80] Entscheidend ist dabei die Vieldeutigkeit, denn Ironie besteht aus Vieldeutigkeit.[81]

Ferner lassen sich gegen Einwände einer Überinterpretation das häufige Auftreten der Kombination „Scherz und Ernst“ in Goethes Werk und die semantische Beziehung dieser Formel zu dem Wort I r o n i e anführen. Die Formel „Scherz und Ernst“ verwendet Goethe nicht nur in seinen Briefen, sondern auch in seinen naturwissenschaftlichen und literaturkritischen Schriften und in seiner Dichtung. In den *Nachträgen zur Farbenlehre* von 1822 führt Goethe in „Scherz und Ernst“ eine Stelle aus dem *Faust* an, um ein Problem der Chromatik zu erklären.[82] In den *Wahlverwandtschaften* heißt es: „Man muß es erst problema-

---

[78] WA I 27, 340—346. S. Thomas Mann: Gesammelte Werke in zwölf Bänden. Frankfurt/M.: Fischer 1960. Bd. 2, S. 658; Bd. 9, S. 740.

[79] Faust v. 7157; v. 6712; WA I 24, 318; 216; Faust v. 11 962; WA I 4, 304; WA I 3, 166; WA I 16, 336; Faust v. 7893; v. 4722. Es ist im Zusammenhang mit der vorliegenden Untersuchung bedeutsam, daß Leonid Arbusow: Colores Rhetorici 2. Aufl. Göttingen: Vandenhoeck & Ruprecht 1963. S. 88 das Oxymoron als eine „Abart der Ironie“ bezeichnet hat. — Siehe ferner Knauth: Goethes Sprache und Stil im Alter. S. 114.

[80] Brief Charlottes v. Schiller an die Erbprinzessin Caroline vom 2. Juli 1814 (Bode 2, 243). Zitiert nach Pyritz, 11.

[81] Kierkegaard: Über den Begriff der Ironie. S. 84—85.

[82] WA II 5I, 337—338.

tisch und nur wie zum Scherz behandeln; der Ernst wird sich schon finden.“[83] Und in *Des Epimenides Erwachen* sagt der Held zu den Genien:

> Ein heitres Lied, ihr Kinder; doch voll Sinn.
> Ich kenn' euch wohl! Sobald ihr scherzend kommt,
> Dann ist es Ernst, und wenn ihr ernstlich sprecht,
> Vermut' ich Schalkheit...[84]

Über Wieland sagt Goethe in *Dichtung und Wahrheit*, daß „sich zwischen Scherz und Ernst ... sein Talent am allerschönsten zeigte“.[84a] In einem Brief an Sulpiz Boisserée vom 22. März 1831 bekennt sich Goethe in „Scherz und Ernst“ zu der Sekte der Hypsistarier,

> ...welche, zwischen Heiden, Juden und Christen geklemmt, sich erklärten, das Beste, Vollkommenste, was zu ihrer Kenntnis käme, zu schätzen, zu bewundern, zu verehren und, insofern es also mit der Gottheit im nahen Verhältnisse stehen müsse, anzubeten. Da ward mir auf einmal aus einem dunklen Zeitalter her ein frohes Licht, denn ich fühlte, daß ich zeitlebens getrachtet hatte, mich zum Hypsistarier zu qualifizieren ...[85]

Es gilt daran festzuhalten, daß Goethe eines seiner wichtigsten und letzten Glaubensbekenntnisse unter dem Titel „Scherz und Ernst“ einführt.

In einigen Werken tritt an die Stelle von „Scherz“ das Wort „Spiel“. Damit wird die Kombination „Scherz (Spiel) und Ernst“ in die Nähe der Schillerschen Begriffe von Spiel und Freiheit gerückt. Es ist sicherlich kein Zufall, daß die Kombination „Spiel und Ernst“ in der Kunstnovelle „Der Sammler und die Seinigen“ von 1799 auftritt, da sie eine Gemeinschaftsarbeit von Schiller und Goethe darstellt. In der Novelle heißt es: „Nur aus innig verbundenem Ernst und Spiel kann wahre Kunst entspringen.“[86] In den Schriften *Zur Morphologie* von 1807 erklärt Goethe: „Seit mehreren Jahren wird uns zum Überdruß die ewige Wahrheit wiederholt, daß das Menschenleben aus Ernst und Spiel zusammengesetzt sei, und daß der weiseste und glücklichste nur derjenige genannt

---

[83] WA I 20, 75.
[84] WA I 16, 338.
[84a] WA I 27, 91.
[85] WA IV 48, 156; siehe dazu Anton Kippenberg: Die Hypsistarier. In: Goethe 8 (1943) S. 3—19.
[86] WA I 47, 205; siehe dazu HA 12, 590—595. — Im weitesten Rahmen ist hier natürlich auf Johan Huizinga: Homo ludens. 3. Aufl. Basel/Brüssel/Köln/Wien: Pantheon 1949. S. 72—74, 75—76, 207—215 zu verweisen. Siehe ferner Walter Müller-Seidel: Probleme der literarischen Wertung. S. 42—44; Wolfgang Kayser: Goethe und das Spiel. In: W. K.: Kunst und Spiel. Göttingen: Vandenhoeck & Ruprecht 1961. S. 30—46; Joachim Ulrich: Goethes Einfluß auf die Entwicklung des Schillerschen Schönheitsbegriffes. In: JbGGes. 20 (1934) S. 165—212; Staiger, II, 291—292; 295—296; Danckert: Goethe. S. 52—58.

zu werden verdiene, der sich zwischen beiden im Gleichgewicht zu bewegen versteht.“[87] Und ein Gedicht, das Goethe 1820 in der Zeitschrift *Zur Morphologie* veröffentlicht, schließt mit dem Vierzeiler:

Freut euch des wahren Scheins
Euch des ernsten Spieles:
Kein Lebendiges ist Eins,
Immer ist's ein Vieles.[88]

Friedrich Schlegel benutzt die Kombination „Scherz und Ernst“, um die Sokratische Ironie zu definieren als eine „Mischung von Scherz und Ernst, welche für Viele geheimer und dunkler ist, als alle Mysterien“.[89] Daß es sich bei dieser Definition nicht so sehr um eine unbewußte Überlagerung durch die Idee der romantischen Ironie handelt, die auch mit den Begriffen Scherz und Ernst arbeitet, sondern um eine objektive Bemühung um das Wesen der Sokratischen Ironie, läßt sich daraus ersehen, daß sich die Definition und Übersetzung des Wortes Ironie von Joachim Heinrich Campe, dem man keinerlei romantische Neigungen nachsagen kann, in ähnlichen Bahnen bewegt: „Der rechte Deutsche Ausdruck für Ironie ist... noch nicht gefunden. Da der Hauptbegriff schalkhafter Ernst ist: so könnte man ja wol... Schalksernst dafür sagen. Nicht?“[90]

Goethe meint fast immer Ironie, wenn er von „Scherz und Ernst“ spricht. Die Stelle aus *Faust* wird in der *Farbenlehre* ironisch angeführt, und Epimenides vermutet Ironie im Lied der Genien. In *Dichtung und Wahrheit* wird auf Wielands Ironie angespielt. Ähnlich bezieht sich Goethe mit der Kombination „Scherz und Ernst“ auf die Ironie bei Diderot, Laurence Sterne und Lichtenberg.[90a] Goethes Bekenntnis zur Sekte der Hypsistarier ist ironisch. Die Natur und das Menschenleben sind erfüllt von Ironie, und wahre Kunst entsteht aus Ironie. Das Zitat aus den *Wahlverwandtschaften,* das sich im engeren Textzusammenhang zwar nur auf die Planung einer Parkanlage bezieht, läßt sich auf die Diskussion der chemischen Wahlverwandtschaft im vierten Kapitel und den gesamten Roman anwenden, da kein Element dieses durchkomponierten Romans vordergründig und isoliert zu betrachten ist. Die

---

[87] WA II 6, 135.

[88] WA I 3, 88.

[89] Friedrich Schlegel: Geschichte der Poesie der Griechen und Römer. In: F. S.: Prosaische Jugendschriften. Hrsg. v. Jacob Minor. Bd. 1. Wien: C. Konegen 1906. S. 239.

[90] Joachim Heinrich Campe: Wörterbuch zur Erklärung und Verdeutschung der unserer Sprache aufgedrungenen fremden Ausdrücke. Bd. 1. Braunschweig: F. Vieweg 1801. S. 433; zum Begriff Schalk bei Goethe siehe Momme Mommsen: Der Schalk in den Guten Weibern und im Faust. In: Goethe 14/15 (1952/53) S. 171—202; Staiger, II, 332.

[90a] WA IV 19, 10; WA I 42^{II}, 204; WA IV 11, 298.

chemische Wahlverwandtschaft wird zunächst als naturwissenschaftliches Problem und gesellschaftlicher Scherz behandelt. Der tragische Ernst stellt sich in den darauffolgenden Ereignissen und Verwicklungen von selbst ein. Im Rückblick auf die chemische Gleichnisrede zeigt sich, wie dieser tragische Roman Goethes zugleich tief ironisch ist.[91]

Als letztes Argument gegen diese Einwände sei hier versucht, die Funktion der Formulierung „ernstgemeinte Scherze“ bei Goethes Versiegelung des Faustmanuskriptes und den vermächtnisartigen Briefen aus den letzten Jahren anzudeuten. Seit dem Tode des Sokrates ist das Problem der Ironie aufs engste mit der Überwindung des Todes verknüpft gewesen. Goethe nimmt sonst eine gelassene Haltung zum Tode ein, wenn er auch den Tod in seiner Wirklichkeit meidet und euphemistische Wendungen wie „Verlassen“, „Austritt“, „Außenbleiben“ für das Ereignis des Todes verwendet.[92] Beim Abschluß des *Faust* muß Goethes Sorge um den Tod im Zusammenhang gesehen werden mit der Wirkung, die er seinem Werk zugedacht hat. Wenn man sich an die zentrale Stellung erinnert, die der Begriff der Wirkung in Goethes Denken einnimmt, so wird seine Sorge verständlich. Für Goethe kommt im Leben eigentlich alles auf die „idealen Wirkungen“ an, „die in Wort und Tat von ... [einem Menschen] ausgehen“.[93] So schreibt er an Zelter am 20. Oktober 1831: „Wir wollen ... immer nur auf das hinarbeiten was wirksam ist und bleibt.“[94] Diese Wirkung und Dauer sucht Goethe der Tragödie *Faust* zu sichern durch die Schätze, die er für kommende Generationen „hineingeheimnisset“ hat, durch die Symbole, die durch ihre „unendliche Deutbarkeit auch unendlich wirksam“ werden, durch die zukunftweisende Unabhängigkeit gegenüber traditionsgebundenen Formen und Themen und schließlich durch die Veröffentlichung seines Werkes nach seinem Tode.[95]

---

[91] H. G. Barnes: Bildhafte Darstellung in den Wahlverwandtschaften. In: DVjs. 30 (1956) S. 41—70; Hennig Brinkmann: Zur Sprache der Wahlverwandtschaften. In: Festschrift Jost Trier. Meisenheim/Glan: Westkulturverlag Anton Hain 1954. S. 254 bis 276; Robert T. Clark: The Metamorphosis of Character in Die Wahlverwandtschaften. In: GR 29 (1954) S. 243—253; Wilhelm Emrich: Die Symbolik von Faust II. S. 161—164; Hans-Jürgen Geerdts: Goethes Roman Die Wahlverwandtschaften. Weimar: Arion 1958. S. 82—100; Paul Hankamer: Spiel der Mächte. S. 212, 262, 289, 297; Kurt May: Goethes Wahlverwandtschaften als tragischer Roman. In: K. M.: Form und Bedeutung. Stuttgart: Klett 1957. S. 107—115; Hans Reiss: Goethes Romane. Bern/München: A. Francke 1963. S. 146, 148, 156, 158, 165—168, 175; Paul Stöcklein: Wege zum späten Goethe. S. 12, 14, 16, 60, 73—74.

[92] Franz Koch: Goethes Stellung zu Tod und Unsterblichkeit. Weimar: Goethe-Gesellschaft 1932 (= Schriften der Goethe-Gesellschaft, 45); Friedrich Wilhelm Riemer: Briefe von und an Goethe. S. 369; WA IV 27, 50; 52; 67; WA IV 48, 40; 124.

[93] MuR 999; vgl. WA I 40, 128.

[94] WA IV 49, 120.

[95] MuR 1113; siehe ferner WA I 49I, 327; WA IV 29, 239; WA IV 44, 79.

Der *Faust II* trägt weder den Charakter des Posthumen noch Fragmentarischen. Kennzeichnungen wie greisenhaftes Erlahmen der Schaffenskraft oder „Altersschwäche der Phantasie“, die dem Werk so oft von den Kritikern des 19. Jahrhunderts zugeschrieben worden sind, erscheinen heute verfehlt.[96] Auf den *Faust II* trifft Thomas Manns Wort vom „Greisenavantgardismus“ zu: sicheres Gefühl für das Neue und Zukünftige und eine über das Leben des Dichters hinausreichende Gestaltungskraft, wie sie eben nur der Hell- und Weitsichtigkeit des Alters möglich ist.[97] Die souveräne Freiheit im Umgang mit den Stil- und Formkonventionen als auch die Freiheit gegenüber dem Gegenstand, die Goethe im *Faust II* gewonnen hat, zeigen deutlich, daß hier etwas ganz Neues auf die Zukunft hin, für die Nachwelt gewagt worden ist. Goethe war sich der kühnen Neuartigkeit seines Werkes bewußt. So schreibt er am 22. Oktober 1826 an Sulpiz Boisserée: „Welchen Wert man endlich auch dem Stück zuschreiben mag, dergleichen habe ich noch nicht gemacht, und so darf es gar wohl als das Neueste gelten.“[98] Der Leser muß sich „über sich selber hinausmuten“, wie Goethe in einem Brief an Zelter vom 27. Juli 1828 schreibt, um die Kühnheit und Neuartigkeit der Gestaltung und Aussage von *Faust II* zu erfassen.[99] Und in seinem letzten Brief an Wilhelm von Humboldt vermag Goethe hinter der Bemerkung „... diese sehr ernsten Scherze ...“ kaum seine Sorge zu verbergen, daß die Leser ihn nicht verstehen werden.

Vielleicht hat Goethe sogar versucht, im Kunstwerk den Tod zu überwinden, indem er die Herausgabe des *Faust II* über sein Lebensende hinauszögert. Goethe hätte das Manuskript noch in Druck geben können, aber er verlegt den Zeitpunkt dafür auf einen Termin nach seinem Tode. Diese scheinbar willkürliche Datumsänderung für einen rein mechanischen Prozeß wird nun aber von Goethe zu einer Handlung von höchst symbolischer Kraft und Wirkung verwandelt. Es scheint nicht ausgeschlossen, daß dabei die Versiegelung der Weissagungen Daniels zum Vorbild gedient hat.[100] Nach Goethes Verfügung soll der *Faust* erst nach seinem Tode erscheinen, so daß mit an Sicherheit grenzender Wahrscheinlichkeit bei der Nachwelt der Eindruck erzielt wird, daß die Tragödie einen neuartigen, lebendigen und wichtigen Beitrag eines Zeitgenossen

---

[96] Siehe Erich Trunz: Altersstil. In: Goethe-Handbuch. Bd. 1. Sp. 178; Staiger, III, 419.

[97] Thomas Mann: Briefe 1948—1955. Frankfurt: S. Fischer 1965. S. 92. — An einer anderen Stelle spricht Thomas Mann von „Greisengenialität“ (Briefe 1937—1947. Frankfurt: S. Fischer 1963. S. 551).

[98] WA IV 41, 209; siehe ferner Friedrich Sengle: Konvention und Ursprünglichkeit in Goethes dichterischem Werk. In: F. S.: Arbeiten zur deutschen Literatur 1750 bis 1850. Stuttgart: Metzler 1965. S. 21; Friedrich Sengle: Wieland und Goethe. Ebd., S. 45.

[99] WA IV 44, 226.

[100] Dan. 12, 4; 9—13.

einer zukünftigen Gegenwart darstellt. Eine Andeutung, wie Goethe dieses Fortleben des Werkes nach seinem Tode verstanden haben mag, läßt sich einem Brief an Zelter vom 17. Januar 1831 entnehmen, in dem Goethe dem Freund in Berlin den Tod von Barthold Georg Niebuhr mitteilt. Goethe liest gerade die *Römische Geschichte* des verstorbenen Historikers und schreibt über diese Lektüre: „Auf diese Weise leb' ich nun beinahe einen Monat mit ihm als einem Lebenden.“[101]

Joseph Gantner spricht in einem Aufsatz über das Problem des Altersstils in der Kunstwissenschaft davon, daß die Wirkung des Kunstwerks „weit über das Leben des Künstlers hinaus bis in unsere Gegenwart hinein“ zeige, „daß im Bewußtsein des Schaffenden das eigene Ende schon überspielt wird“.[102] Aber in diesem Falle will Goethe sein Lebensende nicht so sehr im eigenen als im Bewußtsein der anderen Menschen überspielen. Der Tod soll durch eine Fiktion überlistet werden. Es soll bei der Nachwelt der Anschein erweckt werden, als ob Goethe nicht gestorben sei, sondern daß er wie ein legendärer Zauberer — und Zauberer war einer von Goethes Beinamen, er selbst nannte sich gern „der alte Merlin“ — „vom leuchtenden Grab her“ noch fortwährend schaffe und wirke und auf diese Weise mit ihnen lebe als ein Lebender.[103] Diesem Anschein, der in bezug auf Goethes physisches Leben eine durchsichtige Fiktion bleibt, soll im Kunstwerk Realität gesichert werden in bezug auf Goethes geistiges Fortleben.

In dem Brief an Boisserée vom 24. November 1831, in dem Goethe von „diesen ernst gemeinten Scherzen“ spricht, erläutert er seine testamentarischen Verfügungen an einem „Geschichtchen“. Der Diminutiv bei Goethe beansprucht erhöhte Aufmerksamkeit. Das „Geschichtchen“ handelt von einem „Ehrenmann“ in Thüringen, der „in seinem Testament eine bedeutende Summe ausgesetzt, zu welcher ein halb Jahrhundert die Interessen geschlagen werden sollten“, um sich nach Ablauf dieser Zeit ein Monument errichten zu lassen. Goethe schließt mit dem Hinweis, daß es diesem Mann „eigentlich nicht um Ruhm, sondern um ein heiteres Andenken zu tun war“.

Das „Geschichtchen“ wird von Goethe mit gespielter Absichtslosigkeit hinzugefügt, als gelte es lediglich der „vollkommenen Ausfüllung des weißen Raums“ des Briefbogens. In Wirklichkeit ist es von größter Bedeutung: es geht Goethe um die vollkommene Erfüllung seines Lebens, nur daß dieses Ziel ironisch verschleiert wird, indem die wichtige Erläuterung mit dem Diminutiv bezeichnet und sie scheinbar beiläufig an den eigentlichen Brief angehängt wird. Es zeigt

---

[101] WA IV 48, 87.

[102] Joseph Gantner: Der alte Künstler. In: Festschrift für Herbert von Einem. Berlin: Gebr. Mann 1965. S. 75—76.

[103] WA IV 48, 42; siehe auch Rudolf Hermann: Die Bedeutung der Bibel in Goethes Briefen an Zelter. Berlin: Evangelische Verlagsanstalt 1948. S. 177—179.

sich hier jene ironische Haltung, die darin besteht, zur gleichen Zeit zu verbergen und hinzuweisen und das Wesentliche durch das Unwesentliche zu verstellen und hervorzuheben. Wie sehr dieses indirekte „Geschichtchen“ auf den *Faust* und seine verzögerte Veröffentlichung zu beziehen ist, läßt sich daraus ersehen, daß Goethe in dem „Geschichtchen“ ein Wort aufgreift und mit Nachdruck wiederholt, das er bereits in demselben Brief auf die Wirkung des *Faust* nach seinem Tod angewendet hat. Es ist das Wort „Andenken“. Beide Male erscheint es an hervorgehobener Stelle, im Schlußsatz des jeweiligen Abschnitts. Goethe schreibt in dem Abschnitt, der dem „Geschichtchen“ vorangeht: „Mein Trost ist jedoch, daß gerade die, an denen mir gelegen sein muß, alle jünger sind als ich und seiner Zeit das für sie Bereitete und Aufgesparte zu meinem Andenken genießen werden.“ Bei diesen Worten handelt es sich um eine sehr entfernte, aber durchaus denkmögliche Anspielung auf die Einsetzungsworte des Sakraments vom Abendmahl. Mit dem Wort „genießen“ übernimmt Goethe anscheinend die Speisemetaphorik des Abendmahls.[104] Hinzu kommt, daß es sich bei dem Brief an Boisserée um eine Abschiedssituation von Freunden handelt. Wenn diese Abschieds- und Abendmahlsstimmung einleuchtet, erscheint das Wort „Andenken“ als Hinweis auf das Gebot des Sakraments — „Solches tut zu meinem Gedächtnis“ — und die Ankündigung „seiner Zeit“ als Hinweis auf die Zukunft. Die Wendung „das für sie Bereitete und Aufgesparte“ mag man als Erinnerung an die Menschenliebe und Hingabe, die im Abendmahl symbolisiert sind, auffassen und vielleicht sogar die Präposition „für“ an dieser Stelle bedeutsam finden, insofern sie zu den Schlüsselwörtern des Christentums gehört.[105] Und so erscheint es zuletzt nicht völlig ausgeschlossen, daß in dem Komparativ „jünger“ auch das Substantiv „Jünger“ im Bewußtsein des Briefempfängers mitanklingen sollte.

Goethe hat für seine Anhänger diese „ernst gemeinten Scherze“ — oder wie es in dem Brief an Wilhelm von Humboldt heißt: „... diese sehr ernsten Scherze ...“ — bereitet und aufgespart, damit die Freunde sie, wenn die Zeit gekommen ist, zu seiner Erinnerung und in seinem Andenken genießen. Das Wort „das ... Aufgesparte“ kündigt bereits die Geldanalogie an, die im letzten Abschnitt desselben Briefes, in dem „Geschichtchen“ so eine große Rolle spielt. Wie die ausgesetzte Summe im Testament des „Ehrenmannes“ soll nach Goethes Tod der *Faust* eine bestimmte Zeit ruhen und an Wert wachsen wie eine fest angelegte Summe Geldes, die Zins und Zinseszins einträgt. Dieser Prozeß von Ruhenlassen, Wie-

---

[104] Curtius, 144—146.

[105] Friso Melzer: Das Wort in den Wörtern. Tübingen: Mohr 1965. S. 142—144; Leo Spitzer: Amerikanische Werbung — verstanden als populäre Kunst. In: L. S.: Eine Methode Literatur zu interpretieren. München: Hanser 1966 (= Literatur als Kunst). S. 79—99; 125 Fn. 30. Sowohl Melzer als auch Spitzer heben die grundlegende Bedeutung der Präposition „für“ (Christus pro nobis) in der Christus-Nachfolge hervor.

deraufnehmen und Steigern der Konzeption, der sich von der ersten bis zur letzten Arbeitsperiode am *Faust* verfolgen läßt, wird hier gleichsam über das Lebensende fortgesetzt. Für Goethe ist die Metamorphose des *Faust* weder mit dem Abschluß des Werkes noch mit dem Tod des Dichters beendet. Wie Barker Fairley gesagt hat: „Wenn wir auch zugeben müssen, daß das Gedicht ein Ende findet, so können wir doch wenigstens andeuten, daß es alles, was in seiner Macht steht, dazu tut, um dieses Ende nicht zu finden. Der Text hört auf, aber Faust geht weiter.“[106] Für einen Dichter wie Goethe, für den die Begriffe der fortwährenden Entwicklung und Steigerung bestimmend sind, kann und darf es kein Ende geben.[107] In diesem Sinne ist auch der letzte Satz des Briefes an Boisserée „Und so fort an“ zu verstehen. Goethe liebte derartige Briefschlußformeln, die ein konstantes Fortwirken andeuten. Aus diesem Grunde erscheint es auch einleuchtend, daß die Dichtung, die durch ihre unerschöpfliche Wirksamkeit den Tod des Dichters im Kunstwerk überwinden soll, mit dem Sakrament in Verbindung gesetzt wird, das durch seine unerschöpfliche Wirksamkeit im Glauben den Tod des Menschen überwindet.[108]

Die Anspielungen auf das Sakrament bedeuten aber nicht, daß Goethe plötzlich christlich geworden ist, im Gegenteil, denn für den gläubigen Christen müssen Goethes Anspielungen, wenn man sie genau und konsequent zu Ende denkt, als Blasphemie erscheinen. Wie Hans Pyritz dargelegt hat, darf man Goethes Altersfrömmigkeit nicht als eine Rückkehr zur christlichen Glaubenslehre auffassen.[109] Goethes Ehrfurcht gilt der Kultur des Christentums. Er beugt sich, wie er zu Eckermann sagt, vor Christus „als der göttlichen Offenbarung des höchsten Prinzips der Sittlichkeit“, zu gleicher Zeit aber auch vor der Sonne, und es widerstrebt seinem Wahrheitsgefühl zu glauben, „daß drei eins sei und eins drei“. Goethe glaubt, wie es sich auch in dem Bekenntnis zu den Hypsistariern zeigt, an eine „Art Urreligion“, deren Offenbarungen in den einzelnen Weltreligionen in reduzierter Form zur Anschauung gebracht werden.[110] Goethe will also weder christliche Glaubensinhalte als solche vermitteln und sein Werk der Autorität des Christentums unterstellen noch eine Gleichsetzung mit

---

[106] Barker Fairley: Goethe's Faust. Six Essays. Oxford: Clarendon 1953. S. 43 (Übersetzung Heinz Politzer: Vom Baum der Erkenntnis und der Sünde der Wissenschaft. Zur Vegetationssymbolik in Goethes Faust. In: Jb. d. Dt. Schillerges. 9 (1965) S. 370.

[107] Hermann Schmitz: Goethes Altersdenken im problemgeschichtlichen Zusammenhang. S. 558—563.

[108] Hans Wolfgang von Löhneysen: Abendmahl. In: Goethe-Handbuch. Bd. I. Stuttgart: Metzler 1961. Sp. 10—14 hat den Brief an Boisserée auch so interpretiert, wenn er sagt: „... kommt doch in dieser, an die Abendmahlsformel anklingenden Wendung in einer heilig-profanen Weise die testamentliche, vielleicht sogar eine Auffassung zum Ausdruck, die das Lebenswerk zu einer sakramentalen Stiftung macht“.

[109] Pyritz, 92.

[110] Eckermann, 583; 414; 582.

Christus erreichen. Schon aus Taktgefühl gegenüber den religiösen Gefühlen seiner Freunde hat Goethe die Anspielungen so entfernt und die Verbindungen so offen gehalten wie nur möglich.[111] Die einzelnen Wörter, die Goethe verwendet, wirken wie die Transponierung einer Melodie in eine andere Tonart. Die zugrundeliegende Melodie läßt sich noch erkennen, aber die Variation hat ihr Eigenrecht und ihre Eigenbedeutung gewonnen. Es handelt sich hier um Parodie im ursprünglichen Sinne des Wortes: um die Nachahmung eines Vorbildes bei gleichzeitiger formal-stilistischer Änderung der Darstellungsweise, die in einem Werk eigener Geltung resultiert, aber auf keinen Fall Verspottung des Vorbildes bedeutet.[112] Heinz Politzer hat die Wörter parodisch und parodistisch eingeführt, um die beiden Begriffe in der Literaturwissenschaft terminologisch auseinanderzuhalten.[113] Parodisch bezieht sich auf die Nachgestaltung eines Vorbildes, parodistisch auf die Verspottung eines Vorbildes.

Goethes Verfahren ist natürlich im Sinne dieser Terminologie als parodisch zu bezeichnen. Goethe verwendet die Symbole des Christentums ironisch: d. h., er bringt den besonderen Gedanken, um den es ihm geht — die Überwindung des Todes im und durch das Kunstwerk — durch Anspielung und Nachahmung des Vorbildes vom Sakrament des Abendmahls zum Ausdruck, das in Sinn und Form zum gemeinten Gedanken im Gegensatz steht. Nicht nur der Sinn, sondern auch die Form werden ironisiert: es handelt sich um „Ironie in zweiter Potenz“, wie Reinhard Baumgart parodisch definiert.[114]

Man hat dort, wo eine „bewußte Verwendung antiker Motivik in christlichem Zusammenhang“ vorliegt, von *parodia Christiana* gesprochen.[115] Hier könnte man den Begriff einer *parodia Goetheana* einführen. Goethe gibt in seiner Parodie Hinweise, zugleich verwischt er aber auch die Spuren, indem er kein einziges Wort direkt aus der Einsetzung des Abendmahls wählt, das Vermächtnis in Form eines „Geschichtchens“ beiläufig anfügt und sein Werk als „ernst gemeinte Scherze“ bezeichnet. Goethe nimmt dadurch dem Vergleich vom Vermächtnis des *Faust* mit dem Vermächtnis Christi den Charakter der Blasphemie und vermag zugleich seinen nachlaßartigen Worten die ernste Bedeutung und Feierlichkeit zu verleihen, die er beabsichtigt, das Letzte, das er mit diesem Werk gemeint hat, auszudrücken. Auf diese Weise gibt er seiner Aussage Gewicht und nimmt es zur gleichen Zeit wieder fort.

---

[111] HA 10, 717—719; 590—595.

[112] Hermann Koller: Die Parodie. In: Glotta 35 (1956) S. 17—32.

[113] Some Aspects of Late Art in Rainer Maria Rilke's Fifth Duino Elegy. In: GR. 32 (1957) S. 290.

[114] Das Ironische und die Ironie in den Werken Thomas Manns. S. 65.

[115] Martin Heinrich Müller: Parodia Christiana. Studien zu Jacob Baldes Odendichtung. Zürich: Juris Verlag 1964. S. 88.

Daß Goethe mit diesem Begriff der Parodie vertraut war, zeigt eine Bemerkung in den „Noten und Abhandlungen" zum *Divan.* Er spricht dort von Übersetzungen, bei denen man bemüht ist, „eigentlich nur fremden Sinn sich anzueignen und mit eignem Sinne wieder darzustellen". Solche Übersetzungen nennt Goethe „im reinsten Wortverstand . . . p a r o d i s t i s c h [.] . . ."[116]

Wie Barker Fairley in seiner Goethe-Studie von 1947 sagt, war Goethe „kein Freund von letzten Worten und hat nie oder kaum jemals versucht, eines auszusprechen" — ein Satz, den Thomas Mann begreiflicherweise sehr anziehend gefunden hat —, aber Goethe hat es darum nicht unversucht gelassen, das Letzte auszudrücken.[117] Ironie ist die Form, die er dazu gewählt hat und in der er glaubt, daß das Letzte ertragbar darzustellen sei. Es ist das gleiche Problem, das sich auch für Hölderlin stellt. Aber bei Hölderlin nennt der Dichter das Letzte „beim eigenen Namen".[118] „Mit entblößtem Haupte" steht er, „des Vaters Strahl, ihn selbst, mit eigener Hand zu fassen", und wird mit der Krankheit, dem *morbus sacer,* „geschlagen".[119] Goethe stellt die entgegengesetzte Möglichkeit des Dichters dar: er umschreibt das Letzte in der Form der Ironie als „. . . diese sehr ernsten Scherze . . ."

---

[116] WA I 7, 236; zur Parodie bei Goethe siehe: Harold Jantz: Kontrafaktur, Montage, Parodie: Tradition und symbolische Erweiterung. In: Tradition und Ursprünglichkeit. Akten des III. Internationalen Germanistenkongresses 1965. Hrsg. von Werner Kohlschmidt u. Herman Meyer. Bern/München: Francke 1966. S. 53—65; Erwin Rotermund: Die Parodie in der modernen deutschen Lyrik. München: Eidos 1963. S. 7 f.; 21; 23; Frederick W. Sternfeld: Goethe and Music. A List of Parodies and Goethe's Relationship to Music. New York: New York Public Library 1954. S. 7 ff.; siehe ferner: Alfred Liede: „Parodie". In: RL. 3 (1962²), S. 12—72; Henryk Markiewicz: On the Definition of Literary Parody. In: To Honor Roman Jakobson (= Janua Linguarum, Series Maior, 31). Bd. 2. Den Haag: Mouton 1967. S. 1264—1272; Tuvia Shlonsky: Literary Parody: Remarks on its Method and Function. In: Proceedings of the IVth Congress of the International Comparative Literature Association. Hrsg. von François Jost. Bd. 2. Den Haag: Mouton 1966. S. 797—801; Ulrich Weisstein: Parody, Travesty, and Burlesque: Imitations with a Vengeance. Ebd. S. 802—811; Fred W. Householder: Paroidia. In: Classical Philology 34 (1944) S. 1—9; Wido Hempel: Parodie, Travestie und Pastiche. Zur Geschichte von Wort und Sache. In: GRM. 46 (1965) S. 150—176; G. D. Kiremidjian: The Aesthetics of Parody. In: Journal of Aesthetics and Art Criticism 28 (1969—70) S. 231—242.

[117] Barker Fairley: Goethe. S. 290; Thomas Mann: Briefe 1937—1947. Frankfurt a. M.: S. Fischer 1963. S. 571. — Wie sehr Thomas Mann von diesem Satz angezogen wurde, zeigt die Goethe-Ansprache von 1949, in die er diesen Ausspruch übernommen hat (Gesammelte Werke in zwölf Bänden. Bd. 9. Frankfurt a. M.: Fischer 1960. S. 755 ff.).

[118] Hölderlin: Sämtliche Werke. Bd. II: 2. Stuttgart: Kohlhammer 1951. S. 683.

[119] Ebd., Bd. II: 1 (1951). S. 119—120. Bd. VI: 1 (1954). S. 432—433.

KAPITEL II

West-östlicher Divan

> ... und da du nicht lesen darfst, ohne gestimmt, befruchtet und verwandelt zu werden, ohne die Lust zu kosten, auch dergleichen zu machen und productiv zu werden an dem Erlebten, begannst du persisch zu dichten und fleißig-unersättlich an dich zu ziehen, was du zu dem neuen reizenden Geschäft und Maskenspiele brauchtest.
>
> THOMAS MANN

Die Jahre 1814 und 1815 schenken Goethe die Bekanntschaft mit Hafis, das Glück der beiden Reisen an Rhein und Main und die Wiederkehr der jugendlichen Schaffenskraft. Noch am 4. Mai 1814 beklagt sich Goethe in einem Brief an Zelter über „den engen und hülflosen Zustand" der Kleinstadt Weimar, der dem Dichter keinen „Spielraum" gebe. In der Hammerschen Übersetzung des *Divans* von Mohammed Schemsed-din Hafis findet Goethe dann den Stoff, aus dem er sich den ersehnten „Raum" einer neuen „ideelle[n]" „Welt der Poesie" zu erbauen vermag.[1] Als Goethe sich sechs Monate später in einem Briefkonzept vom 25. November 1814 Rechenschaft ablegt über den vergangenen Sommer, spricht er von dem neuen „Licht fröhlicher Wirksamkeit", das ihm seit der Hafis-Lektüre im Juni leuchtet, und von dem er für sich „und andere glückliche Förderung hoffen darf".[2]

Der Begriff des Spielraums der dichterischen Einbildungskraft steht zumindest seit Friedrich Schlegels *Wilhelm Meister*-Rezension von 1789 im Zusammenhang mit der Ironie.[3] Und so stellen sich auch die zu erwartenden Formen

---

Der Divan wird nach der Weimarer Ausgabe zitiert. Die Interpunktion richtet sich nach Hans Albert Maier: Goethe West-östlicher Divan. Kritische Ausgabe der Gedichte mit textgeschichtlichem Kommentar. 2 Bde. Tübingen: Niemeyer 1965.

[1] WA IV 24, 243; WA IV 33, 27; WA I 36, 91; Biedermann, 1, 430.

[2] WA IV 25, 91—93.

[3] Fambach, 57; DWB X, 1, Sp. 2414—2416; Beda Allemann: Ironie und Dichtung. Pfullingen: Neske 1956. S. 15—28; Jacob Steiner: Aether der Fröhlichkeit. In: OL. 13 (1958) S. 64—80.

Goethescher Ironie ein, sobald er sich den Spielraum für die Dichtung des *West-östlichen Divans* geschaffen hat: die Aufforderung zu unendlicher Deutung, die Schatzgräberironie, das Maskenspiel des Autors und die Formel von Scherz und Ernst.

Am 7. Oktober 1819 schreibt Goethe an Zelter: „Möchtest Du aus diesem Büchlein Dich wieder auf's neue erbaut fühlen. Es steckt viel drin, man kann viel herausnehmen und viel hineinlegen."[4] Und am 15. Oktober 1819 heißt es: „Ich habe gar manches hinein versenkt, und muß mich freuen wenn liebe Seelen es wieder herausfinden."[5] Goethe nennt das Werk einen „Aftermahometaner", dem er in seiner „Maskenhülle" freundliche Aufnahme bei den Lesern prophezeit, weil sie „einen wohlbekannten Freund dahinter nicht verkennen".[6] Da die Handschrift im Orient von großer Bedeutung ist, widmet sich Goethe bei seinen Studien auch dem Schönschreiben und sucht orientalische Manuskripte „zu Scherz und Ernst" nachzubilden.[7] An Christian Heinrich Schlosser schreibt er am 23. Januar 1815:

> Was mich ... jetzo beinahe ausschließlich beschäftigt, gesteh ich Ihnen am liebsten, da ich dabei mit Freude Ihrer gedenken kann. Ich habe mich nämlich, mit aller Gewalt und allem Vermögen, nach dem Orient geworfen, dem Lande des Glaubens, der Offenbarungen, Weissagungen und Verheißungen ... Ich habe mich gleich in Gesellschaft der persischen Dichter begeben, ihren Scherz und Ernst nachgebildet.[8]

In einer chiffrenartigen Anspielung, aus der man heute sogar sein Verhältnis zu Marianne von Willemer herauslesen kann, empfiehlt Goethe seinen Freunden den *Divan* mit den folgenden Worten: „... sie werden darin manches finden, welches sie überzeugt, daß ich in Scherz und Ernst diese Jahre her mich immer heimlich mit Verständigen unterhalten habe."[9] Goethe verwendet also zur Beschreibung des *Divans* die Formel der Ironie und erklärt:

> Der höchste Charakter orientalischer Dichtkunst ist, was wir Deutsche Geist nennen, das Vorwaltende des oberen Leitenden; hier sind alle übrigen Eigenschaften vereinigt, ohne daß irgendeine, das eigentümliche Recht behauptend, hervorträte. Der Geist gehört vorzüglich dem Alter, oder einer alternden Weltepoche. Übersicht des Weltwesens, Ironie ... finden wir in allen Dichtern des Orients.[10]

---

[4] WA IV 32, 52.
[5] WA IV 32, 73.
[6] WA IV 29, 62.
[7] WA I 36, 125—126.
[8] WA IV 25, 164—165.
[9] WA IV 26, 252.
[10] WA I 7, 76.

Diese Erklärung stammt aus den „Noten und Abhandlungen zu besserem Verständnis des West-östlichen Divans". Für die Quellenforschung sind Wert und Bedeutung der „Noten und Abhandlungen" früh erkannt worden, aber nicht für die Interpretation des Werkes.[11] Es gehört zu den Verdiensten der Forschung der letzten Jahre, die Einheit von „des Divans Poesie und Prose" erwiesen und die Bedeutung des „prosaischen Theil[s] des Divan[s]" für die Erläuterung des „poetische[n] Divan[s]" herausgestellt zu haben.[12] Aber die Tatsache, daß Goethe in den „Noten und Abhandlungen" u. a. auch eine Rhetorik zum Verständnis „des Divans Poesie" geschaffen hat, ist m. W. bisher noch nicht zum Zweck der Interpretation wahrgenommen worden. In welchem Maße Goethe von der Rhetorik in Anspruch genommen ist, läßt sich daraus ersehen, daß er sich in den „Noten und Abhandlungen" auf Quintilian, den „alten Meister" der abendländischen Rhetorik, und die Figur der Synekdoche beruft, wenn er sich daran wagt, „mit diesem wenigen fünfhundert Jahre" nicht nur „persischer Dicht-", sondern auch „Redekunst zu schildern".[13] Ferner sei daran erinnert, daß in die Zeit von 1813 bis 1816 Goethes Lektüre von Ernestis *Lexicon technologiae rhetoricae* fällt, und daß sowohl Joseph von Hammers *Geschichte der schönen Redekünste Persiens* als auch William Jones' *Poeseos Asiaticae Commentariorum Libri Sex,* die Goethe damals eingehend studierte, mehrere Kapitel über orientalische Rhetorik aufweisen.[14] Die Abschnitte über orientalische Redekunst in den „Noten und Abhandlungen" folgen in ihrer Gliederung genau dem System der Rhetorik: an die Erläuterung der Tropen schließt sich eine Darstellung vom Gebrauch der Figuren in der orientalischen Poesie mit zahlreichen Beispielen an. Goethe hebt dabei hervor, „daß in dieser Literatur die Sprache als Sprache die erste Rolle spielt".[15]

Goethe äußert zu Beginn den Wunsch, „als ein Reisender angesehen zu werden", der danach strebt, den fremden „Sprachgebrauch sich anzueignen".[16] Es geht also im *Divan* um eine Aneignung des östlichen Sprechens und der östlichen

---

[11] Ingeborg Hillmann: Dichtung als Gegenstand der Dichtung. Untersuchungen zum Problem der Einheit des West-östlichen Divans. Bonn: Bouvier 1965. S. 111; Ursula Wertheim: Von Tasso zu Hafis. Probleme von Lyrik und Prosa des West-östlichen Divans. Berlin: Rütten & Loening 1965. S. 8.

[12] WA IV 32, 73; WA III 6, 275—276; WA III 7, 26.

[13] WA I 7, 70.

[14] Johann Christian Gottlieb Ernesti: Lexicon technologiae Graecorum rhetoricae. Leipzig: Fritsch 1795; Johann Christian Gottlieb Ernesti: Lexicon technologiae Latinorum rhetoricae. Leipzig: Fritsch 1797. Beide Werke befanden sich in Goethes Bibliothek (s. Hans Ruppert: Goethes Bibliothek. Katalog. Weimar: Arion 1958. S. 96); Joseph von Hammer: Geschichte der schönen Redekünste Persiens. Wien: Heubner & Volke 1818. S. 15—34; William Jones: Poeseos Asiaticae Commentariorum Libri Sex, cum appendice. Leipzig: Weidmann 1777. S. 106—181.

[15] WA I 7, 106.

[16] WA I 7, 4.

„Ansicht des Lebens im höheren Sinne“, und so gibt Goethe eine allgemeine Charakteristik der orientalischen Dichtkunst und beschreibt dann die „Urelemente“ dieser Poesie. Er geht von den „ersten, notwendigen Urtropen“ der Sprache aus und bemerkt:

> ... daß dem Orientalen bei allem alles einfällt, so daß er, übers Kreuz das Fernste zu verknüpfen gewohnt, durch die geringste Buchstaben- und Silbenbiegung Widersprechendes auseinander herzuleiten kein Bedenken trägt. Hier sieht man, daß die Sprache schon an und für sich produktiv ist und zwar, insofern sie dem Gedanken entgegenkommt, rednerisch, insofern sie der Einbildungskraft zusagt, poetisch.

Goethe geht dann über zu den „freieren und kühneren“ Tropen, bis er „endlich zu den gewagtesten, willkürlichsten, ja zuletzt ungeschickten, konventionellen und abgeschmackten gelangt“.[17]

In einem vorhergehenden Abschnitt stellt Goethe fest, daß die orientalischen Dichter „ohne Bedenken... die edelsten und niedrigsten Bilder“ verknüpfen, und fügt hinzu: — ein Verfahren, „an welches... wir uns nicht so leicht gewöhnen“. Goethe fährt dann fort: „Ferner kostet's dem orientalischen Dichter nichts uns von der Erde in den Himmel zu erheben und von da wieder herunterzustürzen oder umgekehrt.“ Er erwähnt z. B. den persischen Dichter Nisami, der eine ethisch-religiöse Betrachtung mit dem Bilde eines Hundekadavers verbindet und bemerkt dazu:

> Solcher Gleichnisse würden sich zu Hunderten auffinden lassen, die das unmittelbarste Anschauen des Natürlichen, Wirklichen voraussetzen und zugleich wiederum einen hohen sittlichen Begriff erwecken, der aus dem Grunde eines reinen ausgebildeten Gefühls hervorsteigt.
> Höchst schätzenswert ist, bei dieser grenzenlosen Breite, ihre Aufmerksamkeit auf's Einzelne, der scharfe, liebevolle Blick der einem bedeutenden Gegenstand sein Eigentümlichstes abzugewinnen sucht.[18]

Goethe wiederholt: „Jene Dichter haben alle Gegenstände gegenwärtig und beziehen die entferntesten Dinge leicht aufeinander.“[19] Sie reimen „das Ungereimte“ zusammen.[20] Goethe hebt hervor, wie auch die orientalische Verslehre dieses Verknüpfen von entferntesten Gegenständen begünstigt: „... die zweizeilig gereimten Verse der Orientalen [fordern] einen Parallelismus ... welcher aber, statt den Geist zu sammeln, selben zerstreut, indem der Reim auf ganz fremdartige Gegenstände hinweist.“[20a] In der deutschen Literatur spricht Goethe

---

[17] WA I 7, 101—102.
[18] WA I 7, 71—74.
[19] WA I 7, 76.
[20] WA I 7, 71.
[20a] WA I 7, 106.

diese Orientalität, die „die seltsamsten Bezüge" erschafft und „das Unverträgliche" verknüpft, Jean Paul zu.[21]

Schließlich erhebt Goethe die Frage, welches westliche Formprinzip diesem Charakteristikum der orientalischen Poesie entspricht, und er nennt den Witz. Es scheint sich hier zunächst um den Begriff der deutschen Aufklärung zu handeln, der die literarische Fähigkeit bezeichnet, bestimmte Zusammenhänge mit „einer besonders lebhaften und vielseitigen Kombinationsgabe aufzudecken und durch eine treffende und überraschende Formulierung zum Ausdruck zu bringen".[22] Goethes Formulierungen erinnern an Gottscheds Bemerkungen über das Prinzip des Witzes in der *Critischen Dichtkunst*.[23] Aber während Gottsched Witz und Geist noch gleichsetzt, bemüht sich Goethe um eine Unterscheidung zwischen beiden. Er fügt seinen Ausführungen hinzu: „... doch steht der Witz nicht so hoch, denn dieser ist selbstsüchtig, selbstgefällig, wovon der Geist ganz frei bleibt, deshalb er auch überall genialisch genannt werden kann und muß."[24] Goethe scheint hier eher auf einen Begriff des 17. Jahrhunderts hinzuzielen, auf das barocke *concetto*, die kühne „Analogie, die unerwartete Beziehungen zwischen den Dingen stiftet".[25] Es ist also mehr der englische *wit* vor Dryden und Pope, der hier vorliegt, das Prinzip der metaphysischen Dichtung eines John Donne, Edward Herbert und Andrew Marvell, das Dr. Johnson polemisch definiert hat als *„heterogeneous ideas yoked by violence together"*.[26] Die deutsche Barocklyrik zeichnet sich zum Teil ebenfalls durch die Verknüpfung der „edelsten und niedrigsten Bilder" aus.[26a] Es ist daher sicherlich nicht zufällig, daß Goethe bei der Beschreibung der persischen Doppelverse auf „einen ähn-

---

[21] WA I 7, 111—114.

[22] DWB XIV, 2, Sp. 874; Eric A. Blackall: The Emergence of German as a Literary Language (1700—1775). Cambridge: Cambridge University Press 1959. S. 387 f. Dt. Übersetzung: Die Entwicklung des Deutschen zur Literatursprache 1700—1775. Stuttgart: Metzler 1966; Paul Böckmann: Das Formprinzip des Witzes in der Frühzeit der deutschen Aufklärung. In: FDH 1932, S. 52—130; auch in P. B.: Formgeschichte der deutschen Dichtung. 3. Aufl. Hamburg: Hoffmann & Campe 1967. S. 471—552; Bruno Markwardt: Geschichte der deutschen Poetik (= Grundriß der germ. Philologie). Bd. 2. Berlin: de Gruyter 1956. S. 27—28, 62, 489—490; Wolfgang Schmidt-Hidding, Karl Otto Schütz, Wido Hempel: Humor und Witz (= Europäische Schlüsselwörter, Bd. 1). München: Hueber 1963. S. 37—244; Hans Peter Herrmann: Naturnachahmung und Einbildungskraft. Zur Entwicklung der deutschen Poetik von 1670—1740. Bad Homburg v. d. H.: Gehlen 1970. S. 145—161.

[23] Johann Christoph Gottsched: Versuch einer Critischen Dichtkunst. 4. sehr vermehrte Aufl. Leipzig: Breitkopf 1751. S. 102—103, 351.

[24] WA I 7, 76.

[25] Dante Della Terza: Italienische Literatur. In: Literatur I (= Fischer-Lexikon, 34). Frankfurt a. M.: Fischer 1964. S. 160.

[26] zitiert nach Cleanth Brooks: Modern Poetry and the Tradition. New York: Oxford University Press 1965. S. 40.

[26a] WA I 7, 71.

lichen Kontrast“ hinweist, wie sie „die beiden Hälften des Alexandriners“, des beliebtesten Verses der Barockdichtung, bilden.

Wie bewußtseinsnah diese neue Form des lyrischen Sprechens ist, wird auch Goethe nur sehr langsam klar. Im Mai 1817 schreibt er an Zelter: „Um Dir ein neues Gedicht zu schicken, habe ich meinen orientalischen Divan gemustert, dabei aber erst klar gesehen, wie diese Dichtungsart zur Reflexion hintreibt...“[27] Goethe vergleicht die orientalische Dichtart mit dem Sonett, das eine besondere Entfaltung im Barock erlebte und ebenfalls eine Form des lyrischen Sprechens darstellt, die zur Reflexion neigt. Einige Wendungen seiner Briefe über den *Divan* ähneln den Briefen von 1808 über die Sonette.[28] Es ist nicht von ungefähr, daß Goethe sich an das Sonett erinnert fühlt, denn in seinen eigenen Sonetten setzen sich Scherz und Ernst zum erstenmal offen und ganz entschieden durch, wie Paul Hankamer dargelegt hat.[29]

Goethe übernimmt nun für seine eigene Dichtung, wie angekündigt, den „fremden Sprachgebrauch“. Er verwendet das Form- und Gestaltungsprinzip der orientalischen Lyrik, das eine gewisse Entsprechung im *ornatus* der europäischen Barocklyrik findet. Auch Goethe verknüpft ohne Bedenken „die entferntesten Dinge“ — aber nicht, wie Dr. Johnson polemisiert hatte, mit Gewalt, sondern mit „Scherz und Ernst“.

Goethe erklärt aber nun, daß ihm die Aneignung des fremden Sprachgebrauchs „nur bis auf einen gewissen Grad gelingt, ...er immer noch an einem eigenen Akzent, an einer unbezwinglichen Unbiegsamkeit seiner Landsmannschaft als Fremdling kenntlich bleibt“.[30] Es handelt sich also beim *Divan* nicht um eine Imitation der orientalischen Poesie, sondern um ein neues Werk mit „einem eigenen Akzent“. Dieser eigene Akzent besteht darin, daß „die entferntesten Dinge“, die Goethe aufeinanderbezieht, nicht auf die Vorstellungswelt des Orients beschränkt sind, sondern Orient und Okzident, orientalische Tradition und Goethesche Biographie, östliche Rhetorik — „wo der Orientale durch Künstlichkeit und Künstelei zu gefallen strebt“ —, und westliche Form — „die leichtesten, faßlichsten Silbenmaße seiner Mundart“ — umfassen. Goethe hat vorwiegend einfache Versmaße gewählt, die in einem ironischen Gegensatz zur künstlichen Rhetorik stehen. Die komplizierte Form des persischen Ghasel, die eine charakteristische Ergänzung zu dem *ornatus difficilis* der orientalischen Rhetorik bildet, wird von Goethe ausdrücklich vermieden. Wenn er sich ihr auch in einigen Gedichten nähert, so scheint er einer vollkommenen Erfüllung der Form auszuweichen und sich als „Fremdling“ mit „einem eigenen Akzent“

---

[27] WA IV 25, 330; vgl. WA IV 26, 122—123.

[28] WA IV 26, 288; WA IV 20, 40.

[29] Hankamer: Spiel der Mächte. S. 87—90, 187; s. auch Max Kommerell: Gedanken über Gedichte. 2. Aufl. Frankfurt a. M.: Klostermann 1956. S. 308.

[30] WA I 7, 4.

zu gefallen.[31] Das Werk ist also in tiefstem Sinne seines Titels ein „West-östlicher Divan“ oder, wie es in Goethes Ankündigung in Cottas *Morgenblatt* 1816 heißt, „eine Versammlung deutscher Gedichte in stetem Bezug auf den Orient“.[32] Die Ironie erwächst aus diesem Kontrast und der Wechselbeziehung von Westen und Osten.

In diesen Vorgang der Kontrastierung und wechselseitigen Vertauschung sind auch Elemente aus der Biographie und fremden Quellen miteinbegriffen. Für den Dichter spielt es keine Rolle, ob diese Elemente nun aus dem eigenen Leben, aus den Dichtungen des Orients oder der Marianne von Willemer stammen. Sie sind Bausteine, mit denen er sich einen neuen „Spielraum“ der Poesie erschafft. Ferner ist herauszustellen, daß sich die Vertauschbarkeit nicht in Gleichungen, wie Hatem-Goethe oder Suleika-Marianne, eindeutig auflösen und festlegen läßt, sondern daß ein konstanter Schwebezustand herrscht: der Schwebezustand der Ironie. Darum fühlt sich Goethe so angezogen von der orientalischen Poesie, da sie „... vom Wirklichen bis zum Unmöglichen hin- und wiederschwebt, und das Unwahrscheinliche als ein Wahrhaftes und Zweifelloses vorträgt ...“[33]

Es ist bezeichnend, daß auch Goethes Vorliebe für Hafis, dem er ein Buch im „poetischen Divan“ und zahlreiche Erläuterungen in den „Noten und Abhandlungen“ widmet, von dem scheinbaren Gegensatz von „Scherz und Ernst“ bestimmt ist. Goethe stellt fest, daß die heiteren Gedichte des Hafis eigentlich „völlig im Widerspruch“ stehen mit seinen ernsten theologischen Studien und seinem Lehramt als Sofi. Goethe fühlt sich von Hafis angezogen, da sich der persische Dichter „der rhetorischen Verstellung“ nähert und den Menschen dasjenige vorträgt, „was sie gern, leicht und bequem hören“, ihnen dabei aber „auch etwas Schweres, Schwieriges, Unwillkommenes“ mit unterschiebt.[34] Orientalische Verknüpfung der „entferntesten Dinge“ trifft sich hier mit westlicher Verbindung von „Scherz und Ernst“, wenn Goethe den Dichter feiert: „Im Engen genügsam froh und klug, von der Fülle der Welt seinen Teil dahinnehmend, in die Geheimnisse der Gottheit von fern hineinblickend, dagegen aber auch einmal Religionsübung und Sinnenlust ablehnend, eins wie das andere.“ Zusammenfassend begreift Goethe das Wesen dieser Dichtart in dem Wort „skeptische Beweglichkeit“, in einem Sich-Hin-und-herwiegen über den Gegensätzen, d. h. also als Ironie.[35] Nicht umsonst nennt Goethe den Dichter Hafis in einem

[31] Es gibt nur wenige Gedichte im Divan, die dem Ghasel ähneln, wie z. B. „Höchste Gunst“, „Sie haben wegen der Trunkenheit“ und „In tausend Formen“, aber es gibt kein einziges formvollendetes Ghasel im Divan, nur Annäherungen an die Form.

[32] WA I 41^I, 86.

[33] WA I 7, 36—37.

[34] WA I 7, 64; 134.

[35] WA I 7, 65.

Gespräch mit Sulpiz Boisserée vom 5. August 1815 einen anderen Voltaire.[36] Für das Verwandtschaftsgefühl mit Hafis ist es bezeichnend, daß man auch Goethe als einen Voltaire charakterisiert hat.[37]

Goethes Einführung in „des Divans Poesie“ ist das Gedicht mit dem Titel „Hegire“. Wie Goethe selbst sagt, gibt es den Lesern „von Sinn und Absicht des Ganzen sogleich genugsam Kenntnis“.[38] Es beginnt:

Nord und West und Süd zersplittern,
Throne bersten, Reiche zittern,
Flüchte du, im reinen Osten
Patriarchenluft zu kosten,
Unter Lieben, Trinken, Singen,
Soll dich Chisers Quell verjüngen.

Das Gedicht kündigt den gleichen Vorsatz an wie die Einleitung zu „des Divans ... Prose“: der Dichter der folgenden Verse wünscht, „als ein Reisender angesehen zu werden“[38a] oder wie es noch bestimmter und selbstbewußter in der Anzeige in Cottas *Morgenblatt* 1816 heißt: „Der Dichter betrachtet sich als einen Reisenden. Schon ist er im Orient angelangt. Er freut sich an Sitten, Gebräuchen, an Gegenständen, religiösen Gesinnungen und Meinungen.“[38b]

Dort, im Reinen und im Rechten,
Will ich menschlichen Geschlechten
In des Ursprungs Tiefe dringen,
Wo sie noch von Gott empfingen
Himmelslehr' in Erdesprachen,
Und sich nicht den Kopf zerbrachen.

Wo sie Väter hoch verehrten,
Jeden fremden Dienst verwehrten;
Will mich freun der Jugendschranke:
Glaube weit, eng der Gedanke,
Wie das Wort so wichtig dort war,
Weil es ein gesprochen Wort war.

---

[36] Sulpiz Boisserée: Tagebuch. 5. Aug. 1815 (zitiert nach Hans Heinrich Schaeder: Goethes Erlebnis des Ostens. Leipzig: Hinrichs 1938. S. 174.

[37] Friedrich Schlegel: Sämtliche Werke. 2. Ausg. Bd. 2. Wien: I. Klang 1846. S. 228 ff.; Fambach, 306; s. William J. Mulloy: The German Catholic Estimate of Goethe (1790—1939) (= University of California Publications in Modern Philology, Bd. 24, Nr. 4). Berkeley/Los Angeles: University of California Press 1944. S. 365, 392, 394.

[38] WA I 41^I, 86.

[38a] WA I 7, 4.

[38b] WA I 41^I, 86.

Der Dichter tritt auf in der „Rolle eines Handelsmanns“:

> Will mich unter Hirten mischen,
> An Oasen mich erfrischen,
> Wenn mit Karawanen wandle,
> Schal, Kaffee und Moschus handle.
> Jeden Pfad will ich betreten
> Von der Wüste zu den Städten.

Aber die Reise hat einen irrealen Charakter. Es bleibt ungewiß, ob der Dichter wirklich in den Osten reist. Er scheint eher mit Metaphern und Versen als mit „Schal, Kaffee und Moschus“ zu handeln. In der sprachlichen Wirklichkeit der Ankündigung und des Gedichtes ergibt sich ein Schwebezustand der Ungewißheit. Es ist eine „Reise und Nichtreise“, wie Goethe sich bei einer anderen Gelegenheit äußert.[39] In der Ankündigung sagt er nicht, der Dichter ist ein Reisender, sondern er „betrachtet sich als einen Reisenden“ (Hervorhebung vom Verfasser). Das Gedicht ist eine Reise in die Zukunft, in ein Land der Phantasie, es ist ein dichterischer Scherz. Aber dieser futurische dichterische Scherz scheint durch das mehrfach eindringlich wiederholte und bestimmt-entschlossen klingende „ich will“ ein ernsthaftes Gegengewicht zu erhalten. Jedoch wird der zielklare und entschiedene Charakter dieser Willensäußerung seinerseits wiederum durch zahlreiche Konditionalsätze gleichsam aufgehoben:

> Wenn mit Karawanen wandle,
> . . .
> Wenn der Führer mit Entzücken,
> Von des Maultiers hohem Rücken,
> Singt, . . .
> . . .
> Wenn den Schleier Liebchen lüftet,
> Schüttlend Ambralocken düftet.
> . . .

Diese Konditionalsätze aber stehen im Indikativ, d. h., die Verwirklichung der Reise ist nicht irreal, sondern durchaus als eine Möglichkeit zu betrachten. Der Dichter braucht sich nur in der Freiheit seiner Phantasie als einen Reisenden zu betrachten, und schon ist er auf dem Wundermantel der dichterischen Einbildungskraft im Orient angelangt. Der letzte indikativische Konditionalsatz leitet über in den Konjunktiv des Wunsches, dem ein mutwillig imperativischer Unterton anhaftet:

> Ja des Dichters Liebeflüstern
> Mache selbst die Huris lüstern.

[39] WA IV 12, 344.

Die Möglichkeit der Mißgunst und Anfeindung wird im Konjunktiv erwogen, aber mit einem Bruch in der Satzkonstruktion imperativ-herrisch, doch ohne falsche Anmaßung zurückgewiesen. Hier kündigt sich das „Übermacht"-Motiv an, das sich durch den ganzen *Divan* zieht.[40]

> Wolltet ihr ihm dies beneiden,
> Oder etwa gar verleiden;
> Wisset nur, daß Dichterworte
> Um des Paradieses Pforte
> Immer leise klopfend schweben,
> Sich erbittend ew'ges Leben.

Dichterische Selbstsicherheit verbindet sich hier mit dichterischer Demut. Das Dichterwort bleibt in der Schwebe im Vorhof des Paradieses, aber es besteht die Möglichkeit, daß es zum Höchsten vordringt und Dauer gewinnt.

Die scherzhaft-neckischen Verse auf die Huris, die durch „des Dichters Liebeflüstern" betört werden sollen, so daß sie ihm „des Paradieses Pforte" öffnen, verweisen auf die religiös allegorische Deutung der Liebeslyrik nach dem Vorbild des *Canticum Canticorum.* Hinter den erotischen Scherzen der vorletzten Strophe eröffnet sich der Hintergrund des religiösen Ernstes der letzten Strophe. Die Erotik wird gesteigert zur religiösen Sehnsucht.

Scherz und Ernst ergänzen sich in dem Gedicht in „wiederholten Spiegelungen", die sich aber nicht ins Unendliche verlieren, sondern sich in gegenseitigen Erweiterungen die Waage halten. Diese ironische Schwebe bezeugt sich in der Wort- und Satzantithese: „Glaube weit, eng der Gedanke." Das grammatisch-syntaktische Gleichgewicht und die semantische Antithese werden verstärkt durch die Überkreuzstellung der Wortarten. Die polaren Gegenüberstellungen werden gleich zu Anfang eingeführt. Im Osten gilt es, „Patriarchenluft zu kosten" und sich durch „Chisers Quell verjüngen" zu lassen. Es geht um Alter und Jugend, um Verehrung der „Väter" und Freude an der „Jugendschranke". Es ist eine „Himmelslehr' in Erdesprachen". Mit diesem Wort werden Thematik und Programm des gesamten *Divans* festgelegt. „Lieben, Trinken, Singen" bilden als Grundvokabular der „Erdesprachen" die Hauptthemen des *Divans.* Dem Gesang und der Dichtung sind das „Buch des Sängers" und das „Buch Hafis" gewidmet, dem Trinken das „Schenkenbuch", dem Lieben das „Buch der Liebe" und das „Buch Suleika". Die übrigen Bücher, sogar das „Buch Timur", lassen sich aus diesen drei Hauptthemen herleiten. Im letzten Buch aber, im „Buch des Paradieses", erfolgt die endgültige Steigerung. Irdische Liebe, Weinrausch und Dichterworte werden in einer abschließenden kühnen Analogie mit der „Himmelslehr'" — mit Gottes Wort, das *logos,* reiner Geist und reine Liebe ist — in Beziehung gebracht. Das „Buch der Parabeln" und

[40] WA I 6, 99.

das „Buch des Parsen“ sind Überleitungen und Vorbereitungen auf diesen krönenden Abschluß des *Divans*. Die Beziehungen zwischen irdischer und göttlicher Liebe, Weinrausch und Gottbegeisterung, Dichterwort und Gotteswort sind als „Scherz und Ernst“ zu verstehen. Hier zeigt sich, was Goethe unter „Übersicht des Weltwesens, Ironie“ begreift: im Irdischen wird das Göttliche gesehen und im Göttlichen das Irdische, das der Steigerung fähig ist, ohne daß sie einander gleichgesetzt oder etwa in einer *unio mystica* vereinigt werden. „Lieben, Trinken, Singen“ sind ironische Metaphern einer „Himmelslehr' in Erdesprachen“. Dabei wird aber nicht die Rangordnung übersehen oder gar verletzt. Der höchste Bezugspunkt bleibt das Göttliche. Alles strebt danach. Über Steigerung im „Buch der Liebe“ sagt Goethe: „Der geistreiche Mensch, nicht zufrieden mit dem was man ihm darstellt, betrachtet alles was sich den Sinnen darbietet, als eine Vermummung, wohinter ein höheres geistiges Leben sich schalkhafteigensinnig versteckt, um uns anzuziehen und in edlere Regionen aufzulocken.“[41] Die „Reise und Nichtreise“ des *Divans* führt in höhere und höchste Regionen, ins mohammedanische Paradies und darüber hinaus. So bildet das „Buch des Paradieses“ Ziel und Erfüllung des *Divans*.

Die „Reise und Nichtreise“ im *Divan* ist aber nicht nur dichterisch, sondern zugleich auch biographisch und historisch als „Scherz und Ernst“ zu verstehen. Stets scheint die Person Goethes durch die Dichtung hindurch. Der Dichter ist ein wissenschaftlicher Reisender. Ursula Wertheim hat darauf verwiesen, wie Goethe in den „Noten und Abhandlungen“ die Fiktion der Reise aufrechterhalten hat.[42] Mit der Lektüre der Hammerschen Übersetzung des *Divans* von Hafis setzt Goethe das in der Jugend begonnene Vordringen in die Welt der Orientalistik fort. Aber der Dichter ist auch Flüchtling. Goethe verbindet seine Reise in den Orient mit einem entfernten historischen Weltereignis, mit der Hedschra (franz. *hégire*), der Flucht Mohammeds von Mekka nach Medina, wo der Prophet eine Zuflucht und Stätte freien Wirkens fand. Aber so scherzhaft diese Verbindung zwischen Privatzustand und Weltgeschichte erscheinen mag, so entbehrt sie doch nicht den Charakter des Ernsthaften, denn Goethes Leben und Zeit weisen während der napoleonischen Feldzüge in den Jahren zwischen 1806 und 1813 ähnliche Bedrohungen auf, so daß sich ein zeitnaher Bezug zum Titel des Gedichtes ergibt. Zugleich verweist die Überschrift des Gedichtes in „Scherz und Ernst“ auf die islamische Zeitrechnung, die mit der Flucht aus Mekka beginnt, und verknüpft dieses Ereignis sinnhaft mit dem Neuansatz von Goethes lyrischem Sprechen.

Ein ähnlich vielsinniger Beziehungsreichtum ergibt sich für den „reinen Osten“, der hier als Gegenbild zum Westen und als Zufluchtsort gefeiert wird.

---

41 WA I 7, 137—138.
42 Von Tasso zu Hafis. S. 367 ff.

Der „reine Osten" ist „... jene ... Urwelt ... in die sich reine Menschheit, edle Sitte, Heiterkeit und Liebe flüchtet, um uns ... zu trösten und zu überzeugen, daß doch zuletzt in ihr das Heil der Menschheit aufbewahrt bleibe".[42a] Es handelt sich um eine unhistorische Zusammenschau der idealen Perioden der patriachalisch-biblischen und der arabisch-beduinischen Nomadenkultur des Orients. Dabei ist dieser Osten aber auch zugleich das 7. Jahrhundert des Propheten Mohammed und das 14. Jahrhundert des „heil'gen Hafis", die keineswegs Gegenbilder „im Reinen und im Rechten" sind, sondern direkte Spiegelungen von Goethes eigenem Leben und seiner eigenen Zeit. Auch im Osten barsten Throne und zitterten Reiche. „So schwingt also," wie H. A. Korff sagt, „in dieser Auffassung der Hafiswelt eine geheime Ironie mit, die für den ganzen *Divan* so bezeichnend ist. Es ist alles nur *cum grano salis* richtig — nur dann, wenn man den überlegenen Geist hat, es richtig zu betrachten und durch alles hindurchzusehen, was man dabei übersehen muß." Es geht darum, diesen „grundsätzlichen Spielcharakter" der Divanpoesie, wie Korff sagt, zu erkennen und zu sehen, wie hier souverän aus „Ernst und Spiel" ein Raum für die dichterische Phantasie erbaut wird.[43] Der Spielcharakter bedingt, daß man auf immer neue Perspektiven stößt, daß sich immer neue Gegensätze finden lassen und sich alles der Festlegung entzieht, in der Schwebe bleibt und in der Steigerung doch auf ein Ziel ausgerichtet ist.

Das Ziel der Flucht und Reise ist nicht mit Sicherheit zu beantworten. Die Reise und Flucht führen nicht nur vom Westen in den Osten, sondern auch vom Alter in die Jugend, von der Gegenwart in die Vergangenheit, von der Spätzeit in die Frühzeit und, was nicht übersehen werden darf, auch wieder zurück:

Sinnig zwischen beiden Welten
Sich zu wiegen, laß ich gelten;
Also zwischen Ost- und Westen
Sich bewegen, sei's zum Besten.[44]

Es ist eine Reise und Flucht durch Raum und Zeit. „Auf und nieder" geht es, wie in Hafis' Liedern, von „des Ursprungs Tiefe" bis zu „des Paradieses Pforte". Doch das Endziel aller Flucht- und Reiselinien steht fest. Es ist „Höheres und Höchstes".[45] Das erste sowie das letzte Gedicht des Gesamtwerks verweisen auf „des Paradieses Weiten".[46] In den Ost-West-Bewegungen kommen die Polaritäts- und in der Beziehung auf „Höheres und Höchstes" die Steigerungsstrukturen der Goetheschen Ironie zum Ausdruck.

[42a] WA I 7, 217.
[43] H. A. Korff: Goethe im Bildwandel seiner Lyrik. Bd. 2. Hanau: Dausien 1958. S. 117.
[44] WA I 6, 276.
[45] WA I 6, 264.
[46] WA I 6, 271.

Auch auf die Frage nach dem lyrischen Ich läßt sich keine eindeutige Antwort finden. Der „deutsche Dichter", wie Goethe das lyrische Ich in der Ankündigung in Cottas *Morgenblatt* bezeichnet, wird in der zweiten Person angeredet und aufgefordert, in den Osten zu fliehen. In fünfmaliger Wiederholung bekräftigt der Dichter in der ersten Person seinen Willen. Allein die Zurückweisung der Mißgünstigen und Feinde erfolgt von anderer Seite. Der Dichter wird jetzt in der dritten Person genannt. Wer die Aufforderung und Zurückweisung ausspricht, bleibt unklar. Das Ich des deutschen Sängers, der zur Hegire in den Osten aufbricht, wird aufgehoben in der Person des Dichters und Sängers überhaupt[47]. Diese Aufhebung des lyrischen Ichs wird vorbereitet in den elliptischen Sätzen der dritten und vierten Strophe. Im letzten Satz der vierten Strophe fällt das Wort „ich" zum letzten Male, in der fünften Strophe ist es stillschweigende Voraussetzung zu dem feiernden Possessivpronomen: „Hafis deine Lieder." In der sechsten Strophe ist das Genetivobjekt die einzige Gewähr dafür, daß es noch um den deutschen Dichter geht: „Will ... heil'ger Hafis dein gedenken." Das Fehlen des Ichs macht sich insofern auffälliger bemerkbar, als der Hauptsatz kein Subjekt hat. Aber die leicht nachlässige Diktion des lyrischen Ichs als eines Trinkers und Liebhabers rechtfertigt die Ellipse. In der letzten Strophe wird dann nur noch von „ihm" gesprochen: dem Dichter und Sänger *katexochen.* Goethes Hang zum Incognito wird in einen tiefen Sinnzusammenhang eingebaut. In raschem Rollenwechsel entzieht sich das lyrische Ich jeglicher Identifikation. „Der deutsche Dichter" taucht auf als Hirte, Kaufmann, Krieger, Liebhaber und als d e r Dichter schlechthin, „ja, er lehnt den Verdacht nicht ab, daß er selbst ein Muselmann sei".[48] Keine der Gestalten zeigt feste individuelle Umrisse. Selbst die Konfession des Dichters wird in der Litotes — „er lehnt den Verdacht nicht ab" — in ironische Schwebe gebracht. Die Formen des Gestaltwandels, der Leitmotiv und Baugesetz des *Divans* darstellt, sind ironische Metaphern des Menschseins, die im dichterischen Spiel aufgelöst und auf ihre gemeinsame Grundform zurückgeführt werden. An der Pforte des Paradieses begehrt der Dichter dann Einlaß mit der Begründung: „... denn ich bin ein Mensch gewesen."[49]

Wie sehr sich Goethe bei der Anwendung dieser Technik auf orientalische Vorbilder berufen kann, ist m. W. bisher nicht festgestellt worden. In der Vorrede seiner Hafis-Übersetzung belehrt von Hammer seine Leser über die beständige „Personenwechselung" in der orientalischen Poesie, „vermög welcher der Dichter in einer und derselben Gasel von sich, bald in der ersten, bald in der zweiten, bald in der dritten Person spricht".[50] Goethe scheint diese Technik

[47] Hillmann: Dichtung als Gegenstand der Dichtung. S. 108.

[48] WA I 41^I, 86.

[49] WA I 6, 253.

[50] Joseph von Hammer: Der Diwan von Mohammed Schemsed-din Hafis. Aus dem Persischen zum erstenmal ganz übersetzt. Erster Teil. Stuttgart-Tübingen: Cotta 1812.

der orientalischen Rhetorik zu übernehmen und sie sinnreich mit dem Leitmotiv und Baugesetz des *Divans* in Verbindung zu bringen.

So verbirgt sich hinter der nachlässig übermütigen Komposition dieses Gedichtes mit den leicht tändelnden vierhebigen Trochäen, den unreinen und rührenden Reimen und der eigenwilligen Sprachführung ein klar umrissenes Programm. Am Eingangsgedicht zum *Divan* lassen sich die Thematik, Motive und das Form- und Bildungsgesetz des *West-östlichen Divans* ablesen. Goethes Meisterschaft bewährt sich darin, wie das programmatisch Ernsthafte so scherzhaft unaufdringlich und unproblematisch, „unter Lieben, Trinken, Singen", gesagt werden kann.

Im „Buch des Sängers" und im „Buch Hafis" steht das „Singen" im Mittelpunkt. „Lieben" und „Trinken" sind auf diesen Mittelpunkt bezogen. Bereits Heinrich Düntzer hat angedeutet, und Ingeborg Hillmann hat überzeugend herausgestellt, daß das „Buch des Sängers" als eine gedichtete Dichtungslehre zu begreifen ist.[51] In dem Gedicht „Vier Gnaden" wird auf die Poetik des Horaz angespielt. Der Vers „Ein Liedchen, das gefällt und nützt" nimmt Bezug auf die Horazische Formel *„aut prodesse ... aut delectare"*. Die Formel wird aus dem Rahmen der Poetik herausgelöst und der Erotik zugeordnet. Die Dichtung wird für ganz konkrete, vordergründige und eigennützige Zwecke in Anspruch genommen. Sie soll den Mädchen gefallen, den Dichter bei ihnen einschmeicheln und ihre Begehrlichkeit erwecken. Die Dichtung scheint hier völlig durch die Aussicht auf den persönlichen erotischen Vorteil motiviert zu sein. Aber die Sinnlichkeit, die der Dichter mit seinem Liedchen bei den Mädchen zu erregen sucht, muß zugleich auch wieder im Hinblick auf ein „Höheres und Höchstes" gedeutet werden. Bereits das Eingangsgedicht „Hegire" gibt zu verstehen, daß „des Dichters Liebeflüstern" selbst die Huris lüstern zu machen vermag. Das vorliegende Gedicht besagt, daß das Liebeslied himmlischen Ursprungs ist, zu den „vier Gnaden" gehört, die Allah „zu gemeinem Heil" verliehen hat.

In den letzten beiden Strophen verfolgt Goethe das Thema der Horazformel weiterhin, indem er die Bedeutung des Wortes „Blume" in einer fortgesetzten Metaphernreihe spielerisch zum symbolischen Begriff des ästhetischen Vergnügens hochtreibt. Die Reihung wird dann auf der assoziativen Ebene weitergeführt: auf „Blumen" folgen „Früchte". Und diese Kombination von „Blum' und Früchten" wird wiederum metaphorisch verstanden als Formel für das Horazische *„aut prodesse ... aut delectare"*.

S. VII; siehe meinen Artikel ‚Personenwechselung' in Goethes West-östlichem Divan. In: ChrWGV. 73 (1969) S. 117—125.

[51] Heinrich Düntzer: Goethes West-östlicher Divan (= Erläuterungen zu den Deutschen Klassikern, 1. Abth., Bd. 31—33). Leipzig: E. Wartig 1878. S. 215; Hillmann: Dichtung als Gegenstand der Dichtung. S. 30—35.

Und Blumen sing' ich ungestört
Von ihrem Schal herunter,
Sie weiß recht wohl was ihr gehört
Und bleibt mir hold und munter.

Und Blum' und Früchte weiß ich euch
Gar zierlich aufzutischen,
...

Die Blumen sind zunächst Muster auf dem Schal der Geliebten, dann Formen der Blumen- und Zeichensprache *(flores orationis)* und schließlich die Blumen des ästhetischen Gefallens *(flores delectationis)*, die in der Dichtung zusammen mit den Früchten des moralischen Nutzens *(fructus moralitatis)* dargebracht werden. Goethe bleibt im Bild: die Blumen und Früchte werden aufgetischt. Höchstens in dem Wort „zierlich", hinter dem sich eine Anspielung auf das *elegantia*-Ideal der Poetik des 17. Jahrhunderts verbirgt, scheint der Rahmen des Bildes durchbrochen zu werden. Im letzten Vers holt Goethe das Poetisch-Rhetorische wieder in das Bild herein, indem er die „Moralien" als frische Früchte bezeichnet.[52]

Das Gedicht „Geständnis" ist auf einer fortgesetzten gesteigerten Reihe von Vergleichen aufgebaut und gipfelt in einer ironisch-spöttischen Verherrlichung der Dichtergabe, wobei wiederum auf Horaz angespielt wird.[53] Das Gedicht geht aus von der volkstümlich klingenden Rätselfrage: „Was ist schwer zu verbergen?" und nennt zunächst das Element des Feuers:

Denn bei Tage verrät's der Rauch,
Bei Nacht die Flamme, das Ungeheuer.

Auf der zweiten Stufe geht es um das Feuer der Liebe, das auch schwer zu verbergen ist, da es „...doch gar leicht aus den Augen schlägt". Auf der letzten Stufe, die den höchsten Schwierigkeitsgrad darstellt, handelt es sich um das Feuer der dichterischen Begeisterung: „Am schwersten zu bergen ist ein Gedicht." An dieser Stelle schlägt das Gedicht, das sich in einen erhabenen Ton hineingesteigert hat, in der redensartlichen Wendung „sein Licht unter den Scheffel stellen" wieder um ins Unfeierlich-Scherzhafte. Mit nachsichtigem Spott wird die Sehnsucht des Dichters nach Anteilnahme des Publikums beschrieben:

---

[52] Blumen und Früchte lassen sich in der mittelalterlichen Literatur als Topoi für das Horazische aut prodesse ... aut delectare bei Walther von England, Chaucer und im Roman de la Rose nachweisen; s. Stephen Manning: "The Nun's Priest's Morality and the Medieval Attitude toward Fables." In: JEGP. 59 (1960) S. 403—416; Curtius, 471—472; siehe auch 443—461.

[53] Q. Horatius Flaccus: De arte poetica. vv. 475—476.

Hat es der Dichter frisch gesungen,
So ist er ganz davon durchdrungen,
Hat er es zierlich nett geschrieben,
Will er die ganze Welt soll's lieben.
Er liest es jedem froh und laut,
Ob es uns quält, ob es erbaut.

Das nächste Gedicht „Elemente" nennt noch einmal die Stoffe der Dichtung: „Lieben, Trinken, Singen." Krieg und Satire kommen als neue Themen hinzu. Obwohl der Dichter vor dem „Waffenklang" der Gegenwart in den „reinen Osten" flüchtet, so wird doch das Motiv des Krieges aus dem *Divan* nicht ausgeschlossen. Es handelt sich nicht um eine Flucht ins Historisch-Idyllische.[54] Das Thema des Krieges klingt immer wieder an bis zu dem Gedicht „Berechtigte Männer. Nach der Schlacht von Bedr, ..." im „Buch des Paradieses", und es spiegelt die Gegenwart, wie sich aus dem „Buch des Timur" ersehen läßt. Die Aufgabe des Dichters ist es, diese „urgewalt'gen Stoff[e]" zu mischen und die Völker zu „freuen und erfrischen", wie es hier in einer Abwandlung der Horazischen Formel heißt.

Das folgende Gedicht „Erschaffen und Beleben" nimmt das Thema der Schöpfung auf. In einem derb-dreisten Kneiplied wird die Erschaffung des ersten Menschen besungen. Er entsteht aus einer Mischung der Elemente Erde, Luft und Wein. Biblische, arabische und persische Vorstellungen werden hier miteinander verbunden. Die Keimidee ist eine Metapher in einem Ghasel des Hafis und eine erklärende Anmerkung dazu von v. Hammer, „wonach das Trinken als Säuerung des in Adam von Gott erschaffenen Erdenteigs erscheint".[55] Es ergibt sich eine aufsteigende Reihe vom „Erdenkloß" über „die Elohim" zum Wein. Der Wein spielt ironischerweise, aber dem Genre des Liedes entsprechend, die entscheidende Rolle. Er ist es, der den Menschen eigentlich belebt, nicht Gottes Odem. Der Wein setzt den „Klumpen" durch Fermentation überhaupt erst in Bewegung. Die Dichtung wird mit diesem Prozeß in Verbindung gesetzt: Hafis' Lied „bei der Gläser Klang" hat die gleiche Wirkung. Dichtung und Wein werden miteinander verknüpft und führen auf ein Höheres, „zu unsres Schöpfers Tempel" hin. So bezeugen sich wieder Polarität und Steigerung. Das Derb-Burleske des Kneipliedes wird geläutert und löst sich symbolisch auf.

In dem Gedicht „Phänomen" verläuft die Bewegung in entgegengesetzter Richtung: vom Sakralen zum Profanen, vom „Ernst" zum „Scherz". Die allgemeine Erscheinung wird eingeengt auf das Privat-Individuelle. In einer kühnen Analogie wird der Regenbogen, dessen Farben im Morgennebel verbleichen, der aber doch erscheint infolge der Wirkung des Lichts und des Feuers der

[54] Walter Müller-Seidel: Probleme der literarischen Wertung. S. 121—123.
[55] v. Hammer: Diwan. I. Theil. S. 234.

Sonne, mit den Haaren des Dichters in Verbindung gebracht, die zwar weiß sind, aber auf Grund der Naturerscheinung dem Greis die Zuversicht und das Vorgefühl geben: „Doch wirst du lieben." Das Naturphänomen wird zum Symbol der Liebesglut des alternden Menschen. Diese Liebe überbrückt aber nicht nur den polaren Gegensatz von Alter und Jugend, sondern sie ist zugleich bezogen auf „Höheres und Höchstes": sie ist eingespannt in den „Himmelsbogen", der die Gegensätze des Lebens ausgleicht und die Verbindung zum Himmlischen herstellt. Wieder kommen die Polaritäts- und Steigerungsstrukturen zum Ausdruck. Doch bevor der Ton des Gedichtes zu bedeutungsschwer wird, spielt er in der selbstironischen Anrede „muntrer Greis" ins Heiter-Scherzhafte hinüber.

Das darauffolgende Gedicht „Liebliches" folgt den Prinzipien der orientalischen Rhetorik, wie sie in den „Noten und Abhandlungen" dargestellt sind: — „die entferntesten Dinge" werden geistreich und spielerisch aufeinander bezogen. Im Morgennebel scheint die mit Blumen besäte Berghöhe in direkter Verbindung mit dem Himmel zu stehen:

> Was doch Buntes dort verbindet
> Mir den Himmel mit der Höhe?
> Morgennebelung verblindet
> Mir des Blickes scharfe Sehe.

Die Imagination des Dichters greift diese Anregung auf und verknüpft sofort weitere auseinanderliegende Dinge miteinander: Nebel und weiße Zelte des Wesirs, Blumenrot und orientalische Teppiche, Deutschland und Persien, Erfurt und Schiras. Aber der Dichter besinnt sich und fragt:

> Doch wie Hafis kommt dein Schiras
> Auf des Nordens trübe Gauen?

Er geht der Erscheinung auf den Grund und erklärt:

> ... es sind die bunten Mohne,
> Die sich nachbarlich erstrecken,
> Und, dem Kriegesgott zum Hohne,
> Felder streifweis freundlich decken.

Die Beantwortung der Frage verliert an Bedeutung, entscheidend wird das sittliche Gefühl, das beim Anblick der gepflegten „Blumenzierde" aufsteigt:

> Möge stets so der Gescheute
> Nutzend Blumenzierde pflegen,
> Und ein Sonnenschein, wie heute,
> Klären sie auf meinen Wegen!

Der „Gescheute" ist der *poeta doctus,* der die „geblümte Rede" mit Nutzen zu pflegen versteht. Wieder wird auf das *„aut prodesse ... aut delectare"* Bezug genommen. Der Dichter gibt sich nicht dem rein ästhetischen Vergnügen der zügellosen Phantasie hin, sondern bewahrt Besonnenheit und Klarsicht. So wie die Sonne den Nebel, der alle Unterschiede verschleiert, aufhebt, die verschwimmenden Linien aufklärt und die Gegensätze herausstellt, so möge auch der Dichter bei allen Verknüpfungen doch die Kontraste im Auge behalten. Dichten ist nicht nur Vergnügen, sondern auch ein Mittel, Klarheit zu gewinnen. Nur so wird Goethes Flucht in den „reinen Osten" nicht zur Abkehr von der Wirklichkeit.[55a] Der Krieg, der noch vor kurzem die Felder verwüstet hat, wird nicht verleugnet. Aber es wird auf die Arbeit des Friedens hingewiesen. Entscheidend bleibt die Kultur, die Pflege der Felder und der Sprache, „dem Kriegesgott zum Hohne".

Das Gedicht „Lied und Gebilde" hat die Forschung bisher stets als Überwindung der antik-klassischen Ästhetik durch das orientalische Kunstideal gedeutet. Das Gedicht geht aus von der Polarität von Grieche und Euphratbewohner, Bildhauerkunst und Dichtung, Ton und Wasser, Gestalten und Hin-und-her-schweifen, Form und Formlosigkeit. Die Sekundärliteratur ist über die Konstatierung dieser Polarität nicht hinausgelangt und hat die Unzufriedenheit über die unzulängliche Interpretation zumeist mit der Ermahnung zu beschwichtigen gesucht, daß man freilich „die Ausdeutung dieses bildlichen Gegensatzes von Lied und Gebilde nicht zu weit treiben" solle.[56] Ingeborg Hillmann ist ein entscheidender Vorstoß zu einer weitaus befriedigenderen Auslegung gelungen. Sie sieht in der Polarität von Bildhauerkunst und Dichtung „Stufen der Kunst überhaupt ... allgemeine Kunstaspekte ... Kunst als Könnerschaft und Kunst als urphänomenale [...] Erscheinung. Das Kunstwerk als machbares Gebilde ... [und] als Verwirklichung des Unmöglichen".[57] Diese Interpretation findet in der Rhetorik eine entscheidende Stütze. Das Bild vom Wasser, das sich zur Kugelform zusammenballt, ist ein Adynaton, ein Topos der wahrscheinlich gemachten Unwahrscheinlichkeit, ein Symbol der Sagbarkeit des Unsagbaren.[58] Voraussetzung für diese Art von Dichtung, die eine Ausdrucksform „für das Unaussprechliche" zu finden sucht, ist die Reinheit des Dichters:

Löscht ich so der Seele Brand
Lied es wird erschallen;
Schöpft des Dichters reine Hand
Wasser wird sich ballen.

[55a] Müller-Seidel, S. 121—123.
[56] Korff: Goethe im Bildwandel seiner Lyrik. Bd. 2. S. 122.
[57] Dichtung als Gegenstand der Dichtung. S. 42—43.
[58] Curtius, 105 f.; Lausberg, I, 563.

In den *Maximen und Reflexionen* heißt es: „Auf ihrem höchsten Gipfel scheint die Poesie ganz äußerlich", d. h. unpersönlich, ohne das Feuer des unmittelbaren, persönlichen Erlebnisses.[59] Aber diese nahezu unerfüllbare Bedingung der Möglichkeit des Unmöglichen soll den Dichter nicht zur Verzweiflung treiben:

Alles weg! was deinen Lauf stört!
Nur kein düster Streben!
Eh er singt und eh er aufhört
Muß der Dichter leben.

„Dreistigkeit", wie der Titel dieses Gedichtes lautet, wird empfohlen. Dichten ist nicht nur ein Amt, sondern auch „ein Übermut", der besonders im ungenierten Gebrauch der Umgangssprache („abgeschliffen ... an den Sohlen", „des Dichters Mühle") und des Fremdworts, sogar in Reimstellung („Kutt' / caput"), zum Ausdruck kommt:

Dichten ist ein Übermut,
Niemand schelte mich!
Habt getrost ein warmes Blut
Froh und frei wie ich.

Dieser „Übermut" wird in der Sekundärliteratur allgemein nach einem Spruch im „Buch des Unmuts" als Übermacht-Motiv bezeichnet.[59a] Der Übermut, in dem sich Selbstgefühl und Selbstvertrauen des Dichters in der Auseinandersetzung mit Kritikern, falschen Ratgebern und Tugendwächtern aussprechen, muß als Scherz im Zusammenhang mit dem Ernst des Reinheitsmotivs in „Lied und Gebilde" gesehen werden. Diese beiden Motive stellen die zwei polaren Möglichkeiten des Dichterischen dar, deren Wesen aber nicht in der Trennung, sondern in wechselseitiger Ergänzung und Steigerung besteht. Es zeigt sich, daß die Gedichte im *Divan* im Zusammenhang mit ihrer Umgebung zu betrachten sind. So steht „Lied und Gebilde" in Verbindung mit den Gedichten „Dreistigkeit" und „Derb und Tüchtig".

Dichten ist ein Mischen „urgewalt'ge[r] Stoff[e]". Zu diesen Stoffen gehören Erde (Staub), Luft (Wind, Atem), Wasser (Regen) und Feuer (Sonne, Licht).[60] In „Allleben" wird Hafis besonders als Meister des Motivs vom Schwellenstaub an der Tür der Geliebten gepriesen. Der deutsche Dichter versucht sein Glück mit dem gleichen Motiv auf eine weniger rhetorisch gekünstelte Weise. Er sehnt den Gewitterregen herbei. Der Mischung der Elemente von Staub und Regen „entspringt ein Leben / Schwillt ein heilig, heimlich Wirken".

---

[59] MuR 510.
[59a] WA I 6, 99.
[60] WA I 6, 15.

In „Selige Sehnsucht" verläuft die Bewegung des Gedichtes nicht wie in „Allleben" von der toten Materie des Staubs zu „heilig[em], heimlich[em] Wirken", sondern in entgegengesetzter Richtung vom Lebendigen zum Tode:

> Das Lebend'ge will ich preisen
> Das nach Flammentod sich sehnet.

Die sinnliche Liebe wird zum Gleichnis dieser Sehnsucht. Aber die Selbstaufgabe in der körperlichen Umarmung ist nur für den Augenblick und unvollkommen. Das Feuer der Leidenschaften vermag nicht, das Stoffliche zu verzehren; es „bleibt ein Erdenrest zu tragen peinlich".[61] Die Umarmung bringt nicht die ersehnte Erlösung vom Leiblich-Stofflichen. „Kühlung" tritt ein, der Mensch fällt auf sich selbst und seine Leiblichkeit zurück. In dieser Ernüchterung durch „der Liebesnächte Kühlung" fällt der Blick auf die Kerze, die im Feuer das Stofflich-Irdische ihrer Existenz zu verzehren vermag:

> Nicht mehr bleibest du umfangen
> In der Finsternis Beschattung,
> Und dich reißet neu Verlangen
> Auf zu höherer Begattung.

Der Mensch bleibt nicht länger dem Dunkel des Irdisch-Stofflichen verhaftet. Die Ahnung höherer Formen der Hingabe steigt in ihm auf. Er wird unwiderstehlich angezogen vom *lux spiritualis* und *lux dei* wie der Schmetterling von der Kerze. Der Flammentod des Schmetterlings verschafft dem Menschen die Gewißheit der Erlösung vom Irdischen:

> Keine Ferne macht dich schwierig,
> Kommst geflogen und gebannt,
> Und zuletzt, des Lichts begierig,
> Bist du Schmetterling verbrannt.

Mensch und Schmetterling stehen hier nicht in einem allegorischen Parallelverhältnis, sondern sie sind, wie Grete Schaeder sagt, „in den drei mittleren Strophen ... als Gleichnis und Wirklichkeit so eng zusammengeschlossen, daß es unmöglich scheint, sie voneinander zu lösen".[62] Aber der Mensch verbrennt nicht. Er bleibt zurück. Die Schlußstrophe wendet sich an ihn:

> Und so lang du das nicht hast,
> Dieses: Stirb und werde!
> Bist du nur ein trüber Gast
> Auf der dunklen Erde.

---

[61] WA I 15I, 331.
[62] Grete Schaeder in Hans Heinrich Schaeder: Goethes Erlebnis des Ostens. Leipzig: Hinrichs 1938. S. 88.

Der Mensch ist in den Kreislauf der Verwandlungen von „Stirb und werde!" eingespannt. Ihm verbleibt zunächst nur die niedrige Begattung. Aber damit wird diese Form der Begattung nicht abgewertet, sondern wird gesteigert und bejaht als Gesetz des Lebens auf dieser Erde. Der *amor naturalis* ist unvollkommen, aber doch gleichnishaft für den *amor dei.* Aus der Unvollkommenheit „der Liebesnächte Kühlung" erwächst die „selige Sehnsucht", der *amor dei,* und dadurch erfährt der *amor naturalis* zugleich eine Steigerung.

Man hat dieses Gedicht oft im Sinne der Mystik — einer islamischen, platonischen und sogar christlichen Mystik — als Vereinigung des Menschen mit Gott interpretieren und aus Goethe einen Mystiker, womöglich im Sinne des christlichen Glaubens, machen wollen.[63] In der Rezeption des Hafis, mit dem Goethe zu wetteifern sucht, lassen sich ähnliche Tendenzen aufweisen. Es ist wichtig, daran festzuhalten, daß in Goethes Gedicht „Selige Sehnsucht" die erotische Liebe keineswegs ohne einen „Erdenrest" in eine *unio mystica* mit Gott überführt wird, sondern daß sie Gegenbild bleibt und die verkündete Lehre es dem Menschen ermöglicht, ein ungetrübtes Leben auf dieser „dunklen Erde" zu führen. Es handelt sich beim *Divan* um ein „weltliches Evangelium", wie Goethe einmal von seiner Dichtung gesagt hat.[64] „Das unmittelbar sichtlich Sinnliche" wird nicht verschmäht, sondern wird gewürdigt in der Erkenntnis, „daß der Geist des Wirklichen eigentlich das wahre Ideelle ist".[65] Es geht um die Schwebe zwischen Wirklichkeit und Idealität. In dieser ironischen Schwebe befindet sich das dichterische Bild.

Die Rhetorik bewahrt vor der Mißinterpretation des *Divans* als Mystik und vermittelt mit ihrer Ironiedefinition einen Zugang zu einer Auslegung, die es dem Leser ermöglicht, sich „immer zwischen dem Wirklichen und Ideellen zu halten", wie Goethe es bei der Auslegung von Gedichten forderte.[66] Die Gottesliebe wird durch ihr Gegenteil, die irdische Liebe, ausgedrückt, und umge-

---

[63] JA 5, 332—338; Pyritz, 215—216; HA 2, 552—553; Wertheim: Von Tasso zu Hafis. S. 421, 434, 113—136; Ernst Beutler: Goethe. West-östlicher Divan (= Sammlung Dieterich, Bd. 125). 2. Aufl. Wiesbaden: Dieterich 1948. S. 380—390; H. A. Korff: Die Liebesgedichte des West-östlichen Divans in zeitlicher Folge mit Einführung und entstehungsgeschichtlichem Kommentar. 2. Aufl. Stuttgart: Hirzel 1949. S. 56—59; derselbe: Goethe im Bildwandel seiner Lyrik. Bd. 2. S. 129—133; F. Otto Schrader: Selige Sehnsucht. Ein Bekenntnis zur Seelenwanderung. In: Euph. 46 (1952) S. 48—58; Staiger, III, 35—37; Max Rychner: J. W. Goethe. West-östlicher Divan. Zürich: Manesse 1952. S. 420—425. Einen ausgezeichneten Überblick über den Stand der Forschung bietet Ewald Rösch, wenn man auch seinen Schlußfolgerungen nicht zu folgen vermag (E. R.: Goethes Selige Sehnsucht — Eine tragische Bewegung. In: GRM. 51 (1970) S. 241—256.

[64] WA I 28, 213.

[65] WA IV 42, 108—109.

[66] WA I 41^{I}, 335; zitiert nach Walther Killy: Wandlungen des lyrischen Bildes. 4. unveränderte Aufl. Göttingen: Vandenhoeck & Ruprecht 1964. S. 18.

kehrt, ohne daß die Formen dabei identisch werden. Die mystische Auslegung zerstört die Schwebe ebenso wie die realistische; lediglich die ironische Interpretation vermag die Schwebe zu bewahren.

In diesem Zusammenhang wird es wichtig, wie Hafis' Verhältnis zu Religion und Mystik sowie die Bedeutung und Auslegung seiner Lieder im *West-östlichen Divan* dargestellt wird. Die Beantwortung der Frage, ob die Lieder des Hafis wörtlich oder mystisch-allegorisch zu verstehen sind, liefert einen Schlüssel zur restlichen Divanlyrik und zur Lyrikauffassung des alten Goethe überhaupt, wenn, wie bereits ausgeführt, das „Buch Hafis" zusammen mit dem „Buch des Sängers" eine Dichtung über Dichtung darstellt.

Das Grundproblem der wörtlichen oder allegorisch-mystischen Deutung wird sogleich im ersten Gedicht des „Buchs Hafis" aufgeworfen, in dem der westliche Dichter den östlichen fragt, warum das Volk ihn Hafis, d. h. „Bewahrer des Korans", genannt hat. Daß die Frage überhaupt gestellt wird, zeigt, daß sich der Beiname nicht von selbst versteht und nicht ohne weiteres aus der Dichtung des Hafis zu entnehmen ist. Hafis antwortet mit einem Bekenntnis zur Tradition, zur unveränderten Wahrung „in glücklichem Gedächtnis, / Des Korans geweiht Vermächtnis", dem der westliche Dichter im Hinblick auf seine heiligen Bücher vorbehaltlos zustimmen kann. Man darf aber wohl nicht, wie Ernst Beutler, in diesem Bekenntnis zur Tradition ein unmittelbares Bekenntnis zur Religion selbst sehen.[67] Für den Dichter geht es um das Abbild des Glaubens: die religiösen Motive und Vorstellungen. So wie sich im Schweißtuch der Veronika, auf das im Gedicht angespielt wird, das Antlitz Christi abdrückt, so nimmt der Dichter die Tradition des Glaubens auf und bewahrt sie. Es läßt sich hier die „Himmelslehr' in Erdesprachen" erkennen: im irdischen Gegenstand prägt sich das Himmlische ab. Das Schweißtuch der Veronika ist ein Bild, das Realpräsenz Christi b e d e u t e t, aber nicht i s t. So stehen die „entferntesten Dinge" in Verbindung, aber sie sind nicht identisch.

Es handelt sich also weder um Mystik noch Ketzerei, sondern um ein Dichtertum, das sein Eigenrecht fordert. Die folgenden vier Gedichte zeigen, wie der Dichtung ein Eigenrecht zuerkannt und gewährleistet wird. Gleichzeitig wird der Scheincharakter des dichterischen Wortes herausgestellt. Der Dichter,

> ... der immer nur im Wahnsinn handelt[,]
> Grenzenlos, von eigensinn'gem Lieben,
> Wird er in die Öde fortgetrieben,
> Seiner Klagen Reim, in Sand geschrieben,
> Sind vom Winde gleich verjagt;
> Er versteht nicht was er sagt,
> Was er sagt wird er nicht halten.[68]

[67] Beutler: Goethe. West-östlicher Divan. S. 395.

Deshalb läßt man sein Lied gelten, auch wenn es dem Koran widerspricht. Dem dichterischen Wort wird sogar „ausgemachte Wahrheit" zugestanden, aber „das ist eben", wie Goethe einmal im Gespräch sagt, „die wahre Idealität, die sich realer Mittel so zu bedienen weiß, daß das erscheinende Wahre eine Täuschung hervorbringt, als sei es wirklich".[69] Bei einer anderen Gelegenheit heißt es: „Das Gedichtete behauptet sein Recht wie das Geschehene"[70], aber diese Behauptung eines Eigenrechtes, wie es der Wirklichkeit ohne weiteres zugestanden wird, darf nicht dazu verführen, das Gedichtete als Wirklichkeit zu betrachten. Es gilt, den Scheincharakter des dichterischen Wortes, „als sei es wirklich", zu erkennen. Es geht um die ironische Schwebe zwischen Idealität und Realität, Wahrheit und Lüge, Scherz und Ernst, oder wie es in dem Gedicht „Fetwa" heißt, um die Schwebe zwischen „Schlangengift und Theriak", ein Heilmittel gegen Schlangenbiß. Das dichterische Wort darf nicht dazu verleiten, daß man es als Gesetz und Richtschnur des Handelns anerkennt. Deshalb sollen „des Gesetzes Kenner, / Weisheit-fromme, hochgelahrte Männer, / Treuer Mosleminen feste Pflicht" lehren, und deshalb dürfen einem in der Wirklichkeit nicht „Schlangengift und Theriak ... das eine wie das andere scheinen". Aus diesem Grunde soll nach dem Urteilsspruch des hohen Richters jeder verbrannt werden,

> Wer spricht und glaubt wie *Misri* — er allein
> Sei ausgenommen von des Feuers Pein:

denn er sprach und glaubte nicht so, er d i c h t e t e nur so, und es gehört zum „Erbteil" aller Dichter, sich „außerhalb der Grenze des Gesetzes, / ... übermütig, / selbst im Kummer lustig" zu bewegen.[71] Die Schwebe bezeugt sich in den Wort- und Satzantithesen. Im Raume der Dichtung ist die Wirkung sowohl des Giftes als auch des Gegengiftes aufgehoben, aber nicht in der Wirklichkeit, im Bereich des Handelns.

Das Gedicht „Offenbar Geheimnis" bekundet schon in dem Oxymoron des Titels die ironische Schwebe. Die Gelehrten, die sich mit der Auslegung des Wortes befassen, haben Hafis die „mystische Zunge" genannt. Das Subjekt des Einleitungssatzes wird in Abweichung von der gewöhnlichen Wortstellung wiederholt und in direkten Kontakt mit dem grammatikalischen Objekt gebracht, so daß die Paradoxie, daß „die Wortgelehrten" „den Wert des Worts nicht erkannt" haben, besonders hervorgehoben wird. Der folgende Satz widerspricht dem lexikalischen Sinn:

> Mystisch heißest du ihnen,
> Weil sie Närrisches bei dir denken[.]

---

[68] WA I 6, 35.

[69] WA I 6, 36; Biedermann, 4, 101; zitiert nach Killy: Wandlungen des lyrischen Bildes. S. 20.

[70] Biedermann, 2, 145.

[71] WA I 6, 35—38.

Die Konjunktion begründet nicht logisch, aber auf der Übertragungsebene enthüllt der Satz seinen Sinn: die Wortgelehrten unterschieben Hafis ihre eigenen unlauteren, unsinnigen Mystifikationen. Diese mystifizierenden Fehlinterpretationen durch die Wortgelehrten werden in der Metapher des „unlauteren Weins", der in fremdem Namen verschenkt wird, gefaßt. Hafis aber ist „mystisch rein", d. h. lauter. Diese reine Mystik besteht darin, außerhalb der Grenzen der orthodoxen Religion selig zu sein. Diese Form der Mystik entzieht sich aber nicht nur dem Begriffsvermögen der Wortgelehrten, sondern sie wollen ihm eine solche Mystik auch nicht zugestehen. Damit wird aber nicht gesagt, daß Hafis wörtlich zu verstehen ist. Um selbst den Anschein irgendeiner Festlegung zu vermeiden, widerruft der Dichter in einem Zusatzgedicht:

Und doch haben sie recht die ich schelte:
Denn daß das Wort nicht einfach gelte
Das müßte sich wohl von selbst verstehn.
Das Wort ist ein Fächer! ...

Aber in demselben Augenblick, in dem das Wort auf die Übertragungsebene erhoben und auf seinen vielfältigen Sinn hingewiesen wird, geht der Dichter auf die Realebene zurück:

... Zwischen den Stäben
Blicken ein Paar schöne Augen hervor.

Nicht irgendein allegorischer Sinn, sondern Realität wird gegeben, die im Wink von Auge zu Auge gipfelt. Hier enthüllt sich der Doppelsinn des Gedichttitels „Wink". In Abweichung von der gewöhnlichen Satzordnung wird die Attraktion von Auge zu Auge auch sprachlich verwirklicht. Am Satzbild entzündet sich der Augenblitz.[72]

Aber diese erotische Realität ist nicht vordergründig zu verstehen. Für Goethe ist das Auge das Schönste, was der Mensch besitzt. Es ist das Organ des Verstehens, der Liebe und des Mystisch-Reinen:

---

[72] Alfred Kelletat: Accessus zu Celans Sprachgitter. In: DU. 18 (1966) H. 6, S. 110. Die Interpretation folgt dem Aufsatz von Erich Trunz: Goethes Gedicht an Hafis „Offenbar Geheimnis". In: Festschrift für Herbert von Einem. Hrsg. von Gert v. d. Osten u. Georg Kauffmann. Berlin: Gebr. Mann 1965. S. 252—265. Siehe ferner: Beutler: West-östlicher Divan. S. 411—415; HA 2, 555—556; JA 5, 341; Korff: Goethe im Bildwandel seiner Lyrik. Bd. 2. S. 143—144; Rychner: West-östlicher Divan. S. 438; Staiger, III, 24—26. Zur unterschiedlichen Interpretation der Konjunktion „weil" in Zeile 10 siehe: Ernst Grumach (Hrsg.): Goethe. West-östlicher Divan. Bd. 1. Berlin: Akademie-Verlag 1952. S. 34; Hans Albert Maier: Goethe. West-östlicher Divan. Kritische Ausgabe der Gedichte mit textgeschichtlichem Kommentar. Bd. 2. Tübingen: Niemeyer 1965. S. 3 f., 131; Trunz: Festschrift für Herbert von Einem. S. 257 f.; Wertheim: Von Tasso zu Hafis. S. 113—136.

Wär' nicht das Auge sonnenhaft,
Die Sonne könnt' es nie erblicken;
Läg' nicht in uns des Gottes eigne Kraft,
Wie könnt' uns Göttliches entzücken?[73]

Goethe erklärt dazu in der „Einleitung" zum *Entwurf einer Farbenlehre:* „Jene unmittelbare Verwandtschaft des Lichts und des Auges wird niemand leugnen, aber sie beide zugleich als eins und dasselbe zu denken, hat mehr Schwierigkeit."[74] Die Ironie ermöglicht diese Denkweise. Es ist bereits darauf verwiesen worden, daß das Sehen und Überblicken, „das Anschauen des Verschiedenen als identisch", ironische Vorgänge sind.[75] In der Lyrik des *Divans* wird diese „Schwierigkeit", Licht und Auge „als eins und dasselbe zu denken", überwunden. Im dichterischen Bild sind Irdisches und Göttliches ironisch zueinander in Beziehung gesetzt.

„Selige Sehnsucht" und „Offenbar Geheimnis" sind Prüfsteine jeder *Divan*-Interpretation. Es handelt sich bei diesen Gedichten weder um Realismus noch Allegorie, sondern um Ironie. Es wird hier der Begriff „mystische Ironie" eingeführt, da diese Ironie im Zeichen des Mystisch-Reinen steht. Der Begriff Mystik wird vermieden, da keine ekstatische Vereinigung erfolgt, sondern nur ein Verknüpfen der „entferntesten Dinge", ein Zusammen-Schauen „des Verschiedenen als identisch", aber keine eigentliche Identität. Es geht nicht nur um „höhere Begattung", sondern auch um Steigerung des irdischen Ichs, seiner Leidenschaften und Welt. Der „Wert des Worts" bei Hafis ist stets „eins und doppelt".[76]

Entscheidend für das Thema Singen in den ersten zwei Büchern des *Divans* ist, daß Liebe und Trinken als Nebenthemen stets mit eingeschlossen sind, der endgültige Ausblick aber auf „Höheres und Höchstes" erfolgt. In den folgenden Büchern werden Liebe und Trinken zu Hauptthemen, denen sich die jeweils anderen beiden Glieder der Trias unter Ausrichtung auf „Höheres und Höchstes" als Nebenthemen unterordnen. Im „Buch des Sängers" heißt es vorausweisend: „Liebe sei vor allen Dingen / Unser Thema, wenn wir singen."[77] Diesem Thema sind das „Buch der Liebe" und das „Buch Suleika" gewidmet, aber zugleich wird hier nun der Bezug des Hauptthemas zu Singen und Trinken hergestellt und die schließliche Erweiterung und Steigerung auf die mystische Ironie hin vorbereitet. Die Anzeige in Cottas *Morgenblatt* kündigt bereits die mystische Ironisierung des Themas an. Es gehe hier nicht nur um die naturhafte, sinnliche Liebe, sondern um Liebe, die sich als „heiße Leidenschaft zu einem

[73] WA I 3, 279.
[74] WA II 6, xxxi.
[75] MuR 1137.
[76] WA I 6, 152.
[77] WA I 6, 14.

verborgenen, unbekannten Gegenstand" ausdrückt. Diese euphemistische Formulierung erinnert an Worte der „Trilogie der Leidenschaft":

> In unseres Busens Reine wogt ein Streben,
> Sich einem Höhern, Reinern, Unbekannten
> Aus Dankbarkeit freiwillig hinzugeben.

Goethe erklärt mit beabsichtigter Unpräzision im Ausdruck, so daß die Aussage in die Schwebe gerät: „Manche dieser Gedichte verleugnen die Sinnlichkeit nicht, manche können, nach orientalischer Weise, auch geistig gedeutet werden."[78]

Das „Buch der Liebe" ist im Vergleich zum „Buch Suleika" als ausgesprochen rhetorisch zu bezeichnen: es erhält sein charakteristisches Gepräge durch das ironische Spiel mit rhetorischen Konventionen. Nach dem Vorbild der rhetorischen Schriftstellerkataloge wird im ersten Gedicht „Musterbilder" in einer Art von Merkversen ein Verzeichnis der Musterliebenden aufgestellt.[79] Ein Kanon der Liebe wird geschaffen. Das Auswendiglernen der Namen der vorbildlichen Paare gehört zur Schulung des Liebenden wie das Studium der Klassiker zur Bildung des Dichters:

> Hast du sie wohl vermerkt,
> Bist im Lieben gestärkt.

Das zweite Gedicht „Noch ein Paar" endet mit einer geistreich-witzigen Anwendung der *brevitas*-Formel.[80] Das Gedicht „Lesebuch" bedient sich der Buchmetaphorik. Es ist ein rhetorischer Scherz. Die Metaphorik des 16. und 17. Jahrhunderts wird hier parodiert. Goethe sagt einmal über Shakespeares Tropen: „Auch findet derselbe [Shakespeare] Gleichnisse, wo wir sie nicht hernehmen würden; zum Beispiele vom Buche."[81] Hier aber tut es Goethe selbst. Ironisiert ist das Gleichnis zulässig.

Das Gedicht „Geheimstes" ist ein Beispiel für das undurchsichtige Verhältnis von Scherz und Ernst, bei dem es sich letztlich nie eindeutig entscheiden läßt — und wenn es sich um echte Ironie im Goetheschen Sinne handelt, auch nie entscheiden lassen darf —, was nun Scherz und was Ernst ist. Man hat das Gedicht zunächst für eine ironische, leicht anachronistische Nachgestaltung eines orientalischen Motivs und der orientalischen Chiffrenpoesie gehalten, d. h. also für einen Scherz. Aber siebzig Jahre nach der Entstehung des Gedichtes hat man dann herausgefunden, daß es Wirklichkeit und Ernst ist, ein echtes Chriffrengedicht, wohl das einzige im „Buch der Liebe", das einen ganz realen Anlaß und eine bestimmte Absicht hat. Goethe spielt hier nicht mit der Chiffre, sondern

---

[78] WA I 41^{I}, 87.
[79] Curtius, 253—276.
[80] Ebd., 479—485.
[81] MuR 252; Curtius, 306—352.

er verrätselt ein tiefernstes Bekenntnis. Die Chiffre ist Notwendigkeit, obwohl er sie als Scherz ausgibt, denn das „Liebchen“, die „Vielgeliebte“ ist — die Kaiserin von Österreich.[82]

In den folgenden Büchern („Buch des Unmuts“, „Buch der Sprüche“), mit Ausnahme vielleicht des „Buchs der Betrachtungen“, steht die Ironie, wenn auch nicht ausschließlich im Dienste der Satire, so doch mehr im Dienste einer standortbewußten Selbstdarstellung, so daß sie hier nicht weiter berücksichtigt zu werden braucht, da sich bei dem festen Standpunkt nicht die ironische Schwebe zwischen Scherz und Ernst einstellt.[83]

Das „Buch Timur“ hat man als Fremdkörper im *Divan* empfunden, und doch leitet es in seiner Verknüpfung von Gegensätzen zum „Buch Suleika“ über. Das Buch spiegelt diese Verknüpfung selbst wider, indem es aus einem Timur- und einem Suleika-Gedicht besteht. In der Anzeige in Cottas *Morgenblatt* heißt es: „Timur Nameh, Buch des Timur, faßt ungeheure Weltbegebenheiten wie in einem Spiegel auf, worin wir, zu Trost und Untrost, den Widerschein eigner Schicksale erblicken.“[84] Das Thema des Krieges wird hier wieder aufgenommen. Timur ist der tyrannische Eroberer von Vorder- und Zentralasien zu Hafis' Lebzeiten. Die Vernichtung seines Heeres auf dem Winterfeldzug gegen China findet im Untergang der napoleonischen Armee in Rußland das entsprechende Gegenbild. Die Bewertung und Deutung der Personen und Ereignisse wird in einer antithetischen Formel in der Schwebe gehalten: „zu Trost und Untrost“. Es geht nicht um Schuldspruch und Verurteilung, sondern entsprechend dem Stil des *Divans* um „erhöhtes Anschaun ungeheurer Weltereignisse“.[85]

Das Gedicht „Der Winter und Timur“ ist eine rhythmisierte, ziemlich wortgetreue Übersetzung eines lateinischen Textes, der selbst eine Übersetzung aus dem Arabischen darstellt. Diese Art von Kontrafakturen, wie Erich Trunz sie genannt hat, findet sich in großer Anzahl im *Divan*, aber dieses Gedicht ist wohl eines der eindrucksvollsten Beispiele.[86] Es ist im ursprünglichen Sinne des Wortes eine Parodie. Sir William Jones führt den lateinischen Text in den *Poeseos Asiaticae Libri Sex* an, um die Stilfigur der Personifikation in der Rhetorik der orientalischen Poesie vorzuzeigen.[87] Für Goethe stellt sich bei der Lektüre dieses Textes die Verbindung zur Gegenwart her. Er löst ihn aus dem Zusammenhang bei Sir William Jones und ordnet die deutsche Version in

---

[82] HA 2, 559—560.

[83] Preisendanz: Die Spruchform in der Lyrik des alten Goethe. S. 166—178.

[84] WA I 41^{I}, 88.

[85] WA I 7, 143.

[86] s. z. B. „Ich gedachte in der Nacht“, „Fetwa“, „Vom heut'gen Tag, von heut'ger Nacht“.

[87] Jones: Poeseos Asiaticae Libri Sex. S. 175.

seinen *West-östlichen Divan* ein. So entsteht das Gedicht in einem wiederholten sprachlichen Spiegelungs- und Distanzierungsvorgang.[88]

Dem erschütternden Eindruck von Timurs Grausamkeit und seinem unausweichlichen Untergang wird das galante Gedicht „An Suleika" entgegengestellt, in dem Timurs Herrschaft mit der Gewinnung des Rosenöls in Verbindung gebracht wird:

> Dir mit Wohlgeruch zu kosen,
> Deine Freuden zu erhöhn,
> Knospend müssen tausend Rosen
> Erst in Gluten untergehn.
> ...
> Sollte jene Qual uns quälen?
> Da sie unsre Lust vermehrt.
> Hat nicht Myriaden Seelen
> Timurs Herrschaft aufgezehrt!

Wenn dieser Schlußvers nicht eine ironisch übersteigerte Hyperbel der Liebespanegyrik ist, so wäre er eine zynische Rechtfertigung der Despotie. Joachim Müller hat auf Grund der biographischen Zeugnisse dargelegt, daß Goethe so etwas fern gelegen habe.[88] Hier ergibt sich nun von Stil und Struktur, vom Genre und von der Ironie her die Stützung und Ergänzung dieser These. Es handelt sich hier um einen Fall von panegyrischer Überbietung. Goethe folgt den Konventionen der westlichen und östlichen Panegyrik.[89] Die Liebe und Qual des Dichters sowie die Geliebte werden in den kühnsten Vergleichen verherrlicht. Die Analogie zu Timurs Herrschaft ist ein ironisch übersteigerter Überbietungstopos. Es ist wohl verfehlt anzunehmen, daß es sich hier um eine vitalistische Rechtfertigung des Lebens handelt, wie Hans Pyritz meint.[90] Es geht hier darum, die Macht der Liebe zu zeigen, die zu solchen rhetorischen Übersteigerungen führt. Goethe zitiert in den „Noten und Abhandlungen" einen deutschen Rezensenten, der darlegt, daß das Streben des panegyrischen Dichters lediglich die Erfüllung der höchsten Forderung, „die an einen Menschen gestellt werden kann", darstellt und weist ferner daraufhin, daß diese Verwendung von Tropen „nicht einmal recht im Ernst, sondern parodistisch beliebt" war, „bis sich endlich die Tropen dergestalt vom Gegenstand wegverlieren, daß kein Verhältnis mehr weder gedacht noch empfunden werden kann".[91] In diesem

---

[88] Joachim Müller: Zu Goethes Timurgedicht. In: J. M.: Der Augenblick ist Ewigkeit. Leipzig: Koehler & Amelang 1960. S. 165—186. — Müller zeigt im einzelnen, wie Goethe den Kontrast von Natur- und Menschengewalt durch Hinzufügung weiterer rhetorischer Figuren intensiviert.

[89] Curtius, 172.

[90] Pyritz, 206.

[91] WA I 7, 86. — Wie sehr Goethe auch das „Buch des Timur" auf Scherz und

Gedicht ist also der Punkt erreicht, an dem noch ein Verhältnis gedacht und empfunden werden kann, aber nur noch ironisch.

Der ursprüngliche Titel dieses Gedichtes lautete „Rosenöl“. Mit dem neuen und endgültigen Titel „An Suleika“ wird es zur Vorbereitung und Überleitung zum folgenden Buch: zum „Buch Suleika“. Ähnlich wie zum „Buch der Liebe“ weist Goethe daraufhin, daß auch in den leidenschaftlichen Gedichten dieses Buches „sich manchmal eine geistige Bedeutung“ aufdrängt: „... der Schleier irdischer Liebe scheint höhere Verhältnisse zu verhüllen.“[92] Hier zeigt sich deutlich, daß es gleichermaßen verfehlt ist, die erotische Liebe entweder allegorisch-mystisch als Vokabel für die göttliche Liebe oder vordergründig-realistisch als Ausdruck eines Johannistriebes zu interpretieren. Mit den drei Wörtern „Schleier“, „scheinen“ und „verhüllen“ wird die Dichtung durch den Vorgang einer dreifachen Distanzierung der mystischen Auslegung entzogen, gleichzeitig aber wird auf die Ausdehnung auf „höhere Verhältnisse“ hingewiesen. In diesem Prozeß von Verschleierung und Transparenz wird die spezifische Funktion und Struktur der Goetheschen Ironie deutlich. Die Schwebe zwischen den polaren Gegensätzen ist bestimmend, während die Gewißheit des rhetorischen Autors in den Bereich der „höheren Verhältnisse“ verlegt ist. Aber die Beziehung und Steigerung auf diesen Bereich hin ist ständig vorhanden.

Eine weitere Übereinstimmung mit dem „Buch der Liebe“, insbesondere mit dem Gedicht „Geheimstes“, zeigt sich in der Ankündigung, daß die Geliebte „persönlich als Dichterin auftritt und in froher Jugend mit dem Dichter, der sein Alter nicht verleugnet, an glühender Leidenschaft zu wetteifern scheint“.[92a] Mehr als dreißig Jahre lang hat man diese Bemerkung für dichterische Erfindung und für einen Scherz gehalten. Erst durch Herman Grimm weiß man, daß drei bis fünf Gedichte des *Divans* Marianne von Willemer zuzuschreiben sind. Der Ernst dieser Gedichte von Marianne wird aber wieder aufgehoben, indem sie in den Scherz der Dichtung des „Buches Suleika“ eingeordnet werden.

Das „Buch Suleika“ geht aus vom Katalog der Liebesklassiker, der im „Buch der Liebe“ angeführt wird. Der Dichter bezieht sich auf die „Musterbilder“ von Jussuph und Suleika. Im Hinblick auf seine eigene Person fühlt sich der Dichter dem Musterbild unterlegen:

> Daß Suleika von Jussuph entzückt war
> Ist keine Kunst,
> Er war jung, Jugend hat Gunst,
> Er war schön, sie sagen zum Entzücken,
> Schön war sie, konnten einander beglücken.

Ernst abzustellen gedachte, läßt sich daraus ersehen, daß er für den „künftigen Divan“ plante, einen „launigen Zug- und Zeltgefährten“ als Kontrastfigur „des fürchterlichen Weltverwüsters“ „von Zeit zu Zeit auftreten zu lassen“ (WA I 7, 143—144).

[92] WA I 41^I, 88.

Aber dadurch, daß die Geliebte den Dichter liebt, der weder jung noch schön ist, wie aus dem indirekten Vergleich mit Jussuph zu schließen ist, übertrifft sie das Musterbild und soll dem Dichter deshalb „ewig Suleika heißen", d. h., ihm für alle Zeiten als die schönste und geistreichste Geliebte gelten, als welche Suleika in der islamischen Dichtung bekannt ist.[93] Goethe erklärt: „Sie, die Geistreiche, weiß den Geist zu schätzen, der die Jugend früh zeitigt und das Alter verjüngt."[94] Und so wird der Geist, der vorzüglich der Ironie zugehört, als Hauptcharakteristikum dieser Liebe hervorgehoben.

Das Gedicht impliziert scharfsinnig kontrastierende Vergleiche. Wieder handelt es sich um einen ironischen Überbietungstopos: nicht nur der Dichter erniedrigt sich, um die Geliebte zu erhöhen, sondern auch die Liebesklassiker werden auf Kosten der zu preisenden Geliebten herabgesetzt. Das Wort „Kunst" schillert vielsinnig zwischen dem artistischen, erotischen und redensartlichen Begriff: zwischen *ars poetica, ars amatoria* und *artificium.*

In dem folgenden Gedicht zeigt sich, wie die Lyrik im „Buch Suleika" den Charakter eines geistreichen Gesellschafts- und Gesprächsspiels erhält. Die Rollen des Spiels werden verteilt:

> Da du nun Suleika heißest
> Sollt ich auch benamset sein,
> ...

Da der Dichter nicht mit Jussuph zu wetteifern vermag, wählt er den Namen Hatem. Dabei wird in einer Wendung gegen die mystisch-allegorische Deutung der Abbild-Charakter der Namenwahl hervorgehoben:

> Keine Anmaßung soll es sein.
> Wer sich St. Georgenritter nennet
> Denkt nicht gleich Sankt Georg zu sein.

Der Dichter will sich weder mit Hatem Thai, dem arabischen Vorbild der Freigebigkeit, noch mit dem Muster arabischer Tugenden, Hatem Zograi, gleichsetzen, —

> Aber beide doch im Auge zu haben
> Es wird nicht ganz verwerflich sein[.]

Mit dem Auge als Organ des Mystisch-Reinen wird in Scherz und Ernst die Beziehung zu den beiden Namensvorbildern hergestellt, aber in der Litotes wird zugleich jede starre und einseitige Festlegung aufgehoben. Es liegt hier eine Ironisierung der Vossianischen Antonomasie vor, bei der eine Person mit einer

---

[92a] WA I 41^I, 88.
[93] HA 2, 571.
[94] WA I 7, 146.

Beispielfigur nach dem Vorbild „alter Achill" gleichgesetzt wird.[95] Im *Divan* aber schaltet der Dichter zwischen seine Person und die Beispielfigur eine Distanz ein, die die völlige Ineinssetzung ironisch verhindert.

Nachdem die Rollen verteilt sind, beginnt das Spiel. Im Scherz beklagt der Dichter den Verlust der Liebe, und in Abwandlung der redensartlichen Wendung macht er die Gelegenheit für den Diebstahl verantwortlich:

> Nicht Gelegenheit macht Diebe,
> Sie ist selbst der größte Dieb,
> Denn sie stahl den Rest der Liebe
> Die mir noch im Herzen blieb.

Der Dichter bejammert, daß er nun völlig von der Geliebten abhängig ist. Aber die scherzhafte Klage wird nicht etwa zurückgenommen, weil sich der Dichter ja nichts Besseres wünschen kann, als daß die Geliebte im Besitze seiner Liebe ist. Im Gegenteil, der Topos vom Liebessklaven wird scheinbar ernst genommen, und es wird an das Erbarmen der Geliebten appelliert.

Mit der Antwort der Suleika setzt nun das von Goethe angekündigte „Duodrama" ein. Das Gesprächsspiel entfaltet sich in Form einer Gerichtsverhandlung. Hatem ist der Ankläger, Suleika die Verteidigerin. Die Strophen Hatems und Suleikas stellen eine Ironisierung des *genus iudiciale* dar. Mit geistreicher Liebeskasuistik werden die Anklagepunkte Diebstahl, Verarmung und Bereicherung abgehandelt. Suleika entschuldigt ihre Mandantin mit dem „schwächsten Grad der Verteidigung", mit dem Eingeständnis *fecit,* und verwandelt diese Position der äußersten Schwäche mit der wunschvollen Selbstbezichtigung *fecissem* in eine Position der Stärke. Im Schlußplädoyer wird der Scherz zurückgewiesen:

> Scherze nicht! Nichts von Verarmen!
> Macht uns nicht die Liebe reich?

Ernstes Bekenntnis und Erklärung brechen durch:

> Halt' ich dich in meinen Armen,
> Jedem Glück ist meines gleich.

Der erhöhte Reiz dieses ersten Gesprächsspiels besteht darin, daß Suleikas Erwiderung nicht dichterische Erfindung, sondern wahrscheinlich eines der Gedichte ist, das teilweise auf Marianne von Willemer zurückgeht.[96]

Das nächste Gesprächsspiel geht von Suleika aus, die um Deutung eines Traumes bittet:

---

[95] Lausberg, II, 699.

[96] Staiger, III, 46—47; Max Rychner: J. W. Goethe. West-östlicher Divan. Zürich: Manesse 1952. S. 498; Korff: Goethe im Bildwandel seiner Lyrik. Bd. 2. S. 155; Lausberg, I, 86—105.

Als ich auf dem Euphrat schiffte,
Streifte sich der goldne Ring
Fingerab, in Wasserklüfte,
Den ich jüngst von dir empfing.

Also träumt' ich, ...
...
Sag Poete, sag Prophete!
Was bedeutet dieser Traum?

Hatem tröstet scherzhaft nach dem Vorbild der Trostrede über den vermeintlichen Verlust hinweg, indem er den Unglücksfall in einen Glückszufall umdeutet:

Wie der Doge von Venedig
Mit dem Meere sich vermählt[,]
...
Mich vermählst du deinem Flusse,
Der Terrasse, diesem Hain,
Hier soll bis zum letzten Kusse
Dir mein Geist gewidmet sein.

Die symbolische Handlung des Dogen von Venedig und der geträumte Unglücksfall im Orient werden als „entfernteste Dinge" verknüpft und gesteigert zur Allverbindung des Dichters mit der Natur und der Geliebten. Das Gedicht endet mit einer Variation des Topos von der Seele im Kuß. Es ist bezeichnend für den *Divan,* daß an die Stelle der Seele der Geist tritt. In einem Brief an Frau von Stein aus dem Jahre 1781 ist es noch die Seele: „Meine Seele ist auf deinen Lippen."[97]

Das Gedicht „Kenne wohl der Männer Blicke" nimmt mit dem Wort „gefallen" wieder das *delectare* der Horazischen Formel auf, wie Ingeborg Hillmann gezeigt hat, und stellt es über die Ausdrücke „lieben", „leiden", „begehren" und „verzweifeln".[98] Hier erweist sich, wie sehr diese Liebe Dichtung ist. Das Wort der Poetik wird höher eingeschätzt als die unmittelbare leidenschaftliche Sprache der Liebe. Diese Sprache der Poesie wird als Sprache des Mystisch-Reinen mit der Augensprache der Liebenden verbunden. Der *locus amoenus* mit den Standardblumen und -bäumen Rose, Lilie, Veilchen, Myrte und Zypresse dient zum überbietenden Lobpreis der Geliebten.[99] Die Stärke, die entsprechend der Tradition des Topos der Anblick der Ideallandschaft verleiht, wird vom Ansehen der Suleika übertroffen:

---

[97] zitiert nach Curtius, 296.
[98] Dichtung als Gegenstand der Dichtung. S. 30—33.
[99] Curtius, 202—209.

Da erblicktest du Suleika
Und gesundetest erkrankend,
Und erkranketest gesundend,
Lächeltest und sahst herüber
Wie du nie der Welt gelächlet.
Und Suleika fühlt des Blickes
Ewge Rede: D i e gefällt mir
Wie mir sonst nichts mag gefallen.

Das Geschöpf überbietet die Schöpfung. Das Doppeloxymoron unterstreicht die Wirkung von Suleikas Anblick auf Hatem, die sie im Spiegel seiner Augen erkennt. Die Augensprache wird so zur „ewge[n] Rede".

In zahlreichen eindringlichen Interpretationen ist dargelegt worden, daß das Gedicht „Gingo biloba" über die Blattform des exotischen Baums versinnbildlicht, wie Naturphänomen, Liebe und Dichtung verbunden sind und aufeinander verweisen.[100] Das Blatt des Gingko-Baumes läßt nicht erkennen, ob es Einheit ist, die sich in zwei Hälften teilt, oder Zweiheit, die sich in Eins verbindet:

Ist es Ein lebendig Wesen?
Das sich in sich selbst getrennt,
Sind es Zwei? die sich erlesen,
Daß man sie als Eines kennt.

Schon die Frage ist metaphorisch und auf der Personenebene gestellt. Das Blatt bzw. die Blatthälften werden als lebendige Wesen gedacht, die sich trennen oder erwählen können. Die Frage wird mit Hilfe einer rhetorischen Figur auf der Ebene der Dichtung mit einer Gegenfrage verrätselnd gelöst. Es ist eine Art Nathan-Antwort: „Nicht die Kinder bloß speist man" — zwar nicht „mit Märchen" —, aber mit Ironie ab:

Solche Frage zu erwidern
Fand ich wohl den rechten Sinn;
Fühlst du nicht an meinen Liedern
Daß ich Eins und doppelt bin?

In der paradoxen Sprachfigur wird die Zwienatur des Menschen offenbar: als Liebhaber und Geschöpf ist er „Eins und doppelt" wie das Naturphänomen und das Sinnbild in der Dichtung. Auch das dichterische Wort ist „Eins und doppelt". Entscheidend ist dabei die ironische Vieldeutigkeit. Keine der Gleichungen läßt sich logisch schlüssig durchführen, und doch sind sie alle richtig. Die Antwort

[100] Paul Böckmann: Die Liebessprache der Heidelberger Divangedichte. In: P. B.: Formensprache. Studien zur Literarästhetik und Dichtungsinterpretation. Hamburg: Hoffmann & Campe 1966. S. 180—181; HA 2, 572—573; JA 5, 383—385; Korff: Goethe im Bildwandel seiner Lyrik. Bd. 2. S. 201—202; Rychner: J. W. Goethe. West-östlicher Divan. S. 508—510.

ist selbst ein Paradox: das Offenbare der Verbindungen wird sichtbar gemacht, aber das Geheimnis bleibt gewahrt. Auch in der Sprachform des Gedichtes wird das Paradox der Doppeleinheit verwirklicht. Es ist ein Zwiegespräch, aber das Ich und Du von Frage und Antwort sind nicht zu ermitteln, wie in anderen dialogischen Gedichten des „Buches Suleika". Grammatisch gesehen gibt es nur ein Ich in dem Gedicht. Es gibt keine Apostrophe, die die Reden gegeneinander absetzen. Es ist ein imaginäres Zwiegespräch, das in einer Person geführt wird, ein fortgesetzter innerer Monolog mit verteilten Stimmen.

In „Komm, Liebchen, komm! umwinde mir die Mütze" wird das Übermacht-Motiv wieder aufgenommen. Der Dichter läßt sich von der Geliebten mit den Emblemen der Herrschaft schmücken:

> Was ist denn Hoheit? Mir ist sie geläufig!
> Du schaust mich an, ich bin so groß als Er.

Es ist verständlich, daß dieses dichterische Selbstbewußtsein auch in der Reimbildung und Wortwahl ironisch zum Ausdruck gebracht wird: Mütze/Sitze, schön/sehn, Alexandern/Andern, fiel/-fiel, hin/Mousselin, streifig/geläufig, umher/Er.

In den Ausführungen zum „Künftigen Divan" erklärt Goethe den Herrscher zum „erste[n] Anmaßliche[n]" im Staate und stellt ihm einen „Dichterkönig" zur Seite. Der Ernst dieser Ausführungen, die deutlich autobiographische Anspielungen enthalten, wird aber am Schluß ins Scherzhafte umgebogen, wenn es heißt, daß der Dichter des *West-östlichen Divans* „mancherlei Anmaßung dadurch zu mildern weiß, daß er sie, gefühlvoll und kunstreich, zuletzt auf die Geliebte bezieht, sich vor ihr demütigt, ja vernichtet".[101]

Die Gedichte „Nur wenig ist's was ich verlange" und „Hätt' ich irgendwohl Bedenken" zeigen diese gefühlvolle und kunstreiche Milderung, indem sie in weitgespannten Hyperbeln die Rhetorik des Herrscherlobs ironisieren und die Geliebte in vielfältigsten Formen mit dem mächtigsten Herrscher der Welt vergleichen:

> Dir sollten Timurs Reiche dienen,
> Gehorchen sein gebietend Heer,
> Badakschan zollte dir Rubinen,
> Türkisse das Hyrkanische Meer.
>
> Getrocknet honigsüße Früchte
> Von Bochara dem Sonnenland,
> Und tausend liebliche Gedichte
> Auf Seidenblatt von Samarkand.

[101] WA I 7, 139—143.

Die Hyperbel wird nun als dichterische Fiktion enthüllt:

Da solltest du mit Freude lesen
Was ich von Ormus dir verschrieb,
Und wie das ganze Handelswesen
Sich nur bewegte dir zu lieb.

Die Fiktion aber gewinnt eine derartige Macht über die Einbildungskraft, so daß der Konjunktiv aufgegeben wird, „alle Pracht der Indostanen" unvermittelt im Indikativ Präsens allein für die Geliebte „auf Woll' und Seide blüht", und schließlich, nachdem alle Schätze der Welt gesammelt worden sind, die Karawane wirklich im Wort der Dichtung entsteht, herannaht und der Geliebten die Kaisergaben darbringt. Aber der Dichter beläßt es nicht dabei. In dem Augenblick, da die Hyperbel akzeptiert wird, hebt er ihre Glaubwürdigkeit auf:

Doch alle diese Kaisergüter
Verwirrten doch zuletzt den Blick;
Und wahrhaft liebende Gemüter
Eins nur im andern fühlt sein Glück.

Die Gemeinschaft der Liebenden ist mehr wert als alle Schätze dieser Erde. Der Kaiser ist zwar

... herrlicher und weiser;
Doch er weiß nicht wie man liebt.

Der wahre Reichtum ist der Besitz der Geliebten und die wahre Macht das Selbstgefühl des Bettlers. Aus diesem Überlegenheitsgefühl heraus wendet sich der Dichter mit einer kühnen, nahezu verächtlichen Apostrophe an den Herrscher. Aber die Kühnheit dieser Apostrophe entbehrt nicht des Scherzhaften, da sie nicht etwa „vor Königsthronen" erfolgt, sondern nur in Gegenwart der Geliebten.

Im folgenden Gedicht „Die schön geschriebenen ... Blätter" nimmt der Dichter die Anmaßung und das Selbstlob seiner Lieder in einer ironischen Metonymie scheinbar zurück. Im Orient ist die Handschrift von großer Bedeutung, wie Goethe hervorgehoben hat, aber Anmaßung und Selbstlob erwachsen nicht aus dem Schmuck der „schön geschriebenen, herrlich umgüldeten ... Blätter", sondern aus dem Inhalt. Und das Übermachtgefühl des Inhalts weist auch jeglichen Verzicht auf Selbstlob zurück. Es vergewissert sich seiner selbst in Vulgarismen und Provinzialismen:

Selbstlob! Nur dem Neide stinkt's,
Wohlgeruch Freunden
Und eignem Schmack!

Das Selbstlob rechtfertigt sich als Ausdruck vitalistischer Daseinsfreude. Der kraftvolle Scherz erhebt sich hier in einem grammatischen Wortspiel auf die Ebene des Ernstes:

> Freude des Daseins ist groß,
> Größer die Freud' am Dasein.

Max Rychner kommentiert: „Die bewußte geistige Freude am Dasein ist der bestimmungslos unbewußten übergeordnet; die Reflexion steigert die Natur."[102] Das Ballspiel der Liebenden ist Sinnbild der „Freud' am Dasein":

> Wenn du Suleika
> Mich überschwänglich beglückst,
> Deine Leidenschaft mir zuwirfst
> Als wär's ein Ball,
> Daß ich ihn fange,
> Dir zurückwerfe
> Mein gewidmetes Ich;
> Das ist Ein Augenblick!

Das Ballspiel gehört zu den tiefsinnigsten Bildern von Scherz und Ernst im *Divan*. Die Leidenschaft wird zum leichten Spiel. Der Ernst, die „Schwere, das dunkle Müssen und Getriebensein", die, wie Max Kommerell sagt, sonst der Leidenschaft anhaften, fallen ab.[103] Aber sie werden andererseits nicht verleugnet: Suleika wirft dem Dichter ihre Leidenschaft zu, „als wär's ein Ball". Der Kunst-Schein-Charakter des Spiels wird damit betont. Das Hin- und Herwerfen des Balls wird zur Metapher für Liebe und Dichtung. Das Entzücken an der Leichtigkeit des Spiels, mit dem der Ball, der Schwerkraft der Leidenschaft enthoben, zwischen den Liebenden hin- und herfliegt, stiftet den erfüllten Augenblick, der Ewigkeitscharakter trägt.

Die zwei folgenden Bilder projizieren voraus in die Zukunft und wieder zurück in die Gegenwart. Die Kugel als Chiffre für Dichtung wiederholt sich im Bild des Wunderknäuels, das der Dichter aufzudröseln sucht, und der Perlen, die er zum Schmuck der Geliebten aufreiht.

Neben dem Selbstbewußtsein, das im Übermacht-Motiv zum Ausdruck kommt, steht die Hingabe, die im Bild von Schmetterling und Kerze dargestellt wird. In „Volk und Knecht und Überwinder" sind beide Gedanken in einem Gesprächsspiel zwischen Hatem und Suleika ironisch verbunden.[104] Suleika vertritt den Standpunkt der Selbstbewahrung:

---

[102] Rychner: J. W. Goethe. West-östlicher Divan. S. 513.

[103] Gedanken über Gedichte. S. 273.

[104] Erich Trunz hat im einzelnen dargelegt, wie die Motive der Suleika-Strophen von Hafis Zeile für Zeile unter Betonung der Parallelen ins Gegenteil umgekehrt werden (HA 2, 575).

Volk und Knecht und Überwinder
Sie gestehn, zu jeder Zeit,
Höchstes Glück der Erdenkinder
Sei nur die Persönlichkeit.

Hatem widerspricht ihr mit seiner Liebesdialektik:

Kann wohl sein! so wird gemeinet;
Doch ich bin auf andrer Spur,
Alles Erdenglück vereinet
Find' ich in Suleika nur.

Suleikas Ernst verwandelt sich in Hatems Worten in Scherz, der doch von tiefem Ernst erfüllt ist:

Wie sie sich an mich verschwendet,
Bin ich mir ein wertes Ich;
Hätte sie sich weggewendet,
Augenblicks verlör ich mich.

Hatem wird hier von der eigenen Metapher mitgerissen, aber nimmt sich spielerisch beim eigenen Wort:

Nun, mit Hatem wär's zu Ende;
Doch schon hab' ich umgelost,
Ich verkörpre mich behende
In den Holden den sie kost.

Im Spielbereich der Dichtung finden sich immer neue Möglichkeiten des Gestaltwandels, und für den selbstbewußten Dichter ist zwar nicht die Gestalt eines Theologen, aber zur Not doch die des Kaisers akzeptabel. So wird der Spruch „Höchstes Glück der Erdenkinder / Sei nur die Persönlichkeit", den das deutsche Bildungsphilistertum aus dem Zusammenhang gerissen und mit in Beschlag gelegt hat, scherzhaft relativiert und dadurch erst in seiner ganzen Ernsthaftigkeit herausgestellt.

„Locken! Haltet mich gefangen" ist ein weiteres der Gedichte, deren Reiz gerade auf dem souverän virtuosen Spiel mit rhetorischen Konventionen beruht. Der Eindruck, den dieses Gedicht hervorruft, ist immer wieder beschrieben worden.[105] Die kühnen Metaphern der Hatem-Strophen werden so ins Ernsthafte gesteigert, daß sie drohen, schrill in einen unpassenden Scherz umzuschlagen. Die verhaltene, aber doch eindringliche Antwort der Geliebten geht zunächst auf den Scherz ein. Dann aber gleicht Suleika beschwichtigend die Extreme aus und fügt sie in eine rhetorische Formel, die gekrönt wird von dem Schlüsselwort des *Divans:* Geist.

---

[105] s. Literaturangaben in HA 2, 576.

Die Synekdoche der „geliebten braunen Schlangen“, die für Suleika und ihre Jugend steht, wird scherzhaft ernstgenommen. Hatem bittet die Locken, ihn zu halten, auch wenn er ihnen nichts Gleichwertiges entgegenzusetzen hat. Aber sein Herz ist jung geblieben. Unter dem Schnee seiner Haare „rast ein Ätna ... hervor“.[106] In der dritten Strophe erfolgt dann die berühmte Reim-Aposiopese, die immer wieder die Leser von Friedrich Rückert bis zu Thomas Mann entzückt hat. Der zu erwartende Reim tritt nicht ein. Der Name „Goethe“ ist in Gedanken zu ergänzen:

> Du beschämst wie Morgenröte
> Jener Gipfel ernste Wand,
> Und noch einmal fühlet Hatem
> Frühlingshauch und Sommerbrand.

Die historische Gestalt Goethes wird somit als implizierter Reim ironisch in die Formensprache der Dichtung miteinbezogen und erscheint in der geistreichen Indirektheit, die so kennzeichnend ist für die Lyrik des *Divans.*

Hatem sucht „der Seele Brand“ mit Wein zu löschen und steigert sich bei seinem Trinkspruch auf Suleika in die ironisch-sarkastische Hyperbel hinein:

> Findet sie ein Häufchen Asche,
> Sagt sie: der verbrannte mir.

Suleika weist den Gedanken zurück und führt das Gesprächsspiel in einem Lobpreis ihres Dichters auf die Ernstebene hinüber. Das pseudo-etymologische Spiel mit den Wörtern „Leben“ und „Liebe“, das die große lautliche Ähnlichkeit zur Gleichsetzung der Begriffe ironisch ausnützt, verdichtet sich zur genetivischen Gemination „des Lebens Leben“ und gipfelt schließlich in dem Wort „Geist“, das sich in elliptischer Stellung direkt an die Gemination anschließt.[107] Das Gedicht erreicht somit einen Höhepunkt, der sicher und fest gegründet ist auf der Substantivhäufung der letzten Takteinheiten und im Gegensatz steht zu der übersteigerten Hyperbel der letzten Hatemstrophe, in der die Geliebte grundlos der Kaltherzigkeit angeklagt wird. Die letzten Worte verkörpern die Klarheit, Ruhe und Bestimmtheit der Liebe Suleikas zu Hatem. Kunstvoll vermag auch dieses Gedicht mit seiner Mischung von Scherz und Ernst darüber hinwegzuspielen, daß es das Programm der Divanlyrik erfüllt: „Lieben, Trinken, Singen.“

In dem Gedicht über Behramgur und Dilaram wird die Ähnlichkeit oder Identität der Flexionsformen in den Wortwiederholungen tiefsinnig in die

---

[106] Wie sich auch in dieser kühnen Metapher Westliches und Östliches verbinden, hat Katharina Mommsen dargelegt in Goethe und Diez (= SbDAWB, Klasse f. Sprachen, Literatur und Kunst, 1961, Nr. 4). Berlin: Akademie-Verlag 1961. S. 168—180.

[107] Lausberg, I, 322.

Geschichte der Erfindung des Reims eingebaut. Die beiden orientalischen Liebenden, die danach streben, die Polarität der Liebe im Wort zu überbrücken, erfinden dabei den Reim. In den Wiederholungen „Das klang ... /Wie Blick dem Blick, so Reim dem Reime nach" erweist sich die höhere Einheit bei aller Unterschiedlichkeit der Einzelformen. Aus dem Binnenreim und der Binnenassonanz entwickelt sich der Endreim des Wechselgesangs der Liebenden.[108]

Goethe hat gleichzeitig in diesem Gedicht Marianne von Willemer im Geheimen und zugleich in aller Öffentlichkeit ihre Mitarbeit am *Divan* bestätigt:

> Und so Geliebte! warst du mir beschieden
> Des Reims zu finden holden Lustgebrauch,
> Daß auch Behramgur ich, den Sassaniden,
> Nicht mehr beneiden darf: mir ward es auch.
>
> Hast mir dies Buch geweckt, du hast's gegeben:
> Denn was ich froh, aus vollem Herzen, sprach,
> Das klang zurück aus deinem holden Leben[.]

Es stellt sich als biographische Wirklichkeit heraus, was den Zeitgenossen als poetisches Spiel mit orientalischen Formen erschien. Die Gedichte über den Ost- und Westwind („Was bedeutet die Bewegung?" und „Ach! um deine feuchten Schwingen"), die mit Sicherheit Marianne zuzuschreiben sind, erscheinen völlig unironisch. Es ist bezeichnend für Goethes Spätdichtung, daß seine Änderungen an Mariannes Ostwindgedicht darauf hinauslaufen, den Ton unmerklich ins leicht Scherzhafte hinüberzuspielen.[109]

Das Gedicht „Hochbild" hat man allgemein als Gestaltung der tragischen Unerfüllbarkeit der Liebe interpretiert, das Gedicht „Wiederfinden" als feierlich religiöse Mythenschaffung angesehen und auf die Verbindung zu „Selige Sehnsucht" hingewiesen.[110] Von „Selige Sehnsucht" her aber ergibt sich auch hier für „Hochbild" und „Wiederfinden" die ironische Deutung. Eine *unio mystica* findet nicht statt, aber in der Licht- und Farbenerscheinung des Regenbogens und der Morgenröte werden Beziehungen zwischen den Getrennten hergestellt. Ferner sind, wie jede Allegorie, auch die Helios-Allegorie in „Hochbild" und die kosmogonische Allegorie in „Wiederfinden" ironisch. Allegorie heißt „anders sagen". Auch bei der Ironie handelt es sich ja um ein „Anders-

---

[108] Ebd., 325 f.; August Langen: Dialogisches Spiel. Formen und Wandlungen des Wechselgesangs in der deutschen Dichtung (1600—1900). Heidelberg: Winter 1969. S. 142—143.

[109] s. Beutler: Goethe. West-östlicher Divan. S. 627 f.

[110] Erich Trunz erklärt, „daß hier für die dem übrigen Divan eigene ... Ironie kein Raum mehr bleibt" (HA 2, 580). — JA 5, 396—400; Pyritz, 211, 207—209. Siehe ferner: Jonas Cohn: Goethes Gedicht Wiederfinden. Versuch einer Sinndeutung. In: AfPh. 1 (1947) S. 118—131; Walter Marg: Goethes Wiederfinden. In: Euph. 46 (1952) S. 59—79.

Sagen", um die Spannung zwischen dem, was gesagt wird, und dem, was gemeint ist. Der einzige Unterschied besteht nur darin, daß „... das *allo* ... in der Ironie nicht (wie in der eigentlichen Allegorie...) ein Vergleichsgegenstand für das ernstlich Gemeinte, sondern das Gegenteil des ernstlich Gemeinten" ist, wie Heinrich Lausberg sagt.[111] Die Rhetorik trägt dieser Verwandtschaft Rechnung, indem sie die Ironie teilweise unter dem Begriff der Allegorie einordnet.[112] In den beiden Divangedichten bezeugt sich in der Verknüpfung von Erotik und Naturphänomen bzw. Mythologie die Spannung, die in der vorliegenden Untersuchung mit dem Wort „mystische Ironie" zu erfassen gesucht wird. Aber selbst wenn man dieser Deutung nicht zuzustimmen vermag, so ist auf die Textumgebung dieser Gedichte zu verweisen. Walter Müller-Seidel hat erklärt: „... wer die Verse von so feierlicher Religiosität wie im Gedicht ‚Wiederfinden' aus ihrer Umgebung herausgelöst interpretiert, muß das Ganze notwendig verfehlen."[113] Auf „Wiederfinden" folgt unmittelbar „Vollmondnacht". Der religiösen Feierlichkeit der „Nacht der Ferne" des kosmogonischen Lehrgedichtes wird der Scherz der „Vollmondnacht" polar entgegengestellt. Andererseits kann sich die ernste Leidenschaft in „Vollmondnacht" so unmittelbar aussprechen — „Ich will küssen! Küssen!" —, da sie durch die Stilmittel des Refrains und der Dienerin-Strophen verfremdet und in eine scherzhafte Perspektive gerückt wird.

Das letzte Gedicht im „Buch Suleika" ist noch einmal eine *tour de force* der Rhetorik. Im Preislied auf die Geliebte entfaltet Hatem noch einmal die ganze Pracht, die ihm in dem Schatze der orientalischen Metaphernsprache zur Verfügung steht. Er feiert Suleika, indem er sie mit den Beinamen Allahs anspricht als „Allerliebste", „Allgegenwärtige", „Allschöngewachsene" usw. Dabei handelt es sich aber weder um Blasphemie noch um Mystik, sondern um Ironie. Religion und Liebe werden als „entfernteste Dinge" leicht aufeinander bezogen, aber nicht etwa gleichgesetzt.

Das Gedicht führt die Entstehung der orientalischen Metaphernsprache vor, indem es das Motiv der Verwandlung aufnimmt. „In tausend Formen" — in der Zypresse, „in des Kanales reinem Wellenleben", im Wasserstrahl des Springbrunnens, in der Wolke, in „des geblümten Schleiers Wiesenteppich", in der Efeuranke, im Morgenrot, im Himmel — mag die Geliebte sich verstecken, doch

---

[111] Lausberg, I, 449.

[112] Quintilian reiht die Ironie in den Bereich der Allegorie ein, und Norman Knox weist für die Rhetorik der englischen Renaissance drei Autoren nach, die Quintilians Beispiel folgen. G. G. Sedgewick hat von dem „uralten Flirt zwischen rhetorischer Ironie und Allegorie" gesprochen. — Norman Knox: The Word Irony and Its Context (1500—1755). Durham, N. C.: Duke University Press 1961. S. 10—11, 35; G. G. Sedgewick: Of Irony Especially in Drama. Toronto: University of Toronto Press 1948. S. 6. Siehe auch Angus Fletcher: Allegory. The Theory of a Symbolic Mode. Ithaca, N. Y.: Cornell University Press 1964. S. 2; 229—233; 340.

[113] Müller-Seidel: Probleme der literarischen Wertung. S. 62.

Hatem erkennt sie sofort. In diesem wortschöpferischen Vorgang aber verwandelt sich der metaphorische Vergleich nahezu in die Identifikation. H. A. Korff sagt sogar: „Die schlanke Zypresse ist nicht w i e die schlanke Geliebte — sie i s t die Geliebte."[114] So lernt Hatem „mit äußerm Sinne, mit innerm" die Welt kennen durch die Geliebte und die Geliebte durch die Welt. Die Reihe der Verwandlungsformen steigt von der Pflanzenwelt zum Himmelszelt und transzendiert in den letzten zwei Zeilen des Gedichtes ins Überirdische:

Und wenn ich Allahs Namenhundert nenne,
Mit jedem klingt ein Name nach für dich.

Die Geliebte wird nicht zum Gott, aber in der Aufzählung der Beinamen Allahs zum Echo des göttlichen Namens. So klingt das Hauptthema der Liebe mit dem Widerhall des Göttlichen im Irdischen aus.

Das dritte Thema, das in dem Eingangsgedicht „Hegire" außer Lieben und Singen angekündigt wird, ist das Trinken. Im „Schenkenbuch" stehen Wirtshaus und Wein im Mittelpunkt, während Singen und vor allem Lieben jetzt als Seitenthemen mitanklingen:

Lieb-, Lied- und Weines Trunkenheit,
Ob's nachtet oder tagt,
Die göttlichste Betrunkenheit
Die mich entzückt und plagt.[115]

Erotomanie, Dichterwahnsinn und Weinrausch werden ironisch in Beziehung gesetzt und in den übergreifenden Zusammenhang der Gottbegeisterung eingeordnet. Neben Suleika tritt im „Schenkenbuch" Saki, der Knabe Schenke. In dem Gedicht über die Welt, „jene garstige Vettel", beklagt Hatem scherzhaft den Verlust der christlichen Tugenden des Glaubens und der Hoffnung, die ihm die Welt geraubt hat, und er berichtet davon, wie er sich wenigstens die Liebe in irdischer Form gerettet hat. Um sie „für ewig zu sichern", teilt er die Liebe weislich „zwischen Suleika und Saki". Sie bringen ihm, wenn auch nicht die christlichen Tugenden, doch Glaube und Hoffnung zurück.[116] Das homoerotische Verhältnis zwischen dem Knaben und dem alternden Dichter, das in der Vorlage bei Hafis gegeben ist, wandelt Goethe ins Pädagogisch-Erotische ab. In der Ankündigung in Cottas *Morgenblatt* heißt es: „Das Kind wird sein Lehrling, sein Vertrauter, dem er höhere Ansichten mitteilt. Eine wechselseitige edle Neigung belebt das ganze Buch."[117] Die zutraulich geistreiche Zuneigung des Schenken kommt besonders in dem Gedicht von „Schwänchen und Schwan"

---

[114] Goethe im Bildwandel seiner Lyrik. Bd. 2. S. 175.
[115] WA I 6, 210.
[116] Rychner: J. W. Goethe. West-östlicher Divan. S. 537.
[117] WA I 41I, 88—89.

zum Ausdruck. Das Gedicht beruht auf einem Wortspiel. Eine redensartliche Wendung für übriggebliebene Süßigkeiten, die west-östliche Metapher für den Dichter und die klassische Anspielung auf den Schwan, der seinen eigenen Grabgesang singt, werden nach den Prinzipien der orientalischen Rhetorik miteinander verknüpft. So verläuft das Gedicht vom Scherz zum Ernst und mündet ins Schweigen.[118] Das folgende Gedicht „Nennen dich den großen Dichter" vertieft den Gedanken des vorigen Gedichtes. Erregt „von dem hohen Geiste des Alters", vermag der Knabe ein Geheimnis der Dichtung zu erfassen; das Paradox des Sprachschweigens, wie es Alfred Kelletat genannt hat.[119] Der Knabe erkennt, daß die höchste Innigkeit im Verstummen liegt, und so umwirbt er den Dichter mit den Worten:

> Singe du den andern Leuten
> Und verstumme mit dem Schenken.

Und so klingt das „Schenkenbuch" in dem Gedicht „Sommernacht", in dem gemeinsamen Verstummen von Hatem und Schenken „stille, stille" aus. „Sommernacht" ist eines der Gedichte des *Divans,* das in seiner Formen- und Motivsprache die ironische Polarität von Tag und Nacht, Alter und Jugend, Westen und Osten, Wachen und Schlafen, Liebe und Lehre, Feierlichkeit und Alltäglichkeit, Scherz und Ernst in Vollkommenheit ausdrückt. Diesem Gedicht eignet etwas von dem Eros und besonders von der Ironie des sokratischen Lehrgespräches.[120] Die Frage, die der weise Alte stellt, ist rhetorisch:

> Wissen möcht' ich wohl, wie lange
> Dauert noch der goldne Schimmer?

Er weiß die Antwort, aber er stellt sie in sokratischer Manier, um aus dem Knaben Wissen hervorzulocken. Der Knabe entfaltet ungeahnte Kenntnisse, mehr als er eigentlich je gelernt haben kann. Zugleich wirkt die Frage des

---

[118] Momme Mommsen: Schwänchen und Schwan. Zu einem Gedicht im West-östlichen Divan. In: Goethe 13 (1951) S. 290—295; Wolfgang Kayser: Beobachtungen zur Verskunst des West-östlichen Divans. In: W. K.: Kunst und Spiel. Göttingen: Vandenhoeck & Ruprecht 1961. S. 55—58.

[119] Alfred Kelletat: Accessus zu Celans Sprachgitter. In: DU. 18 (1966) H. 6, S. 94 bis 110; Kayser: Beobachtungen zur Verskunst des West-östlichen Divans. S. 59—60.

[120] Max Kommerell und Emil Staiger haben auf den „lächelnden Tiefsinn" dieses Gedichtes hingewiesen, aber nicht auf die sokratische Ironie. — Kommerell: Gedanken über Gedichte. S. 282—284; Emil Staiger: Goethe: Sommernacht. In: E. S.: Meisterwerke deutscher Sprache. 2. Aufl. Zürich: Atlantis 1948. S. 119—135. Siehe ferner: Momme Mommsen: Sommernacht. In: M. M.: Studien zum West-östlichen Divan (= SbDAWB., Klasse für Sprachen, Literatur und Kunst, 1962, Nr. 1). Berlin: Akademie-Verlag 1962. S. 29—76; Wolfgang Lentz: Bemerkungen zu Goethes Sommernacht. In: Grüße. Hans Wolffheim zum sechzigsten Geburtstag. Festschrift hrsg. von Klaus Schröter. Frankfurt/M.: Europäische Verlagsanstalt 1965. S. 37—49.

Dichters auf ihn als ethischer Anruf. Er will mit dem Dichter die Nacht ausharren. Aber als er Belehrung verlangt, erzählt ihm der Dichter ein mythologisches „Geschichtchen", über dem der Knabe einschläft. Wie bei Sokrates wird der Mythos zur Erklärung herangezogen und zuletzt mit einer Wendung ins Persönliche wieder in Frage gestellt.[121] Der Knabe hört nicht mehr die Moral des „Geschichtchens", mit dem der Dichter ihn vor der Schönheitssehnsucht des Alters zu warnen sucht. Aber das schadet nichts, denn letztlich richtet sich die Moral an den Dichter selbst. Das Mythologem spiegelt seine eigene Situation wider, und so ironisiert er sich indirekt selbst in den Worten:

> Geh nur, lieblichster der Söhne,
> Tief in's Innre schließ die Türen;
> Denn sie möchte deine Schöne
> Als den Hesperus entführen.

Wie Max Kommerell in seiner schönen Interpretation des „Schenkenbuches" sagt, läßt

> ... die heitere Bezüglichkeit dieser Alterstöne ... den Knaben einschlafen, der vorher in Enthusiasmus dem Schlaf noch eben standhielt. Er wacht erst daran auf, daß der Dichter schweigt, und glaubt, er sei von ihm wie früher belehrt worden. So wiederholt er schlaftrunken die Essenz dieser Lehren: „In allen Elementen Gottes Gegenwart." Das hat der Alte diesmal gar nicht gesagt.[122]

Aber die tiefere Ironie liegt darin, daß auf einer höheren Ebene die Antwort des Knaben der Lehre des greisen Dichters, wenn auch nicht wörtlich, so doch sinngemäß genau entspricht. Der Dichter aber „schweigt im Trinken, damit der Knabe weiterschläft".[122a] Das Lehrgespräch mündet in die höchste und letzte Form des sokratischen Dialoges: „die wortlose Ironie", wie sie Paul Friedländer genannt hat, die in der Schau der irdischen Schönheit das ewige Sein erkennt.[122b] Auch Sokrates bleibt am Ende des Symposions allein wachend und trinkend zurück, während zu seiner Seite einer der schönsten Jünglinge Athens schläft. So wird im *Divan* das Thema Trinken ebenso wie Singen und Lieben in den vorangegangenen Büchern ironisch in den Bereich des Höchsten hineingesteigert.

Die Struktur der Goetheschen Ironie, die aus Polarität und Steigerung besteht, läßt sich im *West-östlichen Divan* sowohl in den kleinsten Elementen als auch in der Gesamtkomposition erkennen. Sie zeigt sich in der Vieldeutigkeit der Themen „Lieben, Trinken, Singen", bei der die Begriffe bis zur äußersten Gegensätzlichkeit gespannt werden. Aber über diese Polarität wird auf ein

---

[121] Paul Friedländer: Platon. Bd. 1. 3. Aufl. Berlin: de Gruyter 1964. S. 162—163.
[122] Kommerell: Gedanken über Gedichte. S. 283—284.
[122a] Kommerell, S. 184.
[122b] Platon. Bd. 1. S. 162—163.

„Höheres und Höchstes" hinausverwiesen. Ähnliches läßt sich feststellen für die mehrdeutige Verwendung der Wörter „gefallen", „nützen" und „genießen", für die Formeln „Eins und doppelt", „Im Gegenwärtigen Vergangnes", „Stirb und werde!", „Gottes Größe im Kleinen", „Himmelslehr' in Erdesprachen".[123] Die Hatem- und Suleika-Strophen spiegeln sich gegensätzlich, aber auf der höheren Ebene der Schlußstrophe werden die jeweiligen Widersprüche miteinander vereinbar. Ebenso kontrastieren die Gedichte „Offenbar Geheimnis" und „Wink", „Lied und Gebilde" und „Dreistigkeit", „Der Winter und Timur" und „An Suleika" sowie „Wiederfinden" und „Vollmondnacht" miteinander und weisen über sich hinaus. Ähnlich stehen das „Buch Timur" und das „Buch Suleika" oder das „Schenkenbuch" und das „Buch Suleika" zueinander. Die Bücher widersprechen sich, erhellen sich gegenseitig und steigern sich über sich selbst hinaus. Jedes Buch hat einen ernsten Höhepunkt und stößt vor in den Bereich des Höheren und Höchsten. Aus der durchgängigen Polarität, die sich sowohl im Kleinen als auch im Ganzen nachweisen läßt, geht schließlich als Steigerung das „Buch des Paradieses" hervor, auf dessen Bereich die vorangehenden Bücher sowohl gemeinsam als auch jedes einzelne für sich verweisen.

Das „Buch des Paradieses" wird besonders vorbereitet durch das „Buch der Parabeln" und das „Buch des Parsen". Das „Buch der Parabeln" enthält, wie Clemens Heselhaus sagt, „ironische Parodien der alten orientalischen Form und Thematik" des Gleichnisses.[124] Das „Buch des Parsen" ist eine Wiederaufnahme der Feuer- und Lichtmetaphorik. In einer Kulthymne werden die religiösen Reinheitsgesetze der Parsen verkündigt. In der bedächtigen Pedanterie der kultischen Anweisungen, die der greise Parse den Jüngeren gibt, sowie in dem wortkargen und überraschend anspruchslos und doch bedeutsam klingenden Vermächtnis „Schwerer Dienste tägliche Bewahrung, / Sonst bedarf es keiner Offenbarung" zeigt sich die Ironie dieses Buches. Der greise Parse rüstet sich zur Reise ins Jenseits, aber sein Blick ist der Erde zugewandt, ihr gilt sein Segen. Entscheidend ist hier wieder, daß es nicht um ekstatische Erhebung aus dem Dunkel ins Licht geht, sondern um die Reinheit der Erde als Gegenbild der göttlichen Reinheit. Es handelt sich also wieder nicht um Gleichsetzung oder Vereinigung, sondern um spiegelbildliche Verbindung, d. h. Ironie.

Auch im „Buch des Paradieses" geht es um Scherz und Ernst. Es ist bezeichnend, daß die Formel für Ironie gerade bei der Besprechung dieses Buches in den „Noten und Abhandlungen" auftaucht. Goethe sagt dort: „Scherz und Ernst verschlingen sich hier so lieblich ineinander, und ein verklärtes Alltägliche verleiht uns Flügel zum Höheren und Höchsten zu gelangen."[125] Die irdischen

[123] WA I 6, 152; 20; 28; 231; 5.
[124] RL III (1966), S. 10.
[125] WA I 7, 152.

Themen werden noch einmal aufgenommen: „Lieben, Trinken, Singen." Das mohammedanische Paradies ist das Land der Liebe, das Land des Weins „verklärter Trauben" und das „Land der Dichtung". Erschien Suleika zuvor als „Himmels-Wesen", das als „Jugend-Muster" „den ewigen Räumen" entsendet wurde, so nimmt jetzt die Huri die Gestalt der Geliebten an. Hieß es vorher, „daß ... der Wein von Ewigkeit sei", so gilt er jetzt als „Saft verklärter Trauben". Schwebten die Dichterworte vorher „um des Paradieses Pforte", so hallen sie jetzt lieblich verstärkt „wieder hinunter" auf die Erde.[126]

Das irdische Spiegelgespräch zwischen Hatem und Suleika wird im Paradies fortgesetzt von Dichter und Huri. Der Doppelsinn der Wörter „Kämpfen", „Wunden", „Glauben" wird hervorgekehrt. Mit unbeirrbarem Selbstvertrauen verschafft sich der andersgläubige Dichter den Zugang zum mohammedanischen Paradies.[127] Die Huri paßt sich ihm an: sie spricht in dem ihm vertrauten Rhythmus der Suleika-Strophen, wie Wolfgang Kayser gezeigt hat[128], und wechselt dann sogar auf den Knittelreim über, „um einem Deutschen zu gefallen".[129] Die Huri ist eine gesteigerte Suleika.[130] Der Dichter erklärt:

> Ich wollt es beschwören, ich wollt es beweisen,
> Du hast einmal Suleika geheißen.

Wie die Huri in einer heiteren mythologischen Fabel berichtet, vermögen die Sterblichen die Huris nur in den irdischen Scheingestalten ihrer Geliebten auf Erden zu erkennen und zu lieben, aber die Huris kommen nie auf die Erde herunter. Der Dichter jedoch ist Ironiker, „von freiem Humor".[131] Er vermag den Schein zu durchschauen, das „Eins und doppelt" der Huri zu erkennen. Als Dichter ist er vertraut mit dem ironischen Doppelverhältnis von Schein und Wirklichkeit in der Dichtung. So erscheint ihm die Huri als paradiesische Suleika. Wie die Huri selbst zu ihm sagt:

> Du gibst dem Blick, dem Kuß die Ehre
> Und wenn ich auch nicht Suleika wäre.
> Doch da sie gar zu lieblich war,
> So glich sie mir wohl auf ein Haar.

---

[126]. WA I 6, 249; WA I 7, 1; WA I 6, 247; 203; 6; 256.

[127] Erich Trunz hat im einzelnen gezeigt, wie der Dichter die Motive und Worte der Huri aufnimmt und in seiner interpretatio poetica zu seinen Gunsten umdeutet (HA 2, 590).

[128] Kayser: Beobachtungen zur Verskunst des West-östlichen Divans. S. 62.

[129] WA I 6, 259; s. Andreas Heusler: Deutsche Versgeschichte (= Grundriß der germanischen Philologie), Bd. 3. 2. unveränd. Aufl. Berlin: de Gruyter 1956. S. 333 bis 337.

[130] Pyritz, 212.

[131] WA I 6, 259.

Aber dieses mohammedanische Paradies ist nur eine Art Vorhimmel, in dem man noch in deutscher Sprache mit Huris flirten kann. Darüber erheben sich „Höheres und Höchstes". Aber hier versagt die Sprache. „Gar zu gern" möchte der Dichter

> ... in deutscher Sprache
> Paradiesesworte stammlen.
>
> Doch man horcht nun Dialekten
> Wie sich Mensch und Engel kosen,
> Der Grammatik, der versteckten,
> Deklinierend Mohn und Rosen.

Eine visuelle Rhetorik herrscht vor:

> Ton und Klang jedoch entwindet
> Sich dem Worte selbstverständlich,
> Und entschiedener empfindet
> Der Verklärte sich unendlich.

Die fünf Sinne werden durch „Einen für alle diese" ersetzt. Der Dichter dringt nun vor in den Bereich des göttlichen Wortes, das *logos* — reiner Geist und reine Liebe — ist. Der Steigerung sind keine Grenzen mehr gesetzt:

> Ungehemmt mit heißem Triebe
> Läßt sich da kein Ende finden,
> Bis im Anschaun ewiger Liebe
> Wir verschweben, wir verschwinden.

Gewißheit, ein letztes Wort vermag der Dichter nicht zu geben, sondern nur den Zugang zu den „ewigen Kreisen" offenzuhalten, die jenseits aller menschlichen Sprachen und Rhetorik liegen,

> Die durchdrungen sind vom Worte
> Gottes rein-lebendigerweise.

Die Ironie ermöglicht den Vorstoß über die Sprache hinaus und, daß „Höheres und Höchstes" im außersprachlichen Bereich „entschiedener" empfunden werden. Selbst im Titel des Gedichtes bezeugt sich das Prinzip der Steigerung: „Höheres und Höchstes".

Goethe hat den *West-östlichen Divan* nicht so vollendet, wie er geplant war. Er hat ihn selbst als „unvollkommen" bezeichnet und Hinweise für den künftigen *Divan* gegeben.[132] Aber die künstlerische Einheit dieses Werkes, die hier im Zeichen der Ironie aufgewiesen worden ist, kann wohl nicht mehr bezweifelt werden.[133] Während der Zusammenstellung der Gedichte des *Divans* taucht in

---

[132] WA I 7, 132—153; s. Staiger, III, 56.

[133] Hillmann: Dichtung als Gegenstand der Dichtung. S. 7—24; 121—124.

Goethes Tagebuch das Wort „supplieren" auf.[134] Die Einheit des *Divans* beruht auf dem Supplieren. Die Zusammenhänge im *Divan* werden nicht ausdrücklich vom Dichter hergestellt, sondern sind vom Leser zu ergänzen, und zwar *cum grano salis,* mit Ironie. Es ist in der vorliegenden Untersuchung darauf hingewiesen worden, wie die Themen „Lieben, Trinken, Singen" kontrastieren und sich wechselseitig ergänzen, und wie schließlich alle sowohl einzeln als auch gemeinsam über sich selbst hinaus auf den Bereich des Höheren und Höchsten verweisen. Die religiöse Sehnsucht nach Steigerung liegt sowohl dem Lieben und Singen als auch dem Trinken zugrunde. Sie bildet den Grundzug und Sinn des Ganzen. Wie Goethe an Zelter schreibt: „Jedes einzelne Glied nämlich ist so durchdrungen von dem Sinn des Ganzen ... und muß von einem vorhergehenden Gedicht erst exponiert sein, wenn es auf Einbildungskraft oder Gefühl wirken soll. Ich habe selbst noch nicht gewußt, welches wunderliche Ganze ich daraus vorbereitet."[135] Erst im Laufe der Zeit stellt sich bei Goethe das Bewußtsein der Ganzheit dieses Kunstwerkes trotz des Unvollkommenseins ein. Diese Ganzheit wird durch das supplierende Lesen bewirkt. Damit erscheint bereits im *West-östlichen Divan* ein Form- und Gestaltungsprinzip, das später so bedeutsam wird für die *Wanderjahre* und besonders für den zweiten Teil des *Faust.*[136]

Auf Grund des fragmentarischen Charakters des *Divans,* der das Supplieren erfordert, ergibt sich eine Öffnung auf das Unendliche hin. Diese Öffnung resultiert aus der Verbindung von Unvollkommensein und Ganzheit. Sie stellt eine Ironieform dar, und zwar sogar im Sinne west-östlicher Verknüpfung. Der traditionelle orientalische Divan besteht lediglich aus einer „formlosen" Sammlung von Gedichten, die nur nach Genre und nach dem Buchstaben des Endreims angeordnet sind.[137] In v. Hammers Übersetzung wird diese rein schematische Anordnung des *Divans* von Hafis, der weder Anfang noch Ende eines geschlossenen Werkes kennt, getreu wiedergegeben. Goethes Gedicht „Unbegrenzt" läßt erkennen, daß er sich dieser „Formlosigkeit" des *Divans* von Mohammed Schemsed-din Hafis wohl bewußt war:

Daß du nicht enden kannst das macht dich groß,
Und daß du nie beginnst das ist dein Los.

[134] WA I 36, 106.

[135] WA IV 25, 333.

[136] s. Wilhelm Böhm: Goethes Faust in neuer Deutung. Ein Kommentar für unsere Zeit. Köln: Seemann 1949. S. 24, 113, 185, 233, 325; Paul Böckmann: Die zyklische Einheit der Faust-Dichtung. In: P. B.: Formensprache. S. 199.

[137] s. Heinz Kristinus: Das Buch des Sängers als Zyklus (= Schriften des Instituts für deutsche Sprache und Literatur, Nr. 5). Ankara: Ankara üniversitesi basimevi 1966. S. 17—20; D. N. Mackenzie: Poems of the Divan of Khushal Khan Khattak. London: Allen & Unwin 1965. S. 14.

Seinen eigenen *Divan* hat Goethe im Gegensatz zu seinem orientalischen Vorbild wie einen westlichen Gedichtzyklus nach Themen angeordnet, zugleich aber doch den Charakter des Fragmentarischen gewahrt. Diese offene Form ist zunächst nicht geplant gewesen, aber sie ergibt sich im Laufe der Zeit. Was zunächst als Mangel erscheint, wird schließlich zum Wesensmerkmal. So sind in Goethes *Divan* östliche Formlosigkeit mit westlicher thematischer Durchgestaltung im Zeichen der Ironie verbunden, und so wird höchste Offenheit erreicht bei tiefster Durchdringung.

KAPITEL III

Wilhelm Meisters Wanderjahre oder die Entsagenden

Ist nicht auch Goethe's Wilhelm Meister ... identisch mit dem Autor, dabei aber stets das Objekt seiner Ironie?

THOMAS MANN

Beim Abschluß von *Wilhelm Meisters Lehrjahren* 1796 stellt sich Goethe in einem Brief an Schiller bereits die Frage nach einer Fortsetzung des Romans. Im Jahre 1798 kündigt er dann auch seinem Verleger Cotta einen Plan an, aber erst neun Jahre später beginnt er, das erste Kapitel der *Wanderjahre* zu diktieren. Zwischen 1809 und 1818 erscheinen dann einige der Novellen in Cottas *Damenkalender.* Im Jahre 1821 kommt die erste Fassung, 1829 die zweite und endgültige Ausgabe von *Wilhelm Meisters Wanderjahre oder die Entsagenden* heraus.

Es ist immer wieder darauf hingewiesen worden, wie sehr sich Goethe der Eigenart dieses Werkes bewußt gewesen ist. Er hat es „ein bedenkliches Unternehmen", „ein wunderlich anziehendes Ganzes" und „ein wunderliches Opus" genannt, — wie denn überhaupt „wunderlich" und, damit verbunden, „merkwürdig", „sonderbar" und „geheimnisvoll" Schlüsselwörter der *Wanderjahre* darstellen.[1]

Der Wortschatz der Briefe und Gespräche sowie die Einleitungsgedichte der ersten Fassung, zu denen einige Sprüche gehören, die später in den *Divan* der Ausgabe letzter Hand aufgenommen werden, verweisen nur indirekt auf den Problemkreis der Ironie. Zu Eckermann sagt Goethe am 18. Januar 1825: „Es gehört dieses Werk übrigens zu den inkalkulabelsten Produktionen, wozu mir fast selbst der Schlüssel fehlt."[2] Am 25. Januar desselben Jahres erklärt er: „Den anscheinenden Geringfügigkeiten des *Wilhelm Meister* liegt immer etwas Höheres zum Grunde, und es kommt bloß darauf an, daß man Augen, Welt-

[1] WA IV 46, 66; WA I 36, 11; WA IV 41, 263; HA 8, 8; 9; 11; 15—17; 23; 49; 75; 112; 122; 125; 133; 149; 207; 227; 264; 266—268; 320; 322; 356; 358; 361; 376; 444.

[2] Eckermann, 108; s. WA I 35, 65.

kenntnis und Übersicht genug besitze, um im Kleinen das Größere wahrzunehmen."[3] An Johann Friedrich Rochlitz schreibt Goethe am 28. Juli 1829: „Eine Arbeit wie diese, die sich selbst als kollektiv ankündigt, indem sie gewissermaßen nur zum Verband der disparatesten Einzelheiten unternommen zu sein scheint, erlaubt, ja fordert mehr als eine andere daß jeder sich zueigne was ihm gemäß ist."[4] Und am 23. November schreibt er an dieselbe Adresse:

> Mit solchem Büchlein aber ist es wie mit dem Leben selbst: es findet sich in dem Komplex des Ganzen Notwendiges und Zufälliges, Vorgesetztes und Angeschlossenes, bald gelungen, bald vereitelt, wodurch es eine Art von Unendlichkeit erhält, die sich in verständige und vernünftige Worte nicht durchaus fassen noch einschließen läßt.[5]

Es wird also auf ein Unsagbares, auf Polarität und Steigerung, Öffnung auf „eine Art von Unendlichkeit", d. h. auf die offene Form und Aussage, hingewiesen und zu individueller Deutung aufgefordert, aber eine ausdrückliche Bezugnahme Goethes auf den Begriff der Ironie fehlt. Weder das Wort selbst noch die Formel „Scherz und Ernst" scheinen im Zusamenhang mit den *Wanderjahren* von Goethe gebraucht zu werden. Für die *Lehrjahre* war der Begriff der Ironie von Friedrich Schlegel in seiner Athenaeums-Rezension eingeführt worden, und Goethe hat es ausdrücklich gebilligt, daß man die Ironie an diesem Werk gelobt hat.[6] Für die *Wanderjahre* aber fehlen Belege von ähnlich direkter Beweiskraft, wie sie für die *Lehrjahre* oder den *Divan* und den zweiten Teil des *Faust* vorliegen. Aber auch wenn man zum Beweis des Ironiegehalts der *Wanderjahre* vergeblich nach Worten Goethes sucht, so findet man genug in dem Werk selbst, das auf eine tiefe, oft versteckte, aber immer anwesende Ironie hindeutet, die diesen rätselhaften Roman verständlich macht. Darauf verweist schon die sinngemäße Verwandtschaft des Romans mit dem *West-östlichen Divan.* Das erste der proömialen Gedichte zu der ersten Fassung der *Wanderjahre* von 1821 nimmt das Thema des Personenwechsels und der Verwandlung des *Divans* auf:

> Wüßte kaum genau zu sagen
> Ob ich es noch selber bin,
> Will man mich im Ganzen fragen
> Sag' ich: ja so ist mein Sinn;
> Ist ein Sinn, der uns zuweilen
> Bald beängstet, bald ergötzt,
> Und in so viel tausend Zeilen
> Wieder sich in's Gleiche setzt.[7]

---

[3] Eckermann, 128.
[4] WA IV 46, 27.
[5] WA IV 46, 166.
[6] Fambach, 60; Biedermann, 1, 269.
[7] WA I 5^I, 27.

Der Verfasser entzieht sich der Festlegung auf eine Person und eine einzige Meinung. Es geht um das Ganze in seiner Widersprüchlichkeit, um die Gleichsetzung von Beängstigung und Genuß durch die Dichtung. Dabei spielt besonders die Länge der Dichtung, ihr Umfang, eine Rolle. Im Lesen der „so viel tausend Zeilen" des Romans wird sich der Ausgleich einstellen. Das Proömium enthält ferner sechs Sprüche, die später in den *Divan* der Ausgabe letzter Hand aufgenommen werden. Diese Sprüche behandeln das Motiv der Entsagung sowie die Themen der Unerschütterlichkeit, Tätigkeit und Wertschätzung der Zeit.

Aber wenn auch die einleitenden Gedichte und Sprüche in der endgültigen Fassung des Romans fortfallen, so bleibt doch Wilhelms west-östliches Erlebnis im ersten Buch erhalten. Seine Alpenwanderung wird nach orientalischer Art und Weise mit der „Flucht nach Ägypten" verknüpft. Die ersten Stationen von Wilhelms Reise werden mit der biblischen Legende in Beziehung gesetzt. Die weiteren Kapitelüberschriften lauten: „St. Joseph der Zweite", „Die Heimsuchung", „Der Lilienstengel". Die Reise wird zur „Hegire" in den „reinen Osten", den Bereich des Vor- und Urbildlichen. In der abendländischen Landschaft mit Fichten und Tannen werden Wilhelm und sein Sohn Felix von einer morgenländischen Erscheinung überrascht. Wie auf einem Tableau zieht die Heilige Familie an ihnen vorüber. Wilhelm hält es zunächst für ein Trugbild, aber die Ironie der Geschichte will es, daß die Erscheinung Wirklichkeit ist und das Wunderliche eine natürliche Begründung erfährt. Diese Episode zu Beginn des Romans ist eine bildhafte Einführung in die besondere Art der Ironie in den *Wanderjahren* und wird deshalb hier ausführlich behandelt.

Das plötzliche Verschwinden der Vorüberziehenden läßt sich ganz natürlich durch den jäh abfallenden Felsweg erklären. Wilhelms Vergleiche im Konjunktiv irrealis — „[die] Kinder trugen große Schilfbüschel, als wenn es Palmen wären" — werden in die indikativische Wirklichkeit überführt: — „... und wenn sie von dieser Seite den Engeln glichen, so schleppten sie auch wieder kleine Körbchen mit Eßwaren und glichen dadurch den täglichen Boten, wie sie über das Gebirg hin und her zu gehen pflegen." Wilhelm muß schließlich zugeben, daß er „die Flucht nach Ägypten, die er so oft gemalt gesehen, mit Verwunderung hier vor seinen Augen wirklich finden mußte." Aber während er noch die Ähnlichkeit, die sich mit jedem weiteren genaueren Hinblick steigert, hinnimmt und er seinen Felix schon „mit den lieben Engelein" vergleicht, so überrascht ihn doch die Angabe des Wohnorts seiner neuen Freunde: „Fragt nur nach Sankt Joseph!"[8] Nun klärt sich dieser zweideutige Hinweis als eine Ortsbestimmung auf. Es handelt sich um das Klostergut St. Joseph. Dort findet Wilhelm „seinen Felix mit den Engeln von gestern". Ironisch wird der Schein des Eindrucks vom gestrigen Tage als Wirklichkeit hingenommen. Wilhelm wird

[8] HA 8, 9—10.

in die Kapelle geführt, die der Familie „zum häuslichen Gebrauch des täglichen Lebens" dient, und betrachtet die Gemälde, die die Geschichte des heiligen Joseph darstellen. Besonders das Bild von der Flucht nach Ägypten erregt „bei dem beschauenden Wanderer ein Lächeln, indem er die Wiederholung des gestrigen lebendigen Bildes hier an der Wand sah". Wirklichkeit und Schein werden verknüpft. Es ist eine „wiederholte Spiegelung". Wilhelm wird sich der Ironie bewußt. Die Kunst wiederholt die biblische Wirklichkeit, und ihr Schein fällt zurück auf eine zweite Wirklichkeit.

Wilhelm muß dann die Überraschung erleben, daß es sich bei der Ortsangabe von gestern um eine ironisch vieldeutige Metonymie handelt. Es sind sowohl Ort, Institution als auch Person gemeint. Der Wirt heißt Joseph. Schein und Wirklichkeit werden zur Deckung gebracht, während bei Wilhelm noch immer eine Spannung besteht, die antithetisch zum Ausdruck kommt: „Das ist doch sonderbar genug und doch eben nicht so sonderbar, als daß er seinen Heiligen im Leben darstellt." Aber während er noch leicht ironisch die Frau seines Wirts als „die Mutter Gottes von gestern" betrachtet, wird sie schon „Marie!" gerufen, so daß Wilhelm nicht umhin kann zu folgern: „Also heißt sie auch Marie ... es fehlt nicht viel, so fühle ich mich achtzehnhundert Jahre zurückversetzt." Die Einbildungskraft, die den Eindruck des Ehepaares wie den Schein eines Kunstwerks akzeptiert, wird hier ironisch auf die Ebene der Wirklichkeit zurückgeführt.

Auf dem Boden dieser Tatsachen erhebt sich dann die Erzählung von Sankt Joseph dem Zweiten. Wilhelm fragt ihn, „wie es möglich war, daß ohne Spielerei und Anmaßung die Vergangenheit sich wieder" in dem Ehepaar darstellt, „und das, was vorüberging, abermals herantritt". Es ist das Thema von „Vergangenheit und Gegenwart in Eins", wobei der Doppelsinn der Wörter „vorübergehen" und „herantreten" sich sowohl auf die Vorüberziehenden von gestern als auch ihre heiligen Vorbilder vor achtzehnhundert Jahren bezieht. Der Wirt erzählt Wilhelm die Geschichte seines Lebens in Nachfolge des heiligen Joseph, da er fühlt, daß der Gast imstande ist, „auch das Wunderliche ernsthaft zu nehmen, wenn es auf einem ernsten Grunde beruht". Das Wort „wunderlich" steht in einem scheinbaren Gegensatz zu „ernsthaft".

Die Geschichte „St. Joseph der Zweite" ist ein sehr ernster Scherz. Als junger Mann betrachtet der Wirt den Namenspatron, als ob er sein „Onkel gewesen wäre". Die Bilder in der Kapelle beschäftigen seine Einbildungskraft und bestärken ihn in seinen „höhern Aussichten".[9] Er beschließt, seinem „Heiligen nachzufolgen", selbst in den kleinsten und unscheinbarsten Attributen. Er legt sich einen Esel zu, „der sich ... bald neben seinem Musterbilde an der Wand zeigen durfte". Der Esel ist eines der „begünstigten Tiere" des *Divans*, und was

[9] HA 8, 14—19.

der Wirt in seiner Demut nicht auszusprechen wagt, das deutet er indirekt durch sein Tragtier an. Es ergibt sich, daß die getreue Nachfolge des Heiligen im kleinsten Detail auch „ähnliche Begebenheiten“ im Großen herbeiführt. Was er so lange gesucht hat, findet der Wirt wirklich in der Gestalt seiner Marie. Wirklichkeit und Schein werden in die Schwebe gebracht. Sie vermischen sich und scheinen sich in ihr Gegenteil aufzulösen. Der Wirt berichtet:

> Es war mir, als wenn ich träumte, und dann gleich wieder, als ob ich aus einem Traume erwachte. Diese himmliche Gestalt ... kam mir jetzt wie ein Traum vor, der durch jene Bilder in der Kapelle sich in meiner Seele erzeugte. Bald schienen mir jene Bilder nur Träume gewesen zu sein, die sich hier in eine schöne Wirklichkeit auflösten.[10]

Die Erläuterung der Bilder enthebt den Wirt dann sogar einer Liebeserklärung. Der Liebende spricht durch die Bilder. Die Bilderklärung wird zur Liebeserklärung. Wie der Wirt erzählt, entwickelte er „dabei die Pflichten eines Pflegevaters auf eine so lebendige und herzliche Weise, daß ihr die Tränen in die Augen traten“, und er mit seiner „Bilderdeutung nicht zu Ende kommen konnte“. Marie und Joseph heiraten und bewahren und üben „die Tugenden jenes Musterbildes an Treue und Reinheit der Gesinnungen“. Der Wirt schließt die Erzählung mit den Worten:

> Und so erhalten wir auch mit freundlicher Gewohnheit den äußern Schein, zu dem wir zufällig gelangt und der so gut zu unserm Innern paßt ... so kennt uns die ganze Gegend, und wir sind stolz darauf, daß unser Wandel von der Art ist, um jenen heiligen Namen und Gestalten, zu deren Nachahmung wir uns bekennen, keine Schande zu machen.[11]

Diese „wiederholten Spiegelungen“ zwischen Wirklichkeit, Kunst und Heiligenvorbildern werden noch weiter fortgesetzt, indem die Geschichte des Wirts wiedererzählt wird von Wilhelm in einem Brief an Natalie und er nun Verbindungen herstellt zwischen seiner eigenen Person und der seines Gastgebers:

> Soeben schließe ich eine angenehme, halb wunderbare Geschichte, die ich für dich aus dem Munde eines gar wackern Mannes aufgeschrieben habe. Wenn es nicht ganz seine Worte sind, wenn ich hie und da meine Gesinnungen bei Gelegenheit der seinigen ausgedrückt habe, so war es bei der Verwandtschaft, die ich hier mit ihm fühlte, ganz natürlich.

Wilhelm „suppliert“ ironisch, er knüpft, in Scherz und Ernst fragend, die Beziehungen zwischen Sankt Joseph und sich selbst sowie zwischen Marie, der Witwe, und Natalie: „Jene Verehrung seines Weibes, gleicht sie nicht derjenigen, die ich für dich empfinde? und hat nicht selbst das Zusammentreffen dieser beiden

[10] HA 8, 21—23.
[11] HA 8, 27—28.

Liebenden etwas Ähnliches mit dem unsrigen?"[12] Im Hintergrund des Vergleiches steht als *tertium comparationis* die Heilige Familie. „Die entferntesten Dinge" werden hier „leicht aufeinander" bezogen und die überraschenden Ähnlichkeiten bei aller Verschiedenheit geistreich hervorgehoben. Hat doch Wilhelm in den *Lehrjahren* auch „Pflichten und Freuden des Pflegevaters und Vaters" in einer Person vereinigt, ist ihm die schöne Amazone doch auch als Heilige erschienen, „daß es ihm auf einmal vorkam, als sei ihr Haupt mit Strahlen umgeben"[13], haben doch Wilhelm und Natalie auch durch das Kind zueinander gefunden. Die Stellung, die das Paar in der Nacht einnimmt, als man Felix vergiftet glaubt, erinnert an die Gruppierung der Heiligen Familie: „Wilhelm saß vor ihr [Natalie] auf einem Schemel; er hatte die Füße des Knaben auf seinem Schoße, Kopf und Brust lagen auf dem ihrigen, so teilten sie die angenehme Last..."[14] Die Kühnheit des Vergleiches wird aufgehoben durch die Ironie. Alles stimmt nur *cum grano salis* überein. Es ist die Heilige Familie und doch nicht die Heilige Familie. Die beiden irdischen Paare unterscheiden sich durch individuelle Abweichungen vom Urbild. Bei Wilhelm und Natalie leuchtet das Vorbild nur noch entfernt durch, aber im individuellen Fall wird doch das Allgemeine ironisch sichtbar: die menschliche Grundsituation der Familie. Darin erweist sich der Ernst der Goetheschen Ironie, daß sie auf Urbilder des menschlichen Daseins zurückführt.[15]

Weitere östliche Motive und Themen, die mit der westlichen Erzählung der *Wanderjahre* verknüpft werden, hat Katharina Mommsen in ihrem Buch über Goethe und *1001 Nacht* nachgewiesen.[16] Weitere Parallelen zum *Divan* zeigen sich in der Thematik und Wortwahl: „Freude am Dasein", „Vergangenheit und Gegenwart in Eins",[17] Liebe zwischen Alter und Jugend. Am sinnfälligsten wird diese Liebe gestaltet in der Novelle „Der Mann von funfzig Jahren", aber das Thema klingt auch an in dem Verhältnis zwischen dem älteren Herrn Revanne und der pilgernden Törin, zwischen Julie und Antoni sowie zwischen Hersilie und Wilhelm. Weitaus wichtiger aber ist, daß in der Novelle „Der Mann von funfzig Jahren" auch die Form des Spiegelgedichtes aus dem „Buch

---

[12] HA 8, 28.

[13] WA I 22, 45.

[14] WA I 23, 298.

[15] s. Hans-Jürgen Bastian: Zum Menschenbild des späten Goethe. Eine Interpretation seiner Erzählung Sankt Joseph der Zweite aus Wilhelm Meisters Wanderjahren. In: WB. 12 (1966) S. 481—82. Es läßt sich hier auch von Parodie im Sinne der vorliegenden Untersuchung sprechen, wie Bastian es getan hat; vgl. Gerda Röder: Glück und glückliches Ende im deutschen Bildungsroman (= Münchener Germanistische Beiträge, Bd. 2). München: Hueber 1968. S. 206 f.

[16] Katharina Mommsen: Goethe und 1001 Nacht (= Deutsche Akademie der Wissenschaften zu Berlin. Veröffentlichungen des Instituts für deutsche Sprache und Literatur, 21). Berlin: Akademie-Verlag 1960. S. 118—152.

[17] HA 8, 175; 144; 233. Siehe WA I 28, 284.

Suleika" und dem „Buch des Paradieses" übernommen wird. Die Liebe zwischen Flavio und Hilarie entfaltet sich im Wechselgedicht.[18]

In diesen Parallelen zum *Divan* zeigt sich, wie das lyrische und epische Spätwerk zusammengehören. Die Novelle „Sankt Joseph der Zweite" ist zugleich ein gutes Beispiel für die Ironie des ganzen Romans. In den häufigen distanzierenden Eingriffen des Erzählers hat man die Hauptquelle der Ironie in den *Wanderjahren* gesehen.[19] Aber die Rolle des Erzählers gehört überhaupt im 18. und 19. Jahrhundert organisch zum Roman.[20] Die Ironie des Erzählers ist eines der Mittel, das der Prosa des Romans erst dichterischen Rang verleiht. Sie ist gattungsgebundene Ironie und ist im Rahmen dieser Untersuchung nur insoweit in Betracht zu ziehen, als sie sich über den Bereich des Üblichen hinausbewegt. Auch die Tatsache, daß der Erzähler weniger als Verfasser, sondern mehr als „Redakteur", „Sammler oder Ordner dieser Papiere" und „treuer Referent" auftritt, stellt keine besondere Form der Ironie dar, sondern ist eine Standardtechnik des Romans, die in England von Samuel Richardson und in Deutschland besonders von Wieland ausgebildet worden ist.[21] Auch daß der „Herausgeber" der *Wanderjahre* den *ordo artificialis* an Stelle des *ordo naturalis* verwendet, ist keineswegs verwunderlich; es ist vielmehr *more Homerico* und durchaus charakteristisch für die Erzählfolge des Romans.[22]

Zum *ordo artificialis* gehören die üblichen Formen der Einschaltung und Weglassung. Sämtliche Novellen der *Wanderjahre* sind Einschaltungen im Sinne der rhetorischen Exempla, „eingelegte Geschichten als Belege", wie E. R. Curtius

---

[18] Staiger, III, 150; Benno v. Wiese: Johann Wolfgang Goethe. Der Mann von funfzig Jahren. In: B. v. W.: Die deutsche Novelle. Bd. 2. Düsseldorf: Bagel 1962. S. 26—52.

[19] Hans Reiss: Goethes Romane. Bern/München: Francke 1963. S. 227—228.

[20] Käte Friedemann: Die Rolle des Erzählers in der Epik (= Untersuchungen zur neueren Sprach- und Literaturgeschichte, N. F. 7). Leipzig: H. Haessel 1910; Rafael Koskimies: Theorie des Romans (= Annales Academiae Scientiarium Fennicae, H. 1). Helsinki: Finnische Literaturgesellschaft 1935. S. 88; 121; Wolfgang Kayser: Entstehung und Krise des modernen Romans (= Sonderdruck DVjs. 28). 4. Aufl. Stuttgart: Metzler 1963.

[21] s. Volker Neuhaus: Die Archivfiktion in Wilhelm Meisters Wanderjahren. In: Euphorion 62 (1968) S. 15—16; Manfred Karnick: Wilhelm Meisters Wanderjahre oder die Kunst des Mittelbaren (= Zur Erkenntnis der Dichtung, Bd. 6). München: Fink 1968. S. 169—180; Wolfgang Martens: Die Botschaft der Tugend. Die Aufklärung im Spiegel der deutschen Moralischen Wochenschriften. Stuttgart: Metzler 1968. S. 30 ff. Martens hat nachgewiesen, daß das Prinzip der fiktiven Verfasserschaft oder Herausgebertätigkeit bereits in den Moralischen Wochenschriften prinzipiell vorherrscht und das wesentliche Kriterium zur Bestimmung dieser Gattung darstellt. Die Verfasser „schreiben und redigieren vorgeblich, sie empfangen und beantworten ... Briefe ..." (S. 30). In dieser Hinsicht sind die Moralischen Wochenschriften Wegbereiter des Romans im 18. Jahrhundert.

[22] Lausberg, I, 247.

sie definiert. Er führt aus, wie in der Geschichte der Rhetorik später eine neue Form des rhetorischen Exemplums auftritt, die für die Folgezeit von großer Bedeutung wurde: „die Beispielfigur“, d. h. „die Verkörperung einer Eigenschaft in einer Gestalt“.[23] Auch die Gestalten der Novellen in den *Wanderjahren* sind Beispielfiguren: sie verkörpern bestimmte Tugenden und Schwächen. Man kann sie, wie man es oft getan hat, auf bestimmte Eigenschaften festlegen: Sankt Joseph der Zweite stellt die kirchlich-gläubige Entsagung und Nachfolge der Heiligen dar, die pilgernde Törin die Entsagung aus einer Art Torheit, die nichts anderes ist als „Vernunft unter einem andern Äußern“[24], Hilarie ist Sittlichkeit und Innigkeit der Entsagung, Nachodine-Susanne das Schöne-Gute, der Barbier in „Die neue Melusine“ Schmerz und Trauer um versäumte Entsagung, Odoard vereitelte Entsagung trotz aller sittlichen Anstrengung, der Barbier in „Die gefährliche Wette“ die mutwillige Mißachtung von „Zucht und Ordnung“, usw.[25]

Die beiden großen Spruchsammlungen „Betrachtungen im Sinne der Wanderer“ und „Aus Makariens Archiv“ sind Einschaltungen im Sinne der rhetorischen Sentenzen. Wie E. R. Curtius erklärt, fanden sich „in den antiken Dichtern ... Hunderte und Tausende von Versen, die eine psychologische Erfahrung oder eine Lebensregel auf knappste Form brachten“.[26] Im Mittelalter wurden diese antiken Sentenzen in großen Sammlungen der Lebens- und Weltweisheit zusammengestellt und bei allen möglichen Gelegenheiten angeführt. Die Spruchsammlungen der *Wanderjahre* stehen in dieser Tradition.

Die einzelnen Formen der Weglassung lassen sich aufweisen, z. B. in dem Abschluß der fragmentarischen Novelle „Nicht zu weit“ und in der indirekten Beschreibung der Szene zwischen Flavio und der schönen Witwe sowie in der Entfaltung seiner Liebe zu Hilarie in der Novelle „Der Mann von funfzig Jahren“. Ebenso werden die Folgen der nächtlichen Begegnung von Major, Hilarie und Flavio auf dem Eise auf knappe Weise vom Herausgeber zusammengefaßt: „Unsere Leser überzeugen sich wohl, daß von diesem Punkte an wir beim Vortrag unserer Geschichte nicht mehr darstellend, sondern erzählend und betrachtend verfahren müssen, wenn wir in die Gemütszustände, auf welche jetzt alles ankommt, eindringen und sie uns vergegenwärtigen wollen.“[27] Auch beim Abschluß der Novelle — der kein Abschluß ist —, sowie gegen Ende des Gesamtromans bedient sich der Erzähler der Zeitraffung: „Hier aber wird die Pflicht des Mitteilens, Darstellens, Ausführens und Zusammenziehens immer

---

[23] Curtius, 67—70.
[24] HA 8, 60.
[25] Arthur Henkel: Entsagung. Eine Studie zu Goethes Altersroman (= Hermaea, N. F. 3). 2., unveränderte Aufl. Tübingen: Niemeyer 1964. S. 76—93; HA 8, 589.
[26] Curtius, 68.
[27] HA 8, 215.

schwieriger. Wer fühlt nicht, daß wir uns diesmal dem Ende nähern, wo die Furcht, in Umständlichkeiten zu verweilen, mit dem Wunsche, nichts völlig unerörtert zu lassen, uns in Zwiespalt versetzt."[28]

Die Darstellung der erwachenden Liebe zwischen Hilarie und Flavio wünscht sich der Erzähler „von einer zarten Frauenhand umständlich geschildert zu sehen, da wir nach eigener Art und Weise uns nur mit dem Allgemeinsten befassen dürfen".[29] Die Wiedergabe der Szene zwischen der schönen Witwe und Flavio wird ausgelassen mit der Bemerkung: „Eine Szene, wie dies zugegangen, wagten wir nicht zu schildern, aus Furcht, hier möchte uns die jugendliche Glut ermangeln."[30] Nach dieser ironischen Verwendung des Topos der dichterischen Bescheidenheit geht der Erzähler mit Hilfe der *brevitas*-Formel über zu einer Diskussion der Folgen dieses Ereignisses. In der Novelle „Nicht zu weit" findet sich eine Affekt-Aposiopese bei der Begegnung zwischen Odoard und der unerreichbaren Geliebten: „Die Silben ‚Au-ro-ra' erstarben auf seinen Lippen."[31] Diese Aposiopese wird im Großen widergespiegelt in der absichtlich fragmentarischen Form dieser Novelle, die den Titel ironisch reflektiert. Ob und wie Odoard die Krise gemeistert hat, läßt sich nicht eindeutig entscheiden. Der Erzähler bedient sich der rhetorischen Retizenz, durch die die Problematik der Novelle in Schwebe gebracht wird.

Diese Formen der Einschaltung und Weglassung gehören zu den gängigen Formen des *ordo artificialis* der Erzählkunst. Aber während Homer der rhetorischen Tugend der Klarheit huldigt und als Meister der *narratio aperta*, der Übersichtlichkeit und Deutlichkeit in der Gesamtkonzeption sowie in der Anordnung der Erzähleinheiten, gilt, scheint Goethe dem rhetorischen Laster der *obscuritas* zu frönen.[32] Erst von dieser absichtlichen *obscuritas* her ergibt sich ein Zugang zu der spezifisch Goetheschen Ironie. Der Nachweis rhetorischer Formen an sich beweist nicht viel; entscheidend ist vielmehr, nach welchem Gestaltungs- und Formprinzip sie eingesetzt und verwendet werden. Ein gutes Beispiel für die von Goethe gepflegte ironische *obscuritas* ist die Einführung

---

[28] HA 8, 436.
[29] HA 8, 208.
[30] HA 8, 209.
[31] HA 8, 401.
[32] Lausberg, I, 167 ff.; 177; siehe auch Manfred Fuhrmann: Obscuritas. Das Problem der Dunkelheit in der rhetorischen und literar-ästhetischen Theorie der Antike. In: Wolfgang Iser (Hrsg.): Immanente Ästhetik. Ästhetische Reflexion. Lyrik als Paradigma der Moderne. München: Fink 1968. S. 47—72; Heidi Gidion hat in ihrer Untersuchung zur Darstellungsweise von Goethes Wilhelm Meisters Wanderjahre (= Palaestra 256). Göttingen: Vandenhoeck & Ruprecht 1969, die nach Abschluß der vorliegenden Abhandlung erschien und vielfach in enger Berührung mit meinen Gedankengängen steht, die „nicht geführten Gespräche", das „Einschalten", das „Abbrechen", die „Kontinuität im stückhaft Erzählten" und den „Erzählfortschritt als Rückwendung" hervorgehoben (S. 7—8).

der Instrumententasche des Wundarztes aus den *Lehrjahren* in dem Köhlergespräch zwischen Wilhelm und Montan in den *Wanderjahren:*

> Unter solchem Gespräch nun zog Wilhelm, ich weiß nicht zu welchem Gebrauch, etwas aus dem Busen, das halb wie eine Brieftasche, halb wie ein Besteck aussah und von Montan als ein Altbekanntes angesprochen wurde. Unser Freund leugnete nicht, daß er es als eine Art von Fetisch bei sich trage, in dem Aberglauben, sein Schicksal hange gewissermaßen von dessen Besitz ab.

Es zeigt sich dabei, daß die *obscuritas* nicht nur thematisch, sondern zugleich auch erzähltechnisch gegeben ist. Der Erzähler weiß genau, worum es sich handelt, aber er klärt das Geheimnis nicht auf. Er hält den Leser hin und vertröstet ihn auf eine spätere Lösung: „Was es aber gewesen, dürfen wir an dieser Stelle dem Leser noch nicht vertrauen, so viel aber müssen wir sagen, daß hieran sich ein Gespräch anknüpfte, dessen Resultate sich endlich dahin ergaben, daß Wilhelm bekannte: wie er schon längst geneigt sei, einem gewissen besonderen Geschäft ... sich zu widmen."[33] Wilhelms Wunsch wird geheimnisvoll verhüllt der Turmgesellschaft vorgetragen und genehmigt. Der Abbé schreibt an Wilhelm: „Und so ist Ihnen verziehen, daß Sie in Ihrem Schreiben ... ein Geheimnis davon machen. ... Deshalb wiederhol' ich im Namen aller: Ihr Zweck, obschon unausgesprochen, wird im Zutrauen auf ... Sie gebilligt."[34] Erst nach zwanzig Kapiteln, in Wilhelms Brief an Natalie, erfährt der Leser, daß es sich um die Instrumententasche des Wundarztes und Wilhelms Medizinstudium handelt. Dieses geheimnisvolle Hinhalten, Unterbrechen und entfernte Wiederanknüpfen der Handlungsführung und Sinnfügung sowie das unerklärte Dastehen-Lassen von Motiven, Ereignissen und Erzähleinheiten erweist sich als Gestaltungs- und Formprinzip der *Wanderjahre.* Die *obscuritas* setzt die Erzählung in Gang und erhält die Spannnung.

Mit der *obscuritas* ist dem Erzähler völlige Freiheit in der Anordnung der Ereignisse gewährleistet. Er kann schalten und walten mit dem Stoff, wie er will. Es geht ihm darum, den Einen Sinn in vielen verschiedenen Stücken auszudrücken. Dieser Eine Sinn aber liegt nicht in der Reihenfolge der Ereignisse, sondern im Nebeneinanderstellen von Vorgängen, die zunächst nichts miteinander zu tun haben, aber auf Grund der Zusammenstellung plötzlich überraschende Zusammenhänge offenbaren. Wie Wilhelm als Erzähler der Episode vom Fischerknaben erklärt: „Bei dem Mannigfaltigen, was mir noch zu sagen übrigbleibt, habe ich die Wahl, was ich zuerst vornehmen will; aber auch dies ist gleichgültig."[35] Und doch ist der Erzähler an das Nacheinander in der Zeit gebunden. Wilhelm beklagt sich, „daß wir die Mittelglieder, die Hülfsglieder unserer Gedanken, die sich in der Gegenwart so flüchtig wie Blitze wechsel-

[33] HA 8, 40—41.
[34] HA 8, 243.

seitig entwickeln und durchweben, nicht in augenblicklicher Verknüpfung und Verbindung vorführen und vortragen können."[36] Deshalb empfiehlt er Natalie:

> ... du mußt dich eben in Geduld fassen, lesen und weiter lesen, zuletzt wird denn doch auf einmal hervorspringen und dir ganz natürlich scheinen, was mit einem Worte ausgesprochen dir höchst seltsam vorgekommen wäre, und zwar auf einen Grad, daß du nachher diesen Einleitungen in Form von Erklärungen kaum einen Augenblick hättest schenken mögen.[36a]

Der Eine Sinn kann nicht „mit einem Wort ausgesprochen" werden. Wilhelm verweist als Erzähler auf „Lesen und Weiter-Lesen". Er ist an die Folge in der Zeit gebunden. Er kann nicht synchronistisch, aber doch „symphronistisch" — d. h. gleichsinnig — darstellen.[37] Die „Einleitungen in Form von Erklärungen" heben sich im Vollzug des „Lesens und Weiter-Lesens" von selbst auf. Es gibt in diesem Roman keine klare und übersichtliche Anordnung der Erzähleinheiten, auch nicht nach dem *ordo artificialis*. Der Eine Sinn springt „auf einmal" hervor.

Man hat lineare und zyklische Erzählprinzipien für die *Wanderjahre* geltend gemacht. Goethes Werkbezeichnung „Straußkranz", „Geschlinge" und „Verflechtung" scheinen auf eine zyklische Form hinzuweisen, obwohl die beiden letzteren Bezeichnungen auch für ein lineares Reihungsprinzip in Anspruch genommen werden können. Das Bild des Flusses am Ende des Romans deutet auf eine Reihung bei „gekreiseltem Strome" hin.[38] Diese Verbindung von Linie und Kreis zur Spirale als Kompositionsprinzip wird auch vom zweiten Makarien-Kapitel her suggeriert. Doch ist dabei in Erwägung zu ziehen, daß sich diese Spirale nicht nur „in stetig zunehmenden Kreisen" in die Höhe erhebt, sondern zugleich auch wieder in ständig abnehmenden Kreisen verengt.[39] Außerdem gibt es zentrifugale Bewegungen: die Reise der Auswanderer in den Westen nach Amerika und die Fahrt der Binnenwanderer in die entfernte Provinz, die unter der Leitung von Odoard steht. Dabei ergeben sich in jeder Richtung zahlreiche Doppelspiegelungen. Die sternhafte Erhöhung der Makarie spiegelt sich nicht nur in Montans Versenkung „in die tiefsten Klüfte der Erde", sondern auch in den terrestrischen Beziehungen der Gesteinfühlerin sowie in Makariens klärender Einwirkung auf die schöne Witwe, Hilarie und die Auswanderergesellschaft. Die häufige Verwendung der Formel „doppelt und dreifach" im Roman verweist auf die vielfältige Wiederholung der Spiegelungen. Das Erzählprinzip läßt sich nicht auf stimmige Kompositionsfiguren zurückführen,

---

[35] HA 8, 280.
[36] HA 8, 269; s. Karnick, a.a.O. S. 158—169.
[36a] HA 8, 280.
[37] HA 8, 159.
[38] HA 8, 459.
[39] HA 8, 450.

sondern besteht in der *obscuritas*, in der zarten, halb schweigenden, halb andeutenden ironischen Manier, wodurch man sich des Einen Sinnes plötzlich gewiß wird, „und sich doch immer des Zweifels nicht ganz erwehren kann“, wie Flavio sagt.[40] Was hier zugrunde liegt, ist nahezu eine Sabotage der Rhetorik, deren Aufgabe gerade darin besteht, den Hörer oder Leser durch eine bestimmte Anordnung der Gedanken und Worte mit dem Sinn vertraut zu machen. Die Erzählordnung wird hier absichtlich verwirrt, und rhetorische Einzelformen werden nur scheinbar ihrer Funktion gemäß eingesetzt. Dadurch geraten sie in jenen eigentümlichen Zustand der Schwebe, der so typisch ist für die Goethesche Ironie.

Fast sämtliche Novellen der *Wanderjahre* werden unvermittelt eingeschaltet. Sie erscheinen zunächst als isolierte Einzelfälle, und doch fördern sie die Romanentwicklung und haben einen Sinn im Gesamtgefüge, den man seinerseits wiederum nicht überanstrengen darf. Dieser Sinn kommt besonders deutlich zum Vorschein in den Novellen „Das nußbraune Mädchen“ und „Der Mann von funfzig Jahren“, in denen nicht nur die Träger der Handlung, sondern die Novellenhandlung selbst in die Romanhandlung hinüberwechseln und in sie verwickelt werden. Andererseits wird dieser Sinn wieder teilweise aufgehoben, indem das Schicksal der Beispielfiguren gegen Ende des Romans eigentümlich nebensächlich wird, wenn es nicht nahezu verflacht und ironisiert wird, wie im Falle von Hilarie und Flavio. Der einzige Fortschritt, den Flavio gemacht zu haben scheint, besteht darin, daß er nun „als Hauptmann und entschieden reicher Gutsbesitzer auftrat“. Seine früher unleugbare dichterische Begabung erscheint jetzt als Dilettantismus und Anmaßung. Die Innigkeit und Sittlichkeit der Entsagung, wie sie Hilarie verkörpert, wird leicht frivol abgewandelt in „allzu große Leichtigkeit“, die „überall gar gern Verzeihung“ findet, besonders bei den Männern: „Einen dergleichen Fehler, wenn es einer ist, finden sie nicht anstößig, weil ein jeder wünschen und hoffen mag, auch an die Reihe zu kommen.“[41] Die Novelle „Das nußbraune Mädchen“ verschwimmt gegen Ende des Romans in der Andeutung einer vermutlichen Verbindung von Nachodine-Susanne und Lenardo. So ergibt sich eine ironische Dialektik von Isolation und Integration, Divergenz und Relation. Die Exempla von Goethes Novellen umfassen einen bestimmten Kreis von Themen, die mit der Haupthandlung des Romans in Beziehung stehen. Die Forschung hat im einzelnen dargelegt, wie in Haupthandlung und Novellen „Selbstbeschränkung und Maßlosigkeit, Besonnenheit und Ungestüm, Entsagung und Leidenschaft, und was an Gegensätzen dieser Art im menschlichen Leben auftritt“, entsprechend dem Untertitel des Romans „zu einer gemeinschaftlichen Aussage“ zusammengefaßt

---

[40] HA 8, 186.

[41] HA 8, 437.

werden.[42] Aber jedes System, das den Roman auf eine schlüssige Antwort oder eine eindeutige Struktur festzulegen versucht, verfehlt den intendierten Sinn, der von der *obscuritas* lebt. Es gilt also bei der Interpretation, diese *obscuritas* zu respektieren, ohne dabei nun einem literar-ästhetischen Obskurantismus zu verfallen.

Exempla sind, wie die Rhetorik sie definiert, außerhalb der eigentlichen Sache bzw. des Themas liegende Beispiele, die als Beweismittel herangezogen werden. Die Leistung des Redners besteht gerade darin, die Exempla mit der Sache in Beziehung zu setzen. Die Rhetorik liefert dafür eine eigens ausgebildete Methode.[43] Aber Goethe setzt die Exempla der Novellen im Gegensatz zu ihrer rhetorischen Funktion ein: entweder überläßt der Erzähler dem Leser die Verknüpfung von Exemplum und Thema, d. h., der Leser hat die Beziehungen selbst zu „supplieren", oder aber der Erzähler hebt die Distanz des Vergleiches zwischen dem Beispiel und der Sache der Haupthandlung völlig auf, d. h., er übernimmt die Novellenhandlung in die Romanhandlung, oft unter ironischer Umkehrung des Vorzeichens. Dadurch entsteht eine ironische Schwebe, die die Exempla einer systematischen und moralistischen Auslegung entzieht. Die Exempla geraten auch in Form der Beispielfiguren aus den Novellen in die Schwebe. Diese Beobachtung trifft besonders auf Hilarie zu, aber auch auf Sankt Joseph den Zweiten, den Barbier u. a. m. Man kann sie, wie angedeutet, auf bestimmte Tugenden und Schwächen festlegen, aber verfehlt dadurch ihre Bedeutung, die sich nicht auf die Verkörperung einer einzigen Eigenschaft einengen läßt. Goethe befreit die Exempla von ihrer pragmatischen Funktion und erhebt sie in den Spielraum des Dichterischen.

Ähnlich verhält es sich mit den Sentenzen der beiden großen Spruchsammlungen. Die Aufgabe des Dichters besteht darin, die Sentenz mit der Sache der Rede in Verbindung zu bringen, wie Heinrich Lausberg sagt. Goethe überläßt wiederum dem Leser die Aufgabe und erreicht dadurch eine weitaus größere Verallgemeinerung und philosophische Durchdringung des Einzelfalles sowie eine Erweiterung ins Unendliche.[44] Die Sentenzen sind nicht auf die Romanhandlung beschränkt und doch gerade in ihrer Zusammenhanglosigkeit mit ihr in Beziehung zu setzen. Auch die Werkgeschichte der Sprüche in den *Wanderjahren* weist auf diese Verbindung von allgemeiner Anwendbarkeit und direkter Bezugnahme auf den Roman, wie Erich Trunz angedeutet hat.[45] Die Sprüche scheinen zunächst rein äußerlich nur zur Ausfüllung der drei Bände der *Wanderjahre* in der Ausgabe letzter Hand von Eckermann zusammengestellt worden

---

[42] Mommsen: Goethe und 1001 Nacht. S. 121; s. Neuhaus: Die Archivfiktion in Wilhelm Meisters Wanderjahren. S. 25.

[43] Lausberg, I, 228—232.

[44] Lausberg, I, 431 ff.

[45] HA 8, 681—685.

zu sein. Goethe erklärt im Gespräch: „Genau genommen gehört es zwar nicht dahin, ... Wir kommen dadurch für den Augenblick über eine große Verlegenheit hinaus und haben zugleich den Vorteil, durch dieses Vehikel eine Masse sehr bedeutender Dinge schicklich in die Welt zu bringen."[46] Später aber spricht Goethe von einem inneren Zusammenhang der Spruchsammlung mit dem Roman. In einem Brief vom 2. Mai 1829 an Wilhelm Reichel, den Geschäftsführer im Cotta-Verlag, sagt Goethe: „Am Schluß ... und im Zusammenhang des Ganzen finden sie [die Spruchsammlungen] ... ihre Deutung, einzeln möchte manches anstößig sein." So werden die Sentenzen schließlich mit dem Roman in der typischen Art der Goetheschen Ironie „sowohl was das Äußere als das Innere betrifft ... in's Gleiche" gesetzt.[47] Die Sentenzen, die ihrerseits zumeist polar strukturiert und auf Unendlichkeit ausgerichtet sind, erweisen sich nur entfernt und *cum grano salis,* d. h. nur auf ironische Weise, als zutreffend für die Romanhandlung. Aber dadurch erhält das Gesamtgefüge des Romans, oder das „Aggregat", wie Goethe es einmal nennt[48], jene intendierte „Art von Unendlichkeit, die sich in verständige und vernünftige Worte nicht durchaus fassen, noch einschließen läßt".[49]

Schließlich läßt sich auch für die Formen der Auslassung die Beobachtung machen, daß sie in ihrer ursprünglichen Funktion aufgehoben werden. Die Novelle „Der Mann von funfzig Jahren" wird fortgesetzt in der Wallfahrt an den Lago Maggiore und in dem Besuch der Ehepaare bei Makarie. Die Erzählung „Das nußbraune Mädchen", die zunächst durch den Besuch auf Valerinens Gut in der ironischen Auflösung der Schuld als Mißverständnis ein Ende zu finden scheint, erhält neuen Auftrieb durch die Suche nach dem richtigen nußbraunen Mädchen. Die Erzählung bricht zunächst ab, dann wird der Schluß vorweggenommen, indem Wilhelm berichtet, daß Nachodine gefunden ist, aber er zugleich den Ort in verschleiernden Umschreibungen verheimlicht. Die Erzählung wird dann in vier weiteren Erzähletappen zu Ende gebracht. Die Novelle „Nicht zu weit" wird auf einer anderen Ebene kontrapunktisch fortgesetzt durch Odoards Vortrag über das europäische Projekt.

Werkgeschichtlich wird deutlich, daß es um das Prinzip der Einheit bei aller Stückhaftigkeit, des Zusammenhangs bei aller Unverbundenheit, der Fortsetzung bei aller Unterbrechung, der Reihung bei aller Trennung geht. Wie Katharina Mommsen gezeigt hat, läßt sich aus Goethes Tagebüchern und Briefen ersehen, daß er um 1807, als er die Arbeit am *Wilhelm Meister* wieder aufnimmt, nach einem Erzählprinzip sucht. Er geht dabei Rahmenerzählungen größeren Umfangs durch wie Boccaccios *Decameron,* das *Heptameron* der Mar-

[46] Eckermann, 379.
[47] WA IV 45, 261; WA IV 45, 191.
[48] Biedermann, 4, 217.
[49] WA IV 46, 166.

garete von Navarra, Antoine de la Sales *Cent nouvelles nouvelles, Tausend und Eine Nacht* sowie seine eigenen *Unterhaltungen deutscher Ausgewanderten,* „besonders ... in Absicht auf Ordnung der Massen", wie er sagt.[50] Beim Abdruck des „Märchens" aus den *Unterhaltungen* hatte Schiller Goethes Stilabsichten von Abbruch und Fortsetzung nicht befolgt, wie Katharina Mommsen darlegt.[51] Goethe wollte das „Märchen" getrennt gedruckt haben, „weil eben bei so einer Produktion eine Hauptabsicht ist die Neugierde zu erregen. Es wird zwar immer auch am Ende noch Rätsel genug bleiben".[52] Aber Schiller wollte den Lesern das Ganze so klar und übersichtlich wie möglich darbieten, und so erschien das „Märchen" in den *Horen* in einem Stück. Die *Wanderjahre* werden nun 1821 ausdrücklich als „nicht aus Einem Stück, so ... doch aus Einem Sinn" angekündigt.[53] Goethe benützt diese Polarität, um die *obscuritas* herzustellen, die natürlich nicht als Verworrenheit verstanden werden darf, sondern die Sinn und Form des Romans darstellt. Die Aussage bewegt sich im Raume der Andeutung und Verschleierung, des Anklingen-lassens und der Spiegelung und zielt so *par ricochet* auf einen bestimmten höheren Sinn hin. Die *obscuritas* deckt sich begriffsmäßig mit Goethes Auffassung vom „offenbaren Geheimnis". Als „offenbares Geheimnis" gibt die *obscuritas* bei aller Bruchstückhaftigkeit den Einen Sinn zu verstehen.[54] Von diesem Prinzip her ist das Wesen der *Wanderjahre* zu erfassen, und so lassen sich die einzelnen Ironieformen des Romans in aufsteigender Größenordnung vom Wort zum Buch hin interpretieren. Bei einer solchen Einzelauslegung der Kleinformen der Ironie besteht natürlich die Gefahr, daß das Verständnis für den Gesamtzusammenhang verloren geht. In einer abschließenden Darstellung der großen Themen des Romans wird später versucht, dieser Gefahr von der Interpretation der Großformen der Ironie her zu begegnen.

Wenn es auch an werkgeschichtlichen Hinweisen auf „Scherz und Ernst" fehlt, so werden sie doch im Text der *Wanderjahre* erwähnt. In der Geschichte von Sankt Joseph dem Zweiten werden das Wunderliche und der Ernst in Beziehung zueinander gebracht, wie bereits gezeigt. Wilhelm lächelt über die Ähnlichkeit zwischen den Heiligenbildern und dem Gastgeberpaar und erfährt dann den ernsten Hintergrund der Geschichte. Die pilgernde Törin trägt die Ballade von der Mühle des Ungetreuen „lustig und lächerlich" vor, obwohl es ihr sehr ernst mit dem Lied ist. Als man sie „zum Scherz" fragt, „ob sie den frostigen Helden ihrer Romanze nicht kenne", schlägt sie ihre Augen „so ernst

---

[50] Mommsen: Goethe und 1001 Nacht. S. 118—121; WA I 53, 439.

[51] Mommsen: Goethe und 1001 Nacht. S. 57—68.

[52] WA IV 10, 297—298.

[53] WA IV 35, 74.

[54] s. Eberhard Sarter: Zur Technik von Wilhelm Meisters Wanderjahren (= Bonner Forschungen, N. F. 7). Berlin: Grote 1914. S. 1—14; Karnick, a.a.O. S. 81—87; 134 bis 141; Gidion, a.a.O. S. 91.

und streng" auf, daß man ihren Blick nicht aushalten kann.[55] Im Lebensbereich des Oheims gilt es, daß sich „auf ernstem Lebensgrunde das Heitere so schön [zeigt], Ernst und Heiligkeit ... die Lust [mäßigen], und nur durch die Mäßigung ... wir uns [erhalten]".[56] In der Novelle „Wer ist der Verräter" wird Lucidors betulicher „Ernst" durch eine „Posse", einen „Spaß" aufgehoben und bestätigt. In den nächtlichen Monologen ermahnt sich der jugendliche Liebhaber: „Nun besinne dich denn! es ist Ernst. Du hast viel Ernstes gelernt und durchdacht."[57] Aber die Possen am Tage vereiteln und fördern zugleich seine ernsten Vorsätze der Nacht. Die „Scherzreden", mit denen Julie ihre Schwester Lucidor überläßt, erweisen sich als ernster Verzicht. Mit Juliens Handdruck aber wird die paradoxe Umkehrung von Scherz und Ernst durchkreuzt. Julie erklärt später: „Ich wollte S i e nicht, das ist wahr, aber daß S i e m i c h ganz und gar nicht wollten, das verzeiht kein Mädchen, und dieser Händedruck war, merken Sie sich's! für den Schalk. Ich gestehe, es war schalkischer als billig."[58] In den letzten Worten zeigt sich, auf welche Weise auch die Geschichte ironischer als billig ist, und wie mädchenhaftige Schalkhaftigkeit die *obscuritas* herstellt, von der die Geschichte lebt. In der Pädagogischen Provinz ist die erste Ehrfurchtsgebärde „ernsthaft-froh", und es ist verständlich, daß Felix sich diesen Gruß zunächst nur mit „schnackischer Miene" anzueignen vermag, da ihm „ein geheimer Sinn dabei ... noch nicht aufgegangen" ist.[59] „Ernst-lieblich" wird Wilhelm in der Region der Künstler in der Pädagogischen Provinz ein Lied vorgetragen, das ihm „sehr paradox" vorkommt.[60]

Der Major, der Mann von funfzig Jahren, ist betroffen von der schicksalhaften Ironie der Liebe seiner Nichte Hilarie zu ihm. Als seine Schwester ihm erklärt, daß Hilarie ihn liebt, ruft er aus: „Es wäre ein sehr unzeitiger Scherz, wenn du mich etwas überreden wolltest, das mich im Ernst so verlegen wie unglücklich machen würde." Fast wie die Personen in den *Wahlverwandtschaften* erkennt der Major blitzartig die tragische Potentialität der Situation und vermag sich ihr doch nicht zu entziehen, im Gegenteil, er fördert die Verwicklung sogar, indem er sein Gewissen einschläfert mit dem Trost, „daß Neigungen dieser Art nur scheinbar sind, daß ein Selbstbetrug dahinter verborgen liegt, und daß eine echte, gute Seele von dergleichen Fehlgriffen oft durch sich selbst oder doch wenigstens mit einiger Beihülfe verständiger Personen gleich wieder zurückkommt."[61] Diese Bemerkung erweist sich im Rahmen der Novelle als ironischer Fehlschluß, denn der Major verfällt der Selbsttäuschung, aber auf der

[55] HA 8, 59.
[56] HA 8, 83.
[57] HA 8, 91.
[58] HA 8, 114.
[59] HA 8, 153.
[60] HA 8, 255—256.
[61] HA 8, 169.

Ebene der Makarienhandlung findet seine Aussage schließlich in Form einer höheren Ironie eine Bestätigung, indem Makarie den Seelen zuletzt in der Entsagung wieder zu sich selbst zurück und zu einander verhilft.

Der Major versucht von seinem „theatralischen Freund", dem „wohlkonservierten Schauspieler", Ratschläge für die kosmetische Verjüngung zu erlangen. Mit einer paradoxen Formulierung sucht er, den Freund zum Sprechen zu bewegen: „Wenn es auch keine Zauberei ist ... wodurch ihr andern euch jung erhaltet, so ist es doch ein Geheimnis." Der Freund antwortet ihm: „Du magst im Scherz oder im Ernst reden ... so hast du's getroffen."[62] Es wird hier deutlich, wie selbst auf der Ebene der Kosmetik Geheimnis und Ironie einander in die Hände spielen.

Als der Major zum ersten Male von der Liebe seines Sohnes zur schönen Witwe erfährt, vermag er „die Heiterkeit" nur mit Mühe zu verbergen und spricht zu dem Sohn „mit einem milden Ernst".[63] Die Liebe zwischen Flavio und Hilarie entwickelt sich im Zeichen von Scherz und Ernst. Wenn bei den Rettungsaktionen während der Überschwemmung, an denen die beiden teilnehmen, „der Anschein eines gefährlichen Moments die Fortrudernden zu beunruhigen schien, so endete solches nur mit neckendem Scherz, daß eins dem andern eine ängstliche Miene, eine größere Verlegenheit, eine furchtsame Gebärde wollte abgemerkt haben".[64] Bei diesem neckenden Spiel in Scherz und Ernst werden sie sich nicht der eigentlichen Gefahr bewußt, in der sie schweben. Nach der Katastrophe erhält der Major einen Brief „jenes kosmetischen Freundes", der ihm ausgerechnet in diesem Augenblick zu bedenken gibt, „daß es für einen Mann in gewissen Jahren das sicherste kosmetische Mittel sei, sich des schönen Geschlechts zu enthalten". Der Major zeigt den Brief seiner Schwester, „zwar scherzend, aber doch ernstlich genug auf die Wichtigkeit des Inhaltes hindeutend".[65] Die Ironie der Situation besteht darin, daß der Major ja nur deshalb auf die Kosmetik zurückgegriffen hatte, um einen Eindruck auf das schöne Geschlecht zu machen.

Wie sehr „Scherz" und „Ernst" als zusammengehörig empfunden werden, läßt die folgende tautologische Konstruktion erkennen. Wilhelm vergleicht in Gedanken die Auswanderergesellschaft mit der Schauspielertruppe der *Lehrjahre*, „doch schien ihm die gegenwärtige Gesellschaft viel ernster, nicht zum Scherz auf Schein, sondern auf bedeutende Lebenszwecke gerichtet".[66] Der Sinn dieser Stelle ergibt sich viel klarer und eindeutiger ohne die Einfügung „zum Scherz", aber das Wort „ernst" scheint das Wort „Scherz" fast automatisch nach sich zu

[62] HA 8, 173.
[63] HA 8, 182.
[64] HA 8, 211.
[65] HA 8, 217—218.
[66] HA 8, 313.

ziehen, obwohl es hier den Grundgedanken tautologisch durchkreuzt und so eine gewisse Unklarheit herstellt, die nichts mit der *obscuritas* des Romans zu tun hat.

Auch die Liebe zwischen der neuen Melusine und dem Barbier steht im Zeichen von Scherz und Ernst. Sie erklärt ihm, als er ihre Zwergengestalt erkannt hat: „Die Sache ist ernsthafter als du denkst ... indessen bin ich recht wohl zufrieden, daß du sie leicht nimmst: denn für uns beide kann noch immer die heiterste Folge werden.“[67] Der Schwank „Die gefährliche Wette“ wird eingeschaltet, weil, wie der Erzähler sagt, „unsre Angelegenheiten immer ernsthafter werden“.[68] Im Schwank selbst lacht der Barbier mit seinen Kumpanen „über das Aussehen einer närrischen Handlung, die ... [er] mit so vielem Ernste durchgeführt hatte“.[69]

Zu den Sprüchen „Aus Makariens Archiv“ gehören einige Betrachtungen über Laurence Sterne, die insofern in den *Wanderjahren* sehr angebracht sind, als Goethe ihn als Vorbild der Ironie und der Romankunst betrachtet. Es heißt dort:

> Er fühlte einen entschiedenen Haß gegen Ernst, weil er didaktisch und dogmatisch ist und gar leicht pedantisch wird, wogegen er den entschiedensten Abscheu hegte ...
>
> Shandeism nennt er die Unmöglichkeit, über einen ernsten Gegenstand zwei Minuten zu denken.
>
> Dieser schnelle Wechsel von Ernst und Scherz ... soll in dem irländischen Charakter liegen.
>
> Sagazität und Penetration sind bei ihm grenzenlos.[70]

Hier werden Hinweise gegeben, wie Goethes „Weisheitsbuch“ zu verstehen ist: auf jeden Fall nicht „didaktisch und dogmatisch“, sondern ironisch; wie die Sentenzen auf das Werk anzuwenden sind, und wie durch die Ironie eine „grenzenlose“ philosophische Durchdringung des Werkes ermöglicht wird.

Indem keine eindeutige Festlegung auf Scherz oder Ernst möglich ist, werden Aussagen und Ereignisse in den Bereich der *obscuritas* gerückt. Die Ironie in den *Wanderjahren* bezeugt sich aber nicht nur in der Polarität von „Scherz und Ernst“, sondern auch in anderen Wort- und Satzantithesen, die der *obscuritas* dienen. Sankt Joseph ist ein „halb in Trümmern liegendes, halb wohlerhaltenes Klostergebäude“.[71] Auf dem Berggipfel fühlen die Menschen ihre „Kleinheit und ... Größe“ zugleich.[72] Die Epoche der Erkenntnis wird von Montan als „ein Mittelzustand zwischen Verzweiflung und Vergötterung“ be-

[67] HA 8, 363.
[68] HA 8, 378.
[69] HA 8, 381.
[70] HA 8, 484.
[71] HA 8, 13.
[72] HA 8, 31.

zeichnet.[73] Die Landschaftsabbildungen auf dem Schloß des Oheims sind kunstreich dargestellt, „so daß die Einzelheiten deutlich in die Augen fielen und zugleich ein ununterbrochener Bezug durchaus bemerkbar blieb".[74]

In diesem Zusammenhang sind auch die zahlreichen Sprüche zu erwähnen, die sich auf dem Landgut des Oheims überall angebracht finden. Der Oheim hat sie, wie Hersilie erklärt, „von den Orientalen genommen, die an allen Wänden die Sprüche des Korans mehr verehren als verstehen".[75] Das Entscheidende an diesen Sprüchen ist die Struktur. Hersilie weist daraufhin, wenn sie in mädchenhafter Laune sagt: „Die Maximen der Männer hören wir immerfort wiederholen, ja müssen sie in goldnen Buchstaben über unsern Häupten sehen, und doch wüßten wir Mädchen im Stillen das Umgekehrte zu sagen, das auch gölte."[76] Wilhelm erkennt auch: „[Es] sind Sprüche darunter, die sich in sich selbst zu vernichten scheinen; so sah ich z. B. sehr auffallend angeschrieben: ‚Besitz und Gemeingut'; heben sich diese beiden Begriffe nicht auf?" Es ist die Struktur der Goetheschen Ironie: zwei gegensätzliche Begriffe sind zueinander in die Schwebe gebracht und verweisen auf einen dritten. Hersilie erklärt dazu: „Ich ... finde, daß man sie alle umkehren kann und daß sie alsdann ebenso wahr sind, und vielleicht noch mehr."[76a] In diesem „noch mehr" kommt das Prinzip der Steigerung, der Bezug auf einen höheren Sinn, zur Geltung.

Es entfaltet sich nun ein geselliges Gesprächsspiel, das darin besteht, diesen höheren Sinn zu finden. Durch die Ironie wird der didaktische Ton der Sprüche aufgelöst und ins Gesellschaftlich-Spielerische abgewandelt. Keine Lehre gilt als solche, es gehört stets eine Gegenthese dazu und ein höherer Sinn, der beide Lehren umfaßt. Deutlich kommt diese Ironie zum Ausdruck bei der Diskussion der Hypothesen über die Entstehung der Erdgestalt beim Bergfest. Mit offensichtlicher Ironie werden u. a. der Feuereifer der Plutonisten und die kühle Zurückhaltung der Vertreter der Eiszeittheorie beschrieben. Im ganzen werden fünf verschiedene Theorien vorgeführt, und Erich Trunz hat ganz recht, wenn er sagt, „daß man Montans und Goethes eigene Meinung in keiner ... suchen darf".[77] Wilhelm allerdings ist verwirrt und fragt den Freund am nächsten Morgen:

> Gestern konnt' ich dich nicht begreifen, denn unter allen den wunderlichen Dingen und Reden hofft' ich endlich deine Meinung und deine Entscheidung zu hören, an dessen Statt warst du bald auf dieser, bald auf jener Seite und suchtest immer die Meinung desjenigen, der da sprach, zu verstärken. Nun aber sage mir

[73] HA 8, 33.
[74] HA 8, 49.
[75] HA 8, 68 f.
[76] HA 8, 66.
[77] HA 8, 676

ernstlich, was du darüber denkst, was du davon weißt. ... Hier ... sind so viele widersprechende Meinungen, und man sagt ja, die Wahrheit liege in der Mitte.

Montan gibt die kryptische Antwort: „Keineswegs! ... in der Mitte bleibt das Problem liegen", und verweist Wilhelm auf „Denken und Tun, Tun und Denken", die in chiastischer Stellung zur „Summe aller Weisheit" verschränkt sind.[78] Damit werden nicht Gewißheit und Sicherheit gegeben, sondern nur ein Wink, sich über die polaren Gegensätze zu erheben.

In der Novelle „Wer ist der Verräter?" offenbart sich die Ungewißheit in den festen Vorsätzen, die Lucidor während der Nacht faßt, und den Enttäuschungen und Überraschungen, die er am Tage erleben muß: „... so fühlte er die aufregende Schönheit des Morgens nur, um zu verzweifeln. Er sah die Welt so herrlich als je, seinen Augen war sie es noch; sein Inneres aber widersprach: das gehörte ihm alles nicht mehr an, er hatte Lucinden verloren."[79]

Hersilie berichtet Wilhelm über die stürmische Szene mit Felix und einen „sonderbaren Umstand", der diese Szene „aufklärt und verdüstert". Sie weiß nicht, ob sie „den Tag segnen oder fürchten soll", der ihr Felix wieder zuführt.[80] Die innere Unsicherheit und Bedrängtheit des Menschen zeigt sich in diesen Antithesen, und sie verweisen ihn auf die Suche nach einem höheren Sinn.

Es sollte zu erwarten sein, daß in einem Werk, in dem es so sehr auf die Herstellung des Zustandes der Schwebe ankommt, dieses Schweben auch in Wort und Bild erscheint. Der ironische Schwebezustand wird nicht nur durch das Wort „Schweben", sondern auch durch die Wörter „hin und wider" ausgedrückt. Das Gleichgewicht der Entsagenden am Lago Maggiore wird bewahrt, indem sie auf den Wellen „abwechselnd hin und wider geschaukelt, angezogen und abgelehnt, genähert und entfernt, wallten und wogten".[81] Oder aber das „Hin-und-wider" wird mit der Goetheschen Metapher von Systole und Diastole verbunden: „Denken und Tun ... Beides muß wie Aus- und Einatmen sich im Leben ewig fort hin und wider bewegen."[82] Es gibt einen wichtigen Beleg, der die Erwartungen an den ironischen Wortsinn von „Schweben" erfüllt. Als davon berichtet wird, daß die Schöne-Gute bei Makarie an die Stelle von Angela tritt, bringt der Erzähler den Ausgang der Geschichte in den Zustand des Ironisch-Unbestimmten: „Hiemit wäre alles für den Augenblick berichtet; was nicht entschieden werden kann, bleibt im Schweben."[83]

---

78 HA 8, 262 f.

79 HA 8, 100.

80 HA 8, 457—58.

81 HA 8, 233; s. Bernd Peschken: Entsagung in Wilhelm Meisters Wanderjahren (= Abhandlungen zur Kunst-, Musik- und Literaturwissenschaft, Bd. 54). Bonn: Bouvier 1968. S. 79.

82 HA 8, 263.

83 HA 8, 447.

Ferner spielen das Bild des Spiegels und das Prinzip der Spiegelung eine große Rolle in diesem Werk. In der Bildergalerie des Oheims bemerkt Wilhelm, wie sich der in einer Biographie oder auf einem Porträt dargestellte Mensch vor den Leser oder Beschauer stellt „wie vor einen Spiegel; ihm sollen wir entschiedene Aufmerksamkeit zuwenden, wir sollen uns ausschließlich mit ihm beschäftigen, wie er behaglich vor dem Spiegelglas mit sich beschäftiget ist". Diese Spiegelung erfährt eine ironische Wiederholung, insofern Wilhelm selbst eine derartige Gestalt in einer Art von Biographie verkörpert. Der Erzähler spielt darauf an, indem er sagt: „Überraschend war sodann unserm Beschauer die Ähnlichkeit mancher längst vorübergegangenen mit lebendigen, ihm bekannten und leibhaftig gesehenen Menschen, ja Ähnlichkeit mit ihm selbst." Das bedeutet also, daß Wilhelm eine Person ist, die die Menschen auf den Porträts widerspiegelt und sich sodann auch vor uns stellt, wie vor einen Spiegel, und sich behaglich mit seinem Spiegelbild beschäftigt. Der Leser erhält hier zusammen mit der leicht ironischen Kritik des Erzählers an der Selbstbespiegelung des Helden einen direkten Hinweis auf die Täuschung durch das Spiegelbild des Porträts und der Biographie. Denn Porträt und Biographie stellen den Menschen, „den man sich ohne Umgebung nicht denken kann", einzeln abgesondert heraus und verfälschen somit das Gesamtbild: „... wir denken nicht an die große Welt, für die er sich eigentlich ... ausgebildet hat."[84] Mit diesem Hinweis auf die Erkenntnis und Täuschung des Spiegelbildes kommt in diesen Reflexionen zugleich ein Grundgedanke der *Wanderjahre* zur Geltung —, daß es sich also nicht mehr um die Ausbildung des Einzelmenschen für sich, sondern für seine Umwelt und Gesellschaft handelt.

Auch in „Wer ist der Verräter?" trägt der Spiegel zur Täuschung und Erkenntnis mit bei. Der Lustsaal „auf der bedeutendsten Höhe" in der Landschaft der Novelle ist mit einem Spiegel ausgestattet: „Niemand trat herein, ohne daß er von dem Spiegel zur Natur und von der Natur zum Spiegel sich nicht gern hin und wider gewendet hätte."[85] In dem Gebrauch von „hin und wider" zeigt sich der Zusammenhang von Schwebe- und Spiegelmotiv. Das Gebäude, das die Welt der Novelle beherrscht, wirkt als täuschender und klärender Spiegel. Die Personen in der Landschaft spiegeln sich „oben in der großen Glasfläche, man sieht ... [sie] dort recht gut, ... [sie] aber können ... [sich] nicht erkennen".[86] Die akustische Überwachung und Lenkung des Helden wird hier ins Visuelle erweitert. Zur Selbsterkenntnis ist es nötig, daß die Menschen vor den Spiegel treten. Gleichzeitig besteht aber die Gefahr der Täuschung durch den Spiegel, wie Lucidor erfährt. Trotz der Blendung durch den Widerschein der Sonne glaubt Lucidor erkennen zu können, „daß einem Frauen-

---

[84] HA 8, 79.
[85] HA 8, 94.
[86] HA 8, 110.

zimmer von einer neben ihr sitzenden Mannsperson die Hand sehr feurig geküßt wurde". Zu seinem Entsetzen sieht Lucidor „bei hergestellter Augenruhe" Lucinde und Antoni vor sich. Was er vorher gesehen, erscheint fast wie eine trügerische Vorspiegelung seiner schlimmsten Befürchtungen, besonders da „ihn Lucinde freundlichst und unbefangen willkommen" heißt.[87] Später erkennt Lucidor in diesem Spiegel seine Liebe in einem positiven Bilde. Sein Blick geht nieder zu dem Mädchen, das er nun in Wirklichkeit besitzt, und wieder hin zu dem Spiegel, der den Besitz reflektiert. Innigkeit und Glück der Liebenden stellen sich her in den wechselseitigen Spiegelungen. Wie Julie mit einer spöttischen Anspielung später bemerkt: „Dort haben sich vor kurzem wahrscheinlich ein Paar Leute näher bespiegelt und, ich müßte mich sehr irren, mit großer wechselseitiger Zufriedenheit."[88]

In der Novelle „Der Mann von funfzig Jahren" ist der Spiegel ebenfalls von großer und dabei ironischer Bedeutung. Als der Major am Morgen vor den Spiegel tritt — nachdem ihm seine Schwester von der Liebe seiner Nichte erzählt hat —, findet er sich nicht so, „wie er zu sein wünschte". Das sittliche Ungenügen, das darin besteht, daß er sich wider bessere Einsicht seinen Gefühlen überläßt, „ohne zu denken, wohin das führen könne", wird hier widergespiegelt, aber vom Major als physische Insuffizienz mißverstanden: „Einige graue Haare konnte er nicht leugnen, und von Runzeln schien sich auch etwas eingefunden zu haben. Er wischte und puderte mehr als sonst und mußte es doch zuletzt lassen, wie es sein konnte."[89] Diese Feststellung nimmt bereits das Ergebnis der Schönheits- und Verjüngungskur vorweg. Für eine Weile glaubt der Major sich „wirklich besser angezogen denn jemals", wenn er vor den Spiegel tritt. Er erkennt nicht, daß es sich lediglich um seine alte Uniform handelt, die „moderner zugestutzt" worden ist.[90] Der Briefwechsel zwischen seiner Schwester und Makarie wird für ihn schließlich zum „sittlich-magischen Spiegel" im gleichen Maße, wie er sich für die schöne Witwe bewährt. Sie erklärt: „Ich gefiel mir selbst nicht mehr, ich mochte mich vor dem Spiegel zurechtrücken, wie ich wollte, es schien mir immer, als wenn ich mich zu einem Maskenball herausputzte; aber seitdem sie mir ihren Spiegel vorhielt, seit ich gewahr wurde, wie man sich von innen selbst schmücken könne, komm' ich mir wieder recht schön vor."[91] An die Stelle der äußeren physischen Schönheit tritt eine innerliche sittliche Schönheit, die sich dann in der Entsagungsprobe auf der Isola bella bewährt. Für Hilarie wird die Landschaft am Lago Maggiore zum „sittlich-magischen Spiegel". Unter der Anleitung des Malers beginnt sie, die Natur abzubilden, und diese

---

[87] HA 8, 99.
[88] HA 8, 110.
[89] HA 8, 171.
[90] HA 8, 179.
[91] HA 8, 223—24.

ästhetische Ausbildung bleibt „nicht ohne sittliche Nachwirkung", wie es mit einer Litotes erfaßt wird.[92] Ästhetik und Sittlichkeit werden hier miteinander verbunden.

Der Spiegel als Vermittler von Selbsterkenntnis und Selbsttäuschung erweist sich als ein Sinnbild der *obscuritas.* Die Bedeutung des Spiegelbildes ist unbestimmt. Das Spiegelbild kann sowohl in die Verwirrung als auch in die Klarheit führen. Ein Spruch aus „Makariens Archiv" hebt diese Zweideutigkeit des Spiegelbildes besonders hervor: „Nichts wird leicht ganz unparteiisch wieder dargestellt. Man könnte sagen: hievon mache der Spiegel eine Ausnahme, und doch sehen wir unser Angesicht niemals ganz richtig darin; ja der Spiegel kehrt unsre Gestalt um und macht unsre linke Hand zur rechten. Dies mag ein Bild sein für alle Betrachtungen über uns selbst[93]," — und über die *Wanderjahre,* möchte man hinzufügen.

In der Episode vom Fischerknaben erweist sich die doppelte und dreifache Spiegelung als Polarität und Steigerung. Natürliche Schönheit und menschliche Sittlichkeit verweisen auf ein Höheres. Wilhelm berichtet davon, wie der Knabe sich nach dem Bade aus dem Wasser heraushebt, um „im höheren Sonnenschein sich abzutrocknen": „... [ich] glaubt' ... meine Augen vor einer dreifachen Sonne geblendet: so schön war die menschliche Gestalt, von der ich nie einen Begriff gehabt."[94] Das Erlebnis der menschlichen Schönheit und ihrer Verletzbarkeit führt Wilhelm schließlich zum Arztberuf. Es nimmt das Gefühl voraus, das er viele Jahre später beim Anblick seines geretteten Sohnes empfindet, den man aus dem Wasser gezogen hat. Auch dann wird sich Wilhelm bewußt der natürlichen Schönheit und der menschlichen Aufgabe des Helfens und Heilens, die das Göttliche spiegeln. Aber es bedarf der Irrungen und Wirrungen der *Lehr-* und *Wanderjahre,* um zu dieser Selbsterkenntnis und Klarheit zu kommen.

An den Stellen, an denen die Wirklichkeit des Romans die Scheinwelt des Romans als eines Kunstwerks reflektiert, dort, wo es um den Roman im Roman geht, läßt sich besonders deutlich die ironische Spiegelung als Kunstprinzip erkennen. Wenn Hersilie z. B. Wilhelm in den Bereich des Oheims einführt, sagt sie:

> Es ist mir gewissermaßen lieb, daß unser neuer Gast, wie ich höre, nicht lange bei uns verweilen wird: denn es müßte ihm verdrießlich sein, unser Personal kennen zu lernen, es ist das ewig in Romanen und Schauspielen wiederholte: ein wunderlicher Oheim, eine sanfte und eine muntere Nichte, eine kluge Tante, Hausgenossen nach bekannter Art; und käme nun gar der Vetter wieder, so lernte

---

[92] HA 8, 238.
[93] HA 8, 486.
[94] HA 8, 272.

> er einen phantastischen Reisenden kennen, der vielleicht einen noch sonderbarern Gesellen mitbrächte, und so wäre das leidige Stück erfunden und in Wirklichkeit gesetzt.[95]

Und tatsächlich lassen die *Wanderjahre* sich so beschreiben, und die Aufmerksamkeit des Lesers richtet sich nun darauf, wie das in Szene gesetzte Stück, das von einer Mitspielerin angekündigt wird, abläuft. Obwohl die Personen als stereotype Figuren eingeführt werden, erwächst Spannung, da die *obscuritas* als Gegenkraft auftritt, so daß es dem Leser nicht „verdrießlich" wird.

Dieser Gegensatz von Romanwirklichkeit und Kunstwerk kommt auch zum Ausdruck in der Tatsache, daß der Malerfreund am Lago Maggiore Mignon durch die Lektüre der *Lehrjahre* kennt und Illustrationen für diesen Roman herstellt. Auch in einem Brief Hersiliens wird auf diesen Gegensatz angespielt. Hersilie erfaßt die Gestalt des rätselhaften Tabulettkrämers als ein Romanrequisit. Sie schreibt an Wilhelm: „Allerdings etwas Geheimnisvolles war in der Figur; dergleichen sind jetzt im Roman nicht zu entbehren, sollten sie uns denn auch im Leben begegnen?"[96] Auch Goethe kann als Romanschriftsteller „das Geheimnisvolle" nicht entbehren, und so durchdringen sich Leben und Kunst auf ironische Weise.

Außer dem Spiegel sei hier noch das Kästchen als ironisch enigmatisches Sinnbild der *obscuritas* erwähnt. Nach Wilhelm Emrichs Aufsatz über das Problem der Symbolinterpretation erübrigt es sich, im einzelnen auf die Bedeutung des Kästchens einzugehen. Wie Emrich darlegt, „handelt es sich bei dem Kästchen um das Geheimnis des Lebens und ihrer [Felix' und Hersiliens] Liebe selbst".[97] Kästchen und Schlüssel stehen zugleich im Zusammenhang mit dem Formprinzip des Romans. Sie deuten an, sagt Emrich, „w i e man den Roman aufschließen soll, wie man im Offenbaren immer das Geheimnis, im Geheimnis das Offenbare zu suchen und zu finden vermag".[98] Wie Arthur Henkel dazu bemerkt hat, „wäre das einzige, was dieser Auslegung hinzugefügt werden sollte, eine Obertonreihe von Ironie, Versteckspiel, selbstpersiflierender Wunderlichkeit".[99] Tatsächlich übersieht Emrich völlig die Ironie und versäumt es, das Kästchen mit anderen Kästchen des Romans in Verbindung zu bringen. Natürlich ist es abwegig, „Schlüssel und Kästchen zu jedem einzelnen Teil des Romans in Beziehung" zu setzen[99a], aber mit der Beschränkung auf Schlüs-

---

[95] HA 8, 67—68.

[96] HA 8, 267.

[97] Wilhelm Emrich: Das Problem der Symbolinterpretation im Hinblick auf Goethes Wanderjahre. In: W. E.: Protest und Verheißung. 2. Aufl. Frankfurt a. M.: Athenäum 1963. S. 48—66. Zitat: S. 61.

[98] Ebd., S. 64. Siehe Emrich: Die Symbolik von Faust II. 3. Aufl. Frankfurt/Bonn: Athenäum 1964. S. 189.

[99] Henkel: Entsagung. S. 90.

[99a] Protest und Verheißung. S. 64.

sel und Kästchen sowie auf Felix und Hersilie wird der ironisch kompositorische Zusammenhang, in dem Kästchen und Schlüssel zu anderen Kästchen und Schlüsseln stehen, vernachlässigt. Arthur Henkel hat gezeigt, wie das „exemplarische" Märchen „Die neue Melusine" im sechsten Kapitel des dritten Buches mit einem Abschnitt über Schlüsselchen und Schatulle — oder Kästchen, wie es auch genannt wird — abschließt und das nächste Kapitel der Haupthandlung des Romans, das aus einem Brief von Hersilie an Wilhelm besteht, im ersten Abschnitt die folgenden Sätze enthält: „Der wunderliche Schlüssel kam in meine Hände als ein seltsames Pfand; nun besitze ich das Kästchen auch. Schlüssel und Kästchen, was sagen Sie dazu? Was soll man dazu sagen?"[100] So geraten, wie Arthur Henkel sagt, „in der behutsamen Kontrapunktik des alten Dichters, das Melusinenmärchen und die Hersiliengeschichte in einen geheimen Bezug".[100a] Es gilt hier, diese geheimen Bezüge in ihrer Ironie andeutungsweise offenbar zu machen und zu zeigen, wie sie im Zeichen der *obscuritas* stehen.

Es läßt sich hier im Sinne Gaston Bachelards eine Poetik des Kästchens entwickeln: Kästchen verbergen Geheimnisse.[101] Der Barbier in „Die neue Melusine" erkennt das Geheimnis, und die Entdeckung führt schließlich zum endgültigen Bruch mit der Geliebten. Im Fall von Felix und Hersilie bleibt das Geheimnis bewahrt, und so erweist sich der Bruch als nicht endgültig. Aber auch das Toilettenkästchen in der Novelle „Der Mann von funfzig Jahren" ist mit einem Geheimnis, dem Geheimnis der Verjüngung, verbunden. Das Geheimnis übt in allen drei Fällen erotische Anziehungskraft aus und fordert die Entsagung, es in seiner Unerschlossenheit zu achten und zu ehren.

Kästchen stiften geheime Verbindungen. In der Novelle „Wer ist der Verräter?" schürt „der lustige Junker" Lucidors Eifersucht, indem er ihm von einem Juwelenkästchen erzählt, das der Nebenbuhler Antoni dem Schwiegervater als Geschenk für seine zukünftige Braut heimlich zugesteckt habe. Die Menschen verstehen einander durch die Gegenstände, ohne ein Wort sagen zu müssen, ja ohne sich überhaupt der Verbindung bewußt zu werden. Diese Funktion übernimmt in der Beziehung zwischen dem Major und der schönen Witwe die Brieftasche, auch eine Art Kästchen. In der Brieftasche überreicht die Dame dem Major etwas von ihrem „Eigensten ... vielfach und unaussprechlich". So findet sich der Major zuletzt durch den Gegenstand der Brieftasche „in ein angenehmes Verhältnis verflochten".[102] Auch Hersilie arbeitet an einem Brieftäschchen, „ohne deutlichst zu wissen, wer es haben soll, Vater oder Sohn, aber

---

[100] HA 8, 376.

[100a] Entsagung. S. 90.

[101] Gaston Bachelard: Poetik des Raumes (= Literatur als Kunst). München: Hanser 1960. S. 104—118. Bachelards Buch verdanke ich wesentliche Einsichten und folge ihm in der Darstellung. S. auch Heidi Gidion, a.a.O. S. 66—67.

[102] HA 8, 189; 192.

gewiß einer von beiden". Es ist fast eine Widerspiegelung der Dreiecksverhältnisse in „Der Mann von funfzig Jahren" und „Die pilgernde Törin". Aber in einem impulsiven Entschluß sendet Hersilie die Brieftasche an den Sohn und bleibt in tiefer Verwirrung zurück.[103]

Schließlich enthalten und bewahren Kästchen große Erinnerungen. Diese Funktion erfüllt in den *Wanderjahren* die Instrumententasche des Wundarztes, ebenfalls eine Art Kästchen oder „Brieftasche". Sie hält in Wilhelm die schmerzlich süße Erinnerung an den Fischerknaben wach, an die erste Erscheinung Nataliens und an seinen ursprünglichen Berufswunsch.

So zieht sich in der indirekten Verbindung der einzelnen Kästchen untereinander ein Netz geheimnisvoller, ironisch vielsinniger Bedeutungen über den Roman. Der Leser hat diese Verbindungen herzustellen, und zwar wie im *Divan* durch ein ironisch „supplierendes" Lesen. Bereits bei den *Lehrjahren* hatte Goethe in einem Brief vom 26. Juni 1796 an Schiller darauf hingewiesen: „... Sie werden ... manches nach der Intention zu supplieren haben."[104]

Aber nicht nur Wort, Satz und Motiv bewegen sich in ironischen Antithesen und Vieldeutigkeiten, sondern auch die Personenbeschreibungen und Personenkonstellationen. Der junge Revanne sagt von der pilgernden Törin, sie „sei ein Engel, oder vielmehr ein Dämon".[105] Als Makarie zum erstenmal erwähnt wird, vollzieht sich die Beschreibung in einer Häufung von Antithesen, die den Leser aufmerken läßt, daß es sich hier um eine besondere Person handelt: „In krankem Verfall des Körpers, in blühender Gesundheit des Geistes ward sie geschildert, als wenn die Stimme einer unsichtbar gewordenen Ursibylle rein göttliche Worte über die menschlichen Dinge ganz einfach ausspräche."[106] Den Abbé nennt Wilhem den „im Geheimen und Offenbaren immer gleich zuverlässigen Freund"[107], Mignon wird, getreu der Konzeption der Gestalt in den *Lehrjahren,* als „Knaben-Mädchen" bezeichnet[108], und auch das Geschlecht der Gesteinfühlerin wird zunächst in der Schwebe gehalten. Ebenso wird ihr Aufenthaltsort ironisch-widersprüchlich verschleiert. Es heißt, daß sie bereits vorausgereist sei mit den andern, und doch vermutet man sie auf Makariens Feldern und glaubt, sie dort „über Stock und Steine springen" zu sehen.[109] Das Wunderbare dieser terrestrischen Frau, die die polare Ergänzung zu Makarie darstellt, wird in Wendungen gefaßt, mit denen gesellschaftliche Diskretion ein erotisches Ver-

---

[103] HA 8, 265—267.
[104] WA IV 11, 109; s. auch WA IV 11, 121.
[105] HA 8, 64.
[106] HA 8, 65; Heidi Gidions Kapitel „Polaritäten als Gegenstand der Darstellung" berührt sich eng mit den Ergebnissen der vorliegenden Untersuchung (a.a.O. S. 76—85).
[107] HA 8, 225.
[108] HA 8, 227.
[109] HA 8, 452—453.

hältnis — in diesem Falle mit Montan — beschreibt. Es wird hier eine tiefer liegende Stilebene gewählt, um spiegelbildlich auf „höhere Verhältnisse" zu verweisen.

Die Ältesten in der Pädagogischen Provinz treten in einer Art von geheimnisvoller Trinität als grammatische Ein- und Mehrzahl auf. Die Sprachlehrer erscheinen als kentaurische Wesen.[110] Felix erweist sich als Knabe und doch nicht mehr als Knabe, wie es sich in der erwachenden Leidenschaft zu Hersilie bezeugt, und als Sohn und Bruderfigur Wilhelms, wie es sich in der Schlußszene des Romans zeigt. Selbst eine Randfigur wie Werners Gehilfe wird in Form von Antithesen beschrieben. Er ist ein guter Rechner und Klavierspieler, wobei „ihm der Kalkül und ein liebenswürdiges Naturell verbunden und vereint äußerst wünschenswert zur Hülfe kommt. Die Töne fließen ihm leicht und harmonisch zusammen, manchmal aber deutet er an, daß er auch wohl in tiefern Regionen zu Hause wäre".[111]

Eine weitere Form der Ironie in den Personenbeschreibungen findet sich in der Verwendung des mythologischen Vergleichs und der Vossianischen Antonomasie, die bei Goethe eine fast unmerkliche Polarisation erfährt. Sankt Joseph der Zweite und der Heilige Joseph gleichen sich und kontrastieren genau in dem feinen Grade, der zur Entfaltung der Ironie notwendig ist. In Ähnlichkeit und Gegensatz verweisen sie auf ein Drittes: die pflegeväterliche Grundsituation. In ähnlicher Weise werden Flavio mit Orest, Hilarie mit Psyche, die „schöne Witwe" mit Arachne, Hersilie mit Alkmene, der junge Maler mit Orpheus, Susanne mit Penelope, Wilhelm mit Diogenes, Felix mit dem „unbewußten Ulyß" und schließlich beide, Vater und Sohn, mit Kastor und Pollux gleichgesetzt.[112] Die Vergleiche und Identifikationen stimmen nur *cum grano salis*, aber eben gerade dadurch wird der Sinn erweckt für die Grundsituationen des menschlichen Daseins, die von den mythologischen Figuren dargestellt werden.

In der Zuordnung der Personen zueinander lassen sich ebenfalls Polaritäten wahrnehmen zwischen Lenardo und Odoard, zwischen dem Astronomen und Montan, zwischen Makarie und der terrestrischen Frau. Auch die Verbindung von Alter und Jugend, wie sie sich in den zahlreichen anbahnenden Dreiecks- und Liebe-über-Kreuz-Verhältnissen zwischen Wilhelm, Felix und Hersilie, dem jungen und dem alten Herrn Revanne und der pilgernden Törin, zwischen Antoni und Julie, dem Major, Hilarie, Flavio und der schönen Witwe zeigt, ermöglicht vielfältig wiederholte Spiegelungen und stellt einen Versuch der Überbrückung der Gegensätze in Form der Liebe dar, der ironisch mißlingt

---

[110] HA 8, 247; s. André Gilg: Wilhelm Meisters Wanderjahre und ihre Symbole (= Zürcher Beiträge zur deutschen Literatur- und Geistesgeschichte, 9). Zürich: Atlantis 1954. S. 110.

[111] HA 8, 445—446.

[112] HA 8, 48; s. Heidi Gidion, a.a.O. S. 133.

und glückt. Die pilgernde Törin bleibt eine Ausnahme, aber bei den übrigen Paaren stellt sich doch trotz des mehr oder weniger deutlichen und schmerzlichen Bruches schließlich ein Ausgleich auf einer harmonischeren Ebene her. Was den elterlichen Plänen oder der Leidenschaft mißlingt, scheint der Entsagung und Übertragung der Gefühle zu glücken.

Die ironische Polarisierung ist aber nicht auf die Personenkonstellationen beschränkt, sondern sie kommt auch in größeren Erzähleinheiten und -inhalten zum Ausdruck. Auf die oberflächliche Unterhaltung Jarnos mit Felix, in der der Knabe mit einigen „Märchen" abgespeist wird, folgt das große Gipfelgespräch mit Wilhelm über den geistigen Menschen „zwischen Verzweiflung und Vergötterung" und die Chiffrensprache der Natur. Die behagliche Darstellung von Hilariens Brautstand wird in Gegensatz gestellt zu Flavios wilder Verzweiflung. Ausführlich wird die friedliche Abendunterhaltung auf dem hell erleuchteten Schloß der Baronin geschildert. In diese Szene bricht Flavio aus der Nacht herein „in schauderhafter Gestalt". Er wird zu Bett gebracht, zur Ader gelassen, überwindet seine Verzweiflung, gesundet und soll zum erstenmal wieder aufstehen, aber die Frauen fürchten sich „vor dieser ersten Erscheinung", denn sie haben noch das „Schreckbild" vor Augen. Der Erzähler erläutert: „Wie aber gar oft in bedeutenden, ja schrecklichen Momenten etwas Heiteres, ja Lächerliches sich zu ereignen pflegt, so glückte es auch hier." Flavio kommt in den Kleidern seines Vaters, denn von seinen Sachen war nichts mehr zu brauchen, und die Erscheinung wird zu einer komischen Maskerade, die ihrerseits nun wieder für Hilarie „unheimlich, ja bedrängend" werden muß, da sie in der „Lebensgegenwart des Sohnes" „die Ähnlichkeit des jugendlichen Vaterbildes" erkennt.[113] Es ergeht ihr umgekehrt wie Julie in der Novelle „Wer ist der Verräter?" im Hinblick auf Antoni: „ein schöner, bedeutender Jüngling erschien aus der Hülle" des älteren Menschen[114]. In der Maskerade zeigt sich die Polarität von Scherz und Ernst und in der Vorahnung der zukünftigen Verbindung die Steigerung.

Später, als sich alle Gestalten des Romans bei Makarie einfinden, erscheinen auch Philine und Lydie. Der Erzähler bemerkt sogleich den Kontrast dieser Frauen zu der Umgebung. Aber darin zeigt sich wieder die Ironie, daß die beiden nicht in diesen Kreis passen und doch in einem sehr praktisch-realistischen Sinne hier sehr am Platze sind: Philine und Lydie versorgen durch ihre Schneiderarbeit alle Mädchen mit Brautausstattungen. Aber diese realistische Erzählung wandelt sich sehr bald zur Groteske der „gefräßigen Schere", indem Philine immer mehr Stoffe zuschneiden möchte, ob die Mädchen nun heiraten wollen oder nicht. Und auf diese Groteske folgen dann unmittelbar Montans

---

[113] HA 8, 203—208.
[114] HA 8, 114.

Einführung bei Makarie und seine ernsten Gespräche mit dem Astronomen. Ähnlich ironisch polarisiert sind die „ätherische Dichtung" des Makarienmythos und das „terrestrische Märchen" der Gesteinfühlerin, oder der Bericht über die Spekulationen des kleinbürgerlichen Amtmanns, der die erotischen Unfälle seiner Mitbürger kommerziell auszubeuten sucht, und die stürmische Ankunft des ohne Sattel und Steigbügel einherreitenden Felix, der die selbstlose Hingabe verkörpert.

Auch ganze Kapitel werden auf diese Weise kontrapunktisch miteinander verbunden. Auf das Kapitel mit Montans Rede über Denken und Tun folgt Hersiliens Brief an Wilhelm, der zeigt, daß „Denken und Tun, Tun und Denken" nicht unbedingt zur Weisheit führen müssen. Hersilie beklagt sich, daß sie dachte, „wieder dachte, nichts erdenken konnte" und handelte. Nun bereut sie: „was ich aber auch darüber denke, will ... nicht fördern."[115] Damit werden der Tiefsinn und Wahrheitsanspruch von Montans Ratschlägen ironisch aufgehoben. Ähnlich kontrastierende Ergänzungen finden sich in der Gegenüberstellung von Lenardos Rede und Odoards Ansprache, von amerikanischer Utopie und europäischem Projekt. Es ist bezeichnend für die Behandlung aller Grundthemen in diesem Roman, daß Goethe sich nicht mit einem einheitlichen Gesellschaftsentwurf begnügt, sondern daß er in einer Art Polarität eine zweite solche Gesellschaftsvision neben die erste stellt; ganz abgesehen von dem dritten, durch den „heitere[n] Friedrich" vermittelten Entwurf, der vom Erzähler zu einem „lakonischen ... Text zu grenzenloser Ausführung" zusammengefaßt wird.[116]

Eine Polarität von Stil und Thema findet sich in den Kapiteln, die Lenardos Tagebuch darstellen. Sie ergehen sich in weitschweifigen technischen Beschreibungen mit genauen Angaben von Maßeinheiten. Hinter diesen technischen Beschreibungen verbirgt Lenardo, daß er auf der Suche nach Nachodine ist, obwohl er Wilhelm in allerdings mehrdeutigen Worten versprochen hat, eigener Nachforschung zu entsagen: „... ich gönne dem guten Wesen einen so einfach glücklichen Zustand, indessen mich ein Wirbel von Verschlingungen, doch nicht ohne Leitstern, umhertreiben wird."[117] Der Auftrag im Dienste der Auswanderergesellschaft führt Lenardo zu Susanne-Nachodine. So wie Wilhelm einst seinen Vater mit einem rein erfundenen Reisetagebuch täuschte, so verheimlicht Lenardo sich und den anderen sein Suchen und Sehnen hinter dem Tatsachenstil. Dies gelingt um so leichter, als Lenardo ja wirklich an der Spinnerei und Weberei interessiert ist und einen Auftrag auszuführen hat. Die Sehnsucht geht auf in der Sprache des technischen Tuns und Wirkens. Aber die Sehnsucht wird

---

[115] HA 8, 266—267.
[116] HA 8, 404—408.
[117] HA 8, 241.

damit nicht aufgegeben, da technischer Trieb, Reise und Sehnsucht auf das gleiche Ziel ausgerichtet sind.

Lenardos Tagebuch selbst ist eine Parodie im ursprünglichen Sinne des Wortes. Das Tagebuch geht zurück auf eine Darstellung der Schweizer Heimindustrie, die Heinrich Meyer auf Goethes Wunsch hin geliefert hat. Goethe verwendet den Meyerschen Text fast seitenlang wortwörtlich.[118] Das parodische Verfahren wird dabei selbst zu einem Webevorgang. In einem Brief an Meyer verweist Goethe auf das Webegleichnis von Zettel und Einschlag, das er so gern gebraucht.[119] Mit der ironischen Bewahrung der Sehnsucht im „strengtrockenen" technischen Bericht und der „ästhetisch-sentimentalen" Ausrichtung des volkswirtschaftlichen und technologischen Reisejournals mit all seinen Bezügen auf Nachodine-Susanne fügt Goethe dem „realen Zettel" des Meyerschen Berichtes den „poetischen Einschlag" hinzu.[120] Es geht hier also nicht nur um eine Darstellung der Arbeits- und Wirtschaftswelt sowie der „drohenden Gefahr" der Industrialisierung, sondern zugleich auch um Lenardos Weg zu Susanne.

Man hat versucht, die *Wanderjahre* nach ihrem Aufbau zu gliedern und in Einführung in die humane Lebensgestaltung (1. Buch), Grundlegung der Maßstäbe der künftigen Gesellschaft (2. Buch) und Verwirklichung der Pläne (3. Buch) einzuteilen.[121] Aber nur ein einziger Blick auf das Inhaltsverzeichnis, das Erich Trunz der Hamburger Ausgabe beigefügt hat, genügt, um den Leser zu überzeugen, daß ein solches Einteilungsschema dem Roman Gewalt antut. Ferner verfehlt eine solch eindeutige Festlegung im Sinne eines stufenweisen Aufbaus und einer Höherentwicklung die ironische Kontrapunktik des Romans. Man könnte ebenso gut, einem Hinweis des Sammlers im Roman folgend, das zweite Buch mit der Pädagogischen Provinz und dem Arkadien-Erlebnis auf der Isola bella als Mittel- und Höhepunkt des Romans bezeichnen. Aber dabei werden die beiden Höhepunkte, die mit den Makarienkapiteln im ersten und dritten Buch gegeben sind, und die das zweite Buch in gewissem Sinne zu einem Durchgangsstadium machen, übersehen. Es gilt zu erkennen, daß jedes Buch Einführung, Grundlegung und Verwirklichung zugleich ist. Selbst im letzten Buch werden noch Personen in den Kreis der Makarie und in ihr Geheimnis eingeführt und die Grundlagen der amerikanischen Utopie und des europäischen Projekts gelegt. Bereits im ersten Buch werden in Montans Reden Maßstäbe gesetzt; auch findet sich dort eine Utopie in dem Landgut des Oheims, die einen höheren

---

[118] HA 8, 692; WA I 25^{II}, 262—271; s. Neuhaus: Die Archivfiktion in Wilhelm Meisters Wanderjahren. S. 16.

[119] Hermann Schmitz: Goethes Altersdenken im problemgeschichtlichen Zusammenhang. Bonn: Bouvier 1959. S. 297 ff.; Werner Danckert: Goethe. Der mystische Urgrund seiner Weltschau. Berlin: de Gruyter 1951. S. 37 ff.; Ferdinand Weinhandl: Die Metaphysik Goethes. Berlin: Junker und Dünnhaupt 1932. S. 243 ff.

[120] WA IV 45, 128; WA IV 21, 272.

[121] Henkel: Entsagung. S. 25.

Zustand der Verwirklichung erreicht hat, als er je für das europäische Projekt und die amerikanische Utopie ins Auge gefaßt wird. Es zeigt sich also, daß sich auch die Bücher polar ergänzen und in ihren widersprüchlichen Beziehungen zueinander die für den Roman charakteristische *obscuritas* herstellen.

Überall, in Wort, Satz, Motiv, Bild, Personenkonstellationen, Kapitel und Buch, findet Goethe „ein Paradoxes, zumindest ein Zweideutiges", wie Gerhard Küntzel sagt.[122] Immer wieder zeigt sich die Struktur der Polarität. Dabei werden die Gegensätze derartig zueinander in die Schwebe gebracht, so daß sie fast austauschbar erscheinen, wie z. B., wenn es heißt: „Von Natur besitzen wir keinen Fehler, der nicht zur Tugend, keine Tugend, die nicht zum Fehler werden könnte."[123] Einen eindeutig festlegbaren Sinn gibt es nicht. Jede Gewißheit ist in den Bereich der *obscuritas* verwiesen. Und doch handelt es sich nicht um Relativismus. In der *obscuritas* wird indirekt ein Sinn erfaßbar, der die polaren Gegensätze auf ein höheres Ziel hin vereinigt. Es stellt sich nun abschließend die Frage, welche Konsequenzen sich von der ironischen Struktur her für die großen Themen der Natur, Soziologie, Pädagogik, Kunst und Religion ergeben. Was sich in aufsteigender Linie vom Wort zum Buch aufweisen läßt, aber vielleicht in der Aufzählung isolierter Einzelfälle den Blick für das Ganze verstellt, sei hier zum Abschluß an der Thematik dargelegt.

Natur und Gesellschaft ironisieren sich gegenseitig. Wie die Natur auf das Sittlich-Soziale verweist und das Gesellschaftlich-Sittliche auf die Natur, zeigt sich sowohl in den Novellen „Wer ist der Verräter?" und „Der Mann von funfzig Jahren" als auch in den Jarno-Episoden und in Wilhelm Meisters Erlebnis des besternten Himmels über ihm. In „Wer ist der Verräter?" durchkreuzt ein Streich der Natur die Pläne der gesellschaftlichen Welt und gleicht die Gegensätze zwischen den Seßhaften, Besonnenen und den Wanderlustigen, „Ruschlichen" in einem ethischen Sinne aus: Lucidor heiratet Lucinde, Julie den älteren Antoni. Auch in „Der Mann von funfzig Jahren" sind es die Streiche der Natur, die die Absichten der Gesellschaft bedrohen und verwirklichen. Die ökonomischen Pläne des Majors, die Familiengüter durch die Heirat der Geschwisterkinder Flavio und Hilarie zu vereinigen, scheinen völlig durcheinander gebracht zu werden durch den Streich der Natur, daß Hilarie einen anderen liebt. Als sich aber herausstellt, daß dieser andere ein Familienmitglied ist, nämlich der Major selbst, sieht er seinen Plan, „die schöne, künstliche Vereinigung eines ansehnlichen Vermögens" wieder gesichert und weiß seine sittlichen Bedenken zu beschwichtigen. Aber im gleichen Augenblick macht eine sich fortsetzende Überkreuzung der Leidenschaften die Fragwürdigkeit der Verbindungen zwischen dem Major und Hilarie sowie der schönen Witwe und

---

[122] Gerhard Küntzel: Einführung. In: Johann Wolfgang Goethe. Gedenkausgabe. Bd. 8. Zürich: Artemis 1949. S. 943.

[123] HA 8, 127.

Flavio deutlich. Es kommt zur Krise, dann zu wechselseitiger Entsagung, die schließlich zur Verbindung überkreuz führt. Dabei setzt sich die Natur im Gewande des Gesellschaftlich-Sittlichen durch, wie es sich beim Morgenbesuch des Majors bei der schönen Witwe und in den Versen seiner Gelegenheitsdichtung zeigt, und das Gesellschaftlich-Sittliche im Zeichen der Natur, wie es die vergebliche Verjüngungskur des Majors veranschaulicht. Der ausgefallene Vorderzahn führt dem Major das gesellschaftlich Unpassende seiner Verbindung mit dem jungen Mädchen schmerzhaft zu Bewußtsein.

Jarno, der gewandte Mann des Hofes und Spötter in den *Lehrjahren,* tritt in den *Wanderjahren* als Montan, der Erforscher der Gebirgswelt, auf. Er hat sich von den Menschen abgewendet und dem Studium der Natur gewidmet. In dem Gipfelgespräch mit Wilhelm gebraucht er die Metapher vom Buch der Natur. Aber dieses Buch ist unleserlich geworden. Paul Böckmann hat gezeigt, wie hier ein neues Verhältnis des Menschen zur Natur sichtbar wird. Es besteht darin, daß der Mensch nicht mehr die elementarsten Lesekenntnisse für dieses Buch besitzt. Mühselig versucht er, die Buchstaben zu entziffern und sie zu Wörtern zu verbinden. Der Mensch verfügt nicht mehr über die Natur; sie erscheint rätselhaft, „in Gestalt einer Sibylle".[124] In dem Gespräch nach dem Bergfest erklärt Montan, die Probleme der Natur seien „unerforschlich vielleicht, vielleicht auch zugänglich."[125] Im wiederholten „vielleicht" bleiben die Probleme in der Schwebe.

Daß die modernen Naturwissenschaften trotz ihrer Theorien und Apparate es nicht vermögen, dieses Problem zu lösen, läßt sich aus der ironischen Anführung sämtlicher Hypothesen zur Erdentstehung beim Bergfest und aus Wilhelms negativer Beurteilung des Fernrohres, des Mikroskopes und der Brille ersehen. Wilhelm ist sich bewußt, daß sich „diese Gläser so wenig als irgendein Maschinenwesen aus der Welt bannen" lassen.[126] Ihm geht es um die Behauptung des Sittlichen gegenüber der Technologie, die sich zwischen den Menschen und die Natur schiebt. Es erhebt sich die Frage: „Worauf kommt nun aber alles an?" Montan antwortet: „Wer ... das Tun am Denken, das Denken am Tun [prüft], der kann nicht irren, und irrt er, so wird er sich bald auf den rechten Weg zurückfinden."[127] Wilhelm hinterläßt Nachodine-Susanne in dem Mahnbrief eine ähnliche Botschaft.[128] Und in den „Betrachtungen im Sinne der Wanderer"

---

[124] HA 8, 35; s. Paul Böckmann: Literarische Renaissancen. In: P. B.: Formensprache. Studien zur Literarästhetik und Dichtungsinterpretation. Hamburg: Hoffmann & Campe 1966. S. 455—457; Karnick: Wilhelm Meisters Wanderjahre oder die Kunst des Mittelbaren. S. 52—58.

[125] HA 8, 262.

[126] HA 8, 121.

[127] HA 8, 263.

[128] HA 8, 426; s. Bernd Peschken: Das ‚Blatt' in den Wanderjahren. In: Goethe 27 (1965) S. 205—230.

lautet die Frage: „Was aber ist deine Pflicht?" „Die Forderung des Tages", heißt die Antwort.[129] Die Erfüllung der Forderung des Tages führt Montan zuletzt zurück auf das Menschliche, das sich im Tun und Denken in der Natur bewährt: er fördert Bodenschätze zum Nutzen der Menschheit, ohne sich dabei um die Theorien der Erdentstehung im einzelnen zu kümmern. So erklärt er Wilhelm: „Wie diese Gebirge hier entstanden sind, weiß ich nicht, will's auch nicht wissen; aber ich trachte täglich, ihnen ihre Eigentümlichkeit abzugewinnen."[130] Dabei bleibt in der Schwebe, ob mit dem Abgewinnen der Eigentümlichkeit die Förderung von Bodenschätzen oder der Erwerb von praktischen Kenntnissen gemeint ist. Montan schließt sich der Auswanderergesellschaft an, um in Amerika „in eine reiche belohnende Ernte [der Bergfülle] einzugreifen".[131] Zugleich aber erhält Montans Versenkung „in die tiefsten Klüfte der Erde" einen zweideutigen Charakter. Obwohl sie ihn auf das Menschliche zurückführt, bringt sie ihn doch nur auf die primitivsten Schichten des Menschlichen zurück: in den „tiefsten Klüften der Erde" wird Montan gewahr, „daß in der Menschennatur etwas Analoges zum Starrsten und Rohsten vorhanden sei". Es geht hier weder um eine Humanisierung der Natur noch um eine Naturalisierung des Menschen, sondern um die ironische Ähnlichkeit „bei der größten Verschiedenheit". Es werden hier Polaritäten offenbar, die sich nicht nur zwischen Natur und Mensch ergeben, sondern sich im Menschen selbst wiederholen. Dem Astronomen gibt der Geist Makariens ein Beispiel von der Gegenseite zum „Starrsten und Rohsten" in der Menschennatur, daß „das Entfernen wohlbegabten Naturen eigen sei, daß man weder nötig habe, bis zum Mittelpunkt der Erde zu dringen, noch sich über die Grenzen unsres Sonnensystems hinaus zu entfernen, sondern schon genüglich beschäftigt und vorzüglich auf Tat aufmerksam gemacht und zu ihr berufen werde". Sowohl die irdischen Bedürfnisse als der geistige Weg werden anerkannt und gefordert. Die Welt des Stoffes ist „den höchsten Fähigkeiten des Menschen zur Bearbeitung übergeben". Die Aufgabe des Menschen besteht darin, „diese beiden Welten gegeneinander zu bewegen, ihre beiderseitigen Eigenschaften in der vorübergehenden Lebenserscheinung zu manifestieren".[132] In diesem Gegeneinander-bewegen der beiden Welten wird ersichtlich, wie die Ironie sowohl Stil als auch Ontologie und Ethik der *Wanderjahre* darstellt.

Wilhelms Erlebnis auf der Sternwarte zeigt, wie er seiner Aufgabe gewahr wird und sie übernimmt. Der Anblick der Natur, „des hohen Himmelsgewölbes in seiner ganzen Herrlichkeit", droht ihn zu überwältigen. Er fühlt sich als ein Nichts gegenüber dieser Unendlichkeit, bedroht von Vernichtung: „,Was bin

[129] HA 8, 283.
[130] HA 8, 263.
[131] HA 8, 442.
[132] HA 8, 444—445.

ich denn gegen das All?' sprach er zu seinem Geiste, ,wie kann ich ihm gegenüber, wie kann ich in seiner Mitte stehen?'" Er behauptet sich, indem er gegen das Planetensystem der Natur ein sittlich-menschliches Planetensystem in seinem Innern setzt. Er begibt sich auf den geistigen Weg seiner Wanderschaft, der bestimmt ist durch „Teilnahme, Liebe, geregelte freie Wirksamkeit". Wilhelm erklärt seine Absicht, „einen edlen Familienkreis in allen seinen Gliedern erwünscht verbunden herzustellen". Er will erforschen, „was edle Seelen auseinanderhält", er will „Hindernisse wegräumen, von welcher Art sie auch seien". Wilhelm ist sich der ironischen Distanz der beiden Planetensysteme bewußt. Er endet seinen Monolog mit dem konjunktivischen Trost: „Dies darfst du vor diesen himmlischen Heerscharen bekennen; achteten sie deiner, sie würden zwar über deine Beschränktheit lächeln, aber sie ehrten gewiß deinen Vorsatz und begünstigten dessen Erfüllung."[133] „Himmlische Heerscharen" wird als ironische Metapher für die Sterne gebraucht; so erhält Wilhelms Entschluß einen religiösen Bezug. Natur, Mensch und Gott, die nach der kopernikanischen Wende als polare Gegensätze auseinandergefallen sind, werden hier durch die Ironie wieder in Verbindung gesetzt. Es wird keineswegs eine Aufhebung der Gegensätze vorgetäuscht, aber doch der Bezug wieder hergestellt.[134]

Der Mensch in den *Wanderjahren* wird verstanden „als wirklich in die Mitte einer wirklichen Welt gesetzt".[135] In Wilhelms Betrachtungen über das Charakterporträt in Literatur und bildender Kunst kommt diese Einsicht zum Ausdruck. Das Bild des Menschen in den *Wanderjahren* ist bestimmt durch sein Verhältnis zu dieser „wirklichen Welt": zur Natur, zur Gesellschaft und zu einem Absoluten. Das Erlebnis der Bedingtheit durch die Welt gehört zu den Grunderfahrungen des Menschen: „Jeder Mensch findet sich von den frühsten Momenten seines Lebens an, erst unbewußt, dann halb, endlich ganz bewußt, immerfort bedingt, begrenzt in seiner Stellung."[136] Aber aus der Bedingtheit erwächst die Freiheit, aus der Einseitigkeit die Vielseitigkeit, aus der Einordnung in die Gesellschaft die Individualität, aus der Entsagung der Besitz und aus der Beschränkung die Eröffnung auf das Unendliche hin. Die Gegensätze stehen in einem ironisch dialektischen Verhältnis zueinander. Jarno erklärt: „Es ist jetzo die Zeit der Einseitigkeiten; wohl dem, der es begreift, für sich und andere in diesem Sinne wirkt. ... und der beste, wenn er e i n s tut, tut er alles." Die rechte Einzelhandlung wird zum „Gleichnis von allem, was recht getan wird".[137] Dieses Gleichnis wird dann in Wilhelms Berufswahl, in der nützlichen, aber einseitigen Tätigkeit eines Wundarztes, konkretisiert.

---

[133] HA 8, 118—120; 445.

[134] s. Böckmann: Literarische Renaissancen. S. 456; Karnick: Wilhelm Meisters Wanderjahre oder die Kunst des Mittelbaren. S. 128—134.

[135] MuR 266.

[136] HA 8, 426.

[137] HA 8, 37.

In seiner Rede an die Auswanderer sagt Lenardo: „Doch was der Mensch auch ergreife und handhabe, der einzelne ist sich nicht hinreichend. Gesellschaft bleibt eines wackern Mannes höchstes Bedürfnis. Alle brauchbaren Menschen sollen in Bezug untereinander stehen.“[138] Die *Wanderjahre* sind, wie Erich Trunz sagt, „das Buch der großen Gemeinschaften“. Alle gesellschaftlichen Formen von Freundschaft, Liebe, Familie, Erziehungsgemeinschaft, Männerbund bis zur Arbeits- und Schicksalsgemeinschaft kommen in dem Roman zur Darstellung.[139] Innerhalb dieser Gesellschaftsformen verwirklichen sich die Individualitäten eines Montan, Lenardo, Odoard und Wilhelm. Die Freiheit des Einzelmenschen erweist sich darin, daß er frei ist, sich einzuordnen, zum „Glied“ der „Kette“ zu werden.[140]

Goethes Gesellschaftstheorie beruht auf dem Begriff des Besitzes. Wie Lenardo in seiner Rede an die Wanderer ausführt, ist der Grundbesitz „als das Erste, das Beste anzusehen, was dem Menschen werden könne“. Eltern- und Kinderliebe, Dorf- und Stadtgemeinschaft sowie der Staat sind auf Besitz gegründet. Aber diese Gesellschaftstheorie wird von Lenardo alsbald in Frage gestellt durch die Begriffe von Arbeit und Leistung: „Wenn das, was der Mensch besitzt, von großem Wert ist, so muß man demjenigen, was er tut und leistet, noch einen größern zuschreiben. Wir mögen daher beim völligen Überschauen den Grundbesitz als einen kleinern Teil der uns verliehenen Güter betrachten.“[141] Auch in Odoards Vortrag wird der Besitz als „heilig“ bezeichnet, um sodann in Frage gestellt zu werden.[142] Lenardo entwickelt darauf seine Wandererphilosophie, die dem Menschen die ganze Welt erschließt, aber nicht als Grundbesitz, sondern als Betätigungsgebiet. Dadurch lernt der Mensch, von den jeweiligen Bedingtheiten seiner Umgebung abzusehen und das Bedingende nicht den äußeren Umständen, sondern sich selbst zuzuschreiben. Die Auswanderungsgesellschaft weist den Menschen auf sich selbst zurück. Die Ironie besteht darin, daß die Menschen in der Auswanderung zu sich selbst nach Hause finden. Das Wandern erfährt somit eine innermenschliche und erzieherische Rechtfertigung. Die Menschen lernen, sich als selbstbedingende Wesen, „oder die Entsagenden“, zu erkennen.

Die große Bedeutung der Entsagung, die schon durch den Untertitel des Romans angedeutet wird, ist in der Studie von Arthur Henkel und in Erich Trunz' Kommentar eindringlich und ausführlich dargestellt worden, so daß hier nur auf die ironische Struktur dieser Entsagung zu verweisen ist. Entsagung beginnt zunächst immer als Schmerz, aber führt schließlich zu einer Ausgeglichenheit und Serenität, so daß man auch im Falle der Entsagung in

[138] HA 8, 391.
[139] HA 8, 592.
[140] HA 8, 243.
[141] HA 8, 384—385.
[142] HA 8, 409.

den *Wanderjahren* von „sehr ernsten Scherzen" sprechen kann. Freilich gelingt nicht allen dieser Weg vom Ernst zum Scherz: die pilgernde Törin, der Barbier und Odoard bleiben an den Bereich des Ernstes gebunden; Felix und Hersilie scheinen außerhalb des Bannkreises der Entsagung zu stehen. Bei den Paaren der Novelle „Der Mann von funfzig Jahren" führt die Entsagung schließlich zu konkretem Besitz. Die Vereinigung Wilhelms mit Natalie ist in Aussicht gestellt, und selbst Lenardo scheint nicht für immer auf seine Schöne-Gute verzichten zu müssen.

Die Entsagung ist zunächst immer rein physisch bedingt: es wird Verzicht geleistet auf den Besitz der geliebten Person. Der Major verwandelt sich vom „ersten Liebhaber" zum „zärtlichen Vater". Diese Verwandlung wird ironisch als Rollenwechsel ausgedrückt in der Fachsprache des Theaters, die sich hier auf Grund der kosmetischen Verschwörung mit dem „wohlkonservierten Schauspieler" wie von selbst anbietet.[143] Das Verhältnis von Lenardo zu Nachodine-Susanne wird zunächst in ein schwesterliches verwandelt. Der Vater legt Lenardos Hand und die Hand seiner Tochter ineinander und spricht: „Das soll kein irdisches, es soll ein himmlisches Band sein; wie Bruder und Schwester liebt, vertraut, nützt und helft einander, so uneigennützig und rein, wie euch Gott helfe."[144] Sowohl Erich Trunz als auch Arthur Henkel haben darauf hingewiesen, daß die Entsagung weder Stoizismus noch Askese ist.[145] Sie ist auch nicht Kapitulation oder Aufgabe, sondern Fortsetzung und Steigerung.

Arthur Henkel hat die Entsagung in der Formel „Liebe ohne Besitz" zu umreißen gesucht und damit die richtungweisende und wegbereitende positive Kraft der Entsagung auf ein höheres Ziel hin erfaßt.[146] Diese Formel bringt zugleich jene vielfältigen ironischen Beziehungen zwischen erotischem Besitz und Grundbesitz ans Licht. Sowohl in der Novelle „Wer ist der Verräter?" als auch in „Der Mann von funfzig Jahren" wird die Verbindung zwischen zwei Menschen durch Spekulationen auf Zusammenlegung von Grundbesitz motiviert. Und trotz Entsagung wird am Ende beides erreicht: sowohl Zusammenlegung des Grundbesitzes als auch erotischer Besitz. Die Entsagung wird ironisch aufgehoben und bestätigt: sie ist zugleich auch „Liebe mit Besitz". Und wie trotz Lenardos Reden im „Staat der Entsagenden", in der amerikanischen Utopie, wie auch bei dem europäischen Projekt der Grundbesitz letztlich auch nicht aufgegeben wird, so wird man vielleicht sogar im Falle von Lenardo

---

[143] HA 8, 216.

[144] HA 8, 434.

[145] HA 8, 590; Henkel: Entsagung. S. 156—160; 165—168. Siehe auch Christian Hartmut Schädel: Metamorphose und Erscheinungsformen des Menschseins in Wilhelm Meisters Wanderjahren. Zur geistigen und künstlerischen Einheit des Goetheschen Romans (= Marburger Beiträge zur Germanistik, Bd. 25). Marburg: Elwert 1969. S. 24—64.

[146] Henkel: Entsagung. S. 125—141; vgl. Peschken, a.a.O. S. 154; 232.

und Nachodine-Susanne „Liebe mit Besitz" vermuten dürfen. So wird also auch in der Lehre der Entsagung deutlich, daß es darum geht, die Begriffe in die Schwebe zu bringen. Die Lehre drückt sich aus, wenn überhaupt, in der Form ihrer Verkündigung: in der Ironie.

Ironie ist die Pädagogik dieses Romans, und sie bezeugt sich auch in den Erziehungstheorien, die hier dargelegt werden. Das zweite Buch ist der Pädagogischen Provinz gewidmet. Ein umfassendes und detailliertes Erziehungssystem, das alle Wissenschaften und schönen Künste sowie die sittlich-religiöse Bildung mit einschließt, wird hier entwickelt. Dieses großartige System, das von Pädagogen stets sehr ernst genommen worden ist, wird aber gleichsam ironisch in Frage gestellt durch den Schüler Felix, der weitgehend unbeeindruckt und unberührt aus diesem Institut hervorgeht. Ihm bleiben auch der Irrtum und das Leid nicht erspart, vor denen die Pädagogische Provinz ihre Zöglinge zu bewahren sucht.[147] Die Pädagogische Provinz wird weiterhin dadurch ironisiert, daß Felix die Kenntnisse des Schreibens und Reitens, in denen er sich dort vervollkommnet hat, zur erotischen Eroberung von Hersilie anwendet. Die als *artes liberales* gelehrten Künste des Schreibens und Reitens werden sozusagen in den Dienst der *ars amatoria* gestellt.

Das Thema der Kunst ist in die Polarität der Begriffspaare Individualkunst und Gemeinschaftskunst sowie Handwerk und Kunst eingespannt. Dem Künstler wird durchaus das Recht auf Einsamkeit zugestanden, aber als selbstgenügsamer Individualausdruck wird die Kunst verworfen, wie es sich am Beispiel von Flavio zeigt.[148] Die Kunst wird auf das Gesellige bezogen, und nur von der Wirkung auf die Gemeinschaft erfährt sie ihre Rechtfertigung:

Deines Wirkens zu genießen,
Eile freudig zum Verein!
Hier im Ganzen schau', erfahre
Deinen eignen Lebenslauf,
Und die Taten mancher Jahre
Gehn dir in dem Nachbarn auf.[149]

---

[147] vgl. Röder: Glück und glückliches Ende im deutschen Bildungsroman. S. 189; Peschken sieht die Ironie in der Darstellung der Pädagogischen Provinz darin, „wie die Utopie die Wirklichkeit übersteigt ... denn sie stellt ja einen Plan auf, der verwirklicht werden sollte. Ist der Plan zu überwirklich, hintertreibt dies seine Realisierung. ...das Ironische des Utopischen [wird] von Wilhelm und Felix demonstriert; sie sind die Kontrastpersonen, durch die die überwirklichen Züge der Provinz auf die Realität zurückbezogen werden" (a.a.O., S. 91—92). Ein ausgezeichneter Überblick über die Literatur zur Pädagogischen Provinz findet sich ebd., S. 92 ff. Siehe auch Goethes offensichtlich ironisches Gespräch mit F. H. C. Schwarz im September 1814 (Biedermann 2, 279), daß er den Wilhelm Meister für ein Erziehungsinstitut geschrieben habe.

[148] HA 8, 437—438.

[149] HA 8, 255.

Deshalb finden die Gelegenheitsgedichte des Majors, die auf das Gesellige bezogen sind, auch weitaus größere Billigung als die Gedichte seines Sohnes. Ebenso findet die Kunst des Malers am Lago Maggiore ihre Rechtfertigung in der sittigenden Wirkung auf Hilarie. In der Region der Künstler in der Pädagogischen Provinz wird der Zusammenhang zwischen den einzelnen Künsten besonders betont. Erich Trunz hat darauf verwiesen, daß in den *Wanderjahren* die soziale Funktion der Kunst hervorgehoben wird und deshalb die Musik, insbesondere das Gemeinschaftslied, eine so große Rolle spielt.[150] Im Verhältnis von Einzelsänger und Chor, in der Variation des Textes unter Beibehaltung der Melodie im Lied des Auswandererbundes wird das Verhältnis von Individuum und Gemeinschaft in der Kunst verwirklicht.

„Aller Kunst muß das Handwerk vorausgehen", heißt es, „welches nur in der Beschränkung erworben wird."[151] Das Genie begreift diese Grundbedingung, und in der Beschränkung auf das Handwerk gewinnt es die Grundlage zu künstlerischer Freiheit.[152] In Wilhelms Erzählung über die medizinischen Phantome und die Kunst ihrer Herstellung kommt die paradoxe Verschränkung von Kunst und Handwerk zum Ausdruck. Die Bildhauerkunst wird zum anatomischen Handwerk und die Anatomie zur Kunst. Für das europäische Projekt erklärt Odoard „die Handwerke sogleich für Künste ... und durch die Bezeichnung ‚strenge Künste' von den ‚freien' entschieden getrennt und abgesondert".[153] Auch hier zeigt sich die ironische Schwebe von gegensätzlichen Begriffspaaren, die bis zur wechselseitigen Vertauschung der Funktionen von Kunst und Handwerk führt. Der höhere Bezug erweist sich in der Annäherung an das Unsagbare. Über Hilariens Malstudien am Lago Maggiore sagt der Erzähler: „Welche Wonne, in Zügen und Farben dem Unaussprechlichen näher zu treten!"[154]

Auch die Religion steht im Zeichen der Ironie. Verschiedene Formen des Glaubens werden vorgeführt und ironisch miteinander verknüpft. Wie Erich Trunz sagt: „Es ist etwas, was kein anderer Schriftsteller jener Zeit gewagt und geleistet hat, die Frömmigkeit einer katholischen Familie, pietistischer Gemeinden, eines Aufklärers, eines neuen religiösen Naturforschers, eines modernen sozialen Menschentyps, eines Künstlers usw. nebeneinanderzustellen und das Verbindende symbolisch deutlich zu machen."[155] Allerdings fehlt in dieser Aufzählung die Tatsache, daß die jüdische Religion aus der utopischen Gesellschaft

---

[150] HA 8, 596—598.
[151] HA 8, 148.
[152] HA 8, 250.
[153] HA 8, 411.
[154] HA 8, 238.
[155] HA 8, 596.

nicht nur ausgeschlossen, sondern den Vorurteilen des 19. Jahrhunderts gemäß ausdrücklich abgelehnt wird.[156]

In der Pädagogischen Provinz wird die Lehre der drei Ehrfurchten, die in einer vierten aufgehoben sind, als erzieherisches Programm dargestellt. Diese Pädagogik ist religiös bestimmt, und die drei Stufen der Ehrfurcht werden religiösen Grunderfahrungen, die sich in den großen Religionen manifestieren, zugeordnet. Die religiösen Erfahrungen werden auf den Bildern der Galerie "symphronistisch" als menschliche Grundsituationen dargestellt. Sie erscheinen dort in ähnlicher Wirksamkeit wie die Bilder in der Kapelle des Heiligen Joseph. In der „symphronistischen" Darstellung macht sich das ironische Prinzip bemerkbar. Die Gleichsinnigkeit „bei der größten Verschiedenheit" wird herausgestellt.[157]

Aber sobald die klare Dreigliederung der Ehrfurchten „vor dem, was über uns, unter uns und neben uns ist", in ihrer Zuordnung zu den einzelnen Religionen zu einem einfach mitteilbaren Schema zu erstarren droht, wird die klare Anordnung in einem Stufensprung durchbrochen: die zweite und dritte Stufe werden vertauscht.[158] Die Durchbrechung des Schemas läßt sich als Ironie erkennen, wie Goethe sie in jenem Brief an Schiller aus dem Jahre 1796 beschreibt: „... ich komme mir vor wie einer, der, nachdem er viele und große Zahlen übereinandergestellt, endlich mutwillig selbst Additionsfehler machte, um die letzte Summe aus Gott weiß was für einer Grille zu verringern."[159] Nur mit dem Unterschied, daß Goethe jetzt weiß, aus welchem Grunde er die „letzte Summe" verringert. Es ist Ironie aus Ehrfurcht. Es geht darum, die klare Aussage in den Bereich des Geheimnisses zurückzustellen. Das Religiöse erweist sich in dem Paradox von Faßbarkeit und Unerklärlichkeit, Sagen und Verheimlichen. So erscheint die gesamte Pädagogische Provinz im nebensächlichen Detail — in den Gebärden und Grüßen, der Zöglingskleidung usw. — genau beschrieben, in ihrer Lehre und Bedeutung sowie ihren Hauptvertretern, dem Oberen und den Dreien, aber ins Geheimnisvolle und Unwirkliche entrückt. Es macht sich hier ein Erzählprinzip bemerkbar, das dann besonders in den Makarien-Kapiteln angewendet wird. Es besteht darin, die Unwahrscheinlichkeit und Kühnheit des Gesagten durch die Wirklichkeitstreue in der Beschreibung von Nebensächlichkeiten glaubhaft zu machen.

---

[156] HA 8, 405; s. Heidi Gidion, a.a.O. Anm. 18, S. 114—115: „Wie die Entstehungszeit des Romans als ‚Maschinenzeitalter' in den Roman hineinragt, so scheinen hier aus dem Auswandererbund zeitgenössische Tendenzen der Judenfeindschaft zu sprechen mit den traditionellen zwei Argumenten, dem theologischen ... — die Juden als Christus-Mörder, unbekehrbar —, und dem ökonomischen ... — ihre übergroße Geschäftstüchtigkeit, mangelnde Seßhaftigkeit."

[157] HA 8, 159; 444.

[158] Erich Trunz hat diesen Stufenwechsel im einzelnen nachgezeichnet (HA 8, 654).

[159] WA IV 11, 123.

In der Lehre von den drei Ehrfurchten und in den Makarien-Kapiteln kommt die Religion in ihrer höchsten Form in der Sprache zur Geltung. Auch im Fall von Makarie ist es die Sprache der Ironie, der Ironie aus Ehrfurcht. Makarie erscheint zunächst als gute, alte Tante: würdig und heiter, obwohl sie an chronischer Migräne leidet und an einen Rollsessel gebunden ist. Bei Wilhelms Ankunft in ihrem „Bezirk" übernimmt sie den Vorsitz am Frühstückstisch. Interessiert hört sie dem wissenschaftlichen Vortrag des Astronomen zu, und fürsorglich kümmert sie sich darum, daß Felix sich inzwischen nicht langweilt.

Sie ist die Familienbeichtigerin. Alle Seelen, „die sich selbst verloren haben, sich wiederzufinden wünschten und nicht wissen wo", wenden sich an sie.[160] Sie vermittelt klärend zwischen den verwirrten Paaren. Unter ihrer Einwirkung werden die Ehen geschlossen, die den Roman abrunden. Zugleich aber wird diese gute, alte Tante vom Erzähler eine „Heilige" und „Ursibylle" genannt[161], und es stellt sich heraus, daß sie ein Stern ist und einen Teil des Sonnensystems darstellt. Makarie trägt „nicht sowohl das ganze Sonnensystem in sich", sondern sie bewegt „sich vielmehr geistig als ein integrierender Teil darin".[162] Die Gestalt der Makarie ist vielleicht die kühnste Dichtung, die Goethe je geschaffen hat. Damit aber diese Gestalt nicht als Dogma rationalisiert oder als romantische Heiligenfigur sentimentalisiert wird, bedarf es der Ironie. Die Ironie macht jegliche Fest- und Zurechtlegung in der einen oder der anderen Richtung unmöglich. Makarie ist die Tante und nicht die Tante, Heilige und nicht Heilige, und Tante und Heilige zugleich. Erst in dieser Schwebe wird das Unglaubliche, das dieser Gestalt anhaftet, akzeptabel.

Religion ist Offenbarung und Geheimnis. Im Vollzug der Sprache begründet und bewahrt die Ironie das Geheimnis, und zugleich ermöglicht sie im ahnenden Begreifen und Erfassen die Offenbarung. Das Religiöse verliert seinen Wert sowohl in der totalen Aussage als auch in der totalen Mystifikation; die Ironie erhält den Wert. Aus diesem Grunde wird Makarie auf der einen Seite als gute, alte Tante realistisch geschildert, auf der anderen Seite als „Heilige" in den Geheimnisbereich der Traum- und Märchendichtung entrückt. Deshalb wird Makariens Sternenbahn einerseits vom Astronomen mathematisch genau berechnet, andererseits von Angela „gleichnisweise" umschrieben. Darum wird der Makarienmythos in Bruchstücken dargestellt, die sich aber durch die Wiederholungen zum Ganzen zusammenschließen, und deshalb wird er als Wahrheit in Form eines Blattes aus dem Archiv und als Dichtung nach einem nicht ganz authentischen Gedächtnisbericht ausgegeben.

Der Erzähler beruft sich auf einen anonymen Bericht und erklärt zum Problem von Dichtung und Wahrheit: „Dem sei aber, wie ihm wolle, so wird hier

[160] HA 8, 223.
[161] HA 8, 441; 65; s. 448.
[162] HA 8, 126.

schon so viel mitgeteilt, um Nachdenken zu erregen und Aufmerksamkeit zu empfehlen, ob nicht irgendwo schon etwas Ähnliches oder sich Annäherndes bemerkt und verzeichnet worden." Einbildungs- und Denkkraft werden hier gleichermaßen angesprochen und zum Supplieren aufgefordert. Aber auch der anonyme Autor des Blattes, dessen Inhalt der Erzähler mit einer gewissen kritischen Zurückhaltung mitteilt, meldet einen Vorbehalt an, indem er von diesem Inhalt sagt, daß man ihn „auszusprechen kaum wagen darf".[163] Mitten im Bericht hält er inne mit der Bemerkung: „Hier aber wagen wir nicht, weiter zu gehen; denn das Unglaubliche verliert seinen Wert, wenn man es näher im einzelnen beschauen will. Doch sagen wir so viel."[164] Es folgt dann die Beschreibung, wie Makarie, die alle Widersprüche unwidersprüchlich zum Selbst der Person vereinigt, sich über das Irdische hinausgesteigert hat, sich im Sonnensystem bewegt und auf ihrer Planetenbahn über das Sonnensystem hinaus in den unendlichen Raum des Göttlichen schnellt. Das Unbeschreibliche wird hier beschrieben, und um sein Wesen als Unbeschreibliches nicht durch Beschreibung zu zerstören oder zu verfälschen, erfolgt die ironische Aufhebung:

> Dorthin folgt ihr keine Einbildungskraft, aber wir hoffen, daß eine solche Entelechie sich nicht ganz aus unserm Sonnensystem entfernen, sondern, wenn sie an die Grenze desselben gelangt ist, sich wieder zurücksehnen werde, um zugunsten unserer Urenkel in das irdische Leben und Wohltun wieder einzuwirken.

In der Hoffnung, daß Makarie als kosmische „Liebe ... von oben" in das irdische Leben eingreifen möge, wird das Unbeschreibliche vergegenwärtigt. Der Herausgeber distanziert sich dann noch einmal abschließend von dem Bericht, indem er mit einer ironischen Schlußformel um Verzeihung für „diese ätherische Dichtung" bittet.[165] Unter wiederholtem und gesteigertem Vorbehalt wird Makarie in dem Gedächtnisbericht als siderische Heilige der Realitätsebene entrückt und wieder ironisch als gute, alte Tante in den Raum ihres praktischen Wirkens zurückgeholt. Daß dieses Zurückholen in den Bereich des irdischen Lebens den Mythos nicht aufhebt, sondern bestätigt, zeigt der Vergleich mit *Faust II.* Tatsächlich nimmt ja Makarie hier die Position der „Liebe ... von oben" ein, die hier nicht in christ-katholischer, sondern kosmischer Form auftritt.

Aber selbst wenn der Makarienmythos nur als Fiktion innerhalb der Realität des Romans zu bewerten ist, so hat, nach Aussage des Erzählers, dieses „einem Roman wohl ziemende Märchen" doch noch immer den Wert, daß man es „als Gleichnis des Wünschenswertesten betrachten dürfte".[166] In diesem Konjunktiv

[163] HA 8, 449.
[164] HA 8, 451.
[165] HA 8, 452.
[166] HA 8, 445.

wird deutlich, in was für einer ätherischen Schwebe der Makarienmythos gehalten wird, und wie seine Wirksamkeit als Gleichnis gerade dadurch erhalten wird, daß seine zu belächelnde Märchenhaftigkeit durchaus zugestanden wird. Es handelt sich um einen „sehr ernsten Scherz". Diese Zusammenstellung von Mythos und Ironie mag befremdend erscheinen, aber nur in dieser Form ist der Mythos in einem säkularisierten Zeitalter noch möglich. Klopstock scheitert in seinem *Messias* daran, daß er bei der für ein Epos notwendigen Herstellung eines mythischen Horizontes die Problematik des Mythos im 18. Jahrhundert verkennt. Wieland gelingt in seinem *Oberon* die Lösung in der Form der Ironie. Goethe folgt Wieland in dieser Hinsicht im *West-östlichen Divan,* in den *Wanderjahren* und in *Faust II,* nur daß er es versteht, den Ernst des Scherzes vielleicht ein wenig stärker zu betonen als Wieland. Thomas Mann hat diese Situation deutlich erkannt, wenn er an Goethe hervorhebt, daß er den Mythos nicht zelebriere, sondern mit ihm scherze.[167]

Man hat auch bei Makarie von Mystik gesprochen, aber Hans Joachim Schrimpf hat erklärt, daß es sich hier nicht um einen ekstatischen Aufschwung handelt, „der die Welt entwertet hinter sich zurückläßt und, in welchem der Mensch, sich aufgebend, sich ins All auflöst", sondern um die Erfahrung des Unendlichen im Endlichen.[168] Auch Eduard Spranger hat die Doppelstellung der Makariengestalt im Universum betont und als Grundzug ihres Wesens die Zweiheit des Irdischen und des Himmlischen hervorgehoben.[169] Es ist also auch hier, wie im *Divan,* von „mystischer Ironie" zu sprechen.

Im Schlußbild des Romans leuchtet die mystische Ironie noch einmal auf. Im Licht der Mittagssonne erkennt Wilhelm in seinem geretteten Sohn das herrliche „Ebenbild Gottes". Das Göttliche spiegelt sich im Menschen, ohne daß aber auch nur der Gedanke einer *unio mystica* hervorgerufen wird. Es geht darum, die Gegensätze spiegelbildlich in Bezug zu setzen, aber nicht darum, sie zu vereinigen. Der Vergleich mit Kastor und Pollux hebt die antithetische Doppelnatur des Menschen besonders hervor. Die Dioskuren sind von göttlicher und menschlicher Abkunft. Sie verkörpern die Zugehörigkeit des Menschen zu Licht und Dunkel, Unsterblichkeit und Sterblichkeit, Himmlischem und Irdischem. Natürlich trifft der Vergleich mit den göttlichen Zwillingen auf Vater

---

[167] Gesammelte Werke in zwölf Bänden. Bd. 9. S. 507—508.

[168] Hans Joachim Schrimpf: Das Weltbild des späten Goethe. Überlieferung und Bewahrung in Goethes Alterswerk. Stuttgart: Kohlhammer 1956. S. 316.

[169] Eduard Spranger: Die sittliche Astrologie der Makarie in Wilhelm Meisters Wanderjahren. In: E. S.: Goethes Weltanschauung. Wiesbaden: Insel 1949. S. 192—206; Wiederabdruck: E. S.: Goethe. Seine geistige Welt. Tübingen: Wunderlich 1967. S. 350—363; s. Albert Fuchs: Makarie. In: A. F.: Goethe-Studien. Berlin: de Gruyter 1968. S. 97—117; Ernst Loeb: Makarie und Faust. Eine Betrachtung zu Goethes Altersdenken. In: ZfdPh. 88 (1969/70) S. 583—597; Schädel: Metamorphose und Erscheinungsformen des Menschseins in Wilhelm Meisters Wanderjahren. S. 110—122.

Wilhelm und Sohn Felix nur bedingt zu, aber dieses *cum grano salis*-Element ist, wie es sich bereits im *Divan* gezeigt hat, typisch für die Goethesche Ironie. Einerseits ist der Vergleich schief, andererseits aber folgt er der mythologischen Tradition bis in alle Einzelheiten. Die Dioskuren erscheinen wie Felix stets in Verbindung mit Pferden. Zu ihren Attributen gehören der Mantel und die aufgerollten Locken, die sich auch bei Felix finden lassen. Sie reiten ohne Steigbügel und Sattel wie Felix. Sie zeichnen sich aus wie Wilhelm durch Heilung und Hilfeleistung, besonders bei Wassergefahr. Felix ist ins Wasser gestürzt, er wird ans Ufer gezogen und von Wilhelm zur Ader gelassen. So wird hier, ähnlich wie in der Novelle „Sankt Joseph der Zweite", durch den mythologischen Vergleich in Felix' Unfall und Rettung ein allgemeines und immer wiederkehrendes Muster und Vorbild sichtbar gemacht. Felix und Wilhelm sind Reinkarnationen von Kastor und Pollux. Der Ernst des mythologischen Scherzes erweist sich darin, daß er eine menschliche Grundsituation — in diesem Falle das menschliche „Stirb und werde!" — in einem Bild zu erkennen gibt, das die Mythologie zur Verfügung stellt. Auch die Dioskuren sind an das „Stirb und werde!" gebunden. Nach der Ermordung des Kastor gewährte Zeus dem Zwillingsbruder Pollux die Bitte, abwechselnd mit dem Bruder im Olymp und in der Unterwelt zu leben.[170] Es wird hier auch auf Wiederauferstehungsmythen angespielt.[171] Wilhelms Ausruf bestätigt diese Deutung: „Wirst du doch immer aufs neue hervorgebracht, herrlich Ebenbild Gottes! ... und wirst sogleich wieder beschädigt, verletzt von innen oder von außen." In der Polarität von Verletzung und Heilung und in dem Bezug der Steigerung auf ein Höheres, Unerreichbares wird noch einmal die Struktur der Geotheschen Ironie in diesem Roman offenbar. Es erfolgt keine Vereinigung mit Höherem. Die Verbindung besteht im spiegelartigen Bezug, im göttlichen Ebenbildcharakter des Menschen, der im Schein der mittäglichen Sonne aufleuchtet als farbiger Abglanz der Gottheit selbst.

---

[170] W. H. Roscher: Ausführliches Lexikon der griechischen und römischen Mythologie. Bd. 1. Leipzig: Teubner 1884. Sp. 1154—1177; Donald J. Ward: The Divine Twins. An Indo-European Myth in Germanic Tradition (= Folklore Studies, 19). Berkeley/Los Angeles: University of California Press 1968.

[171] H. M. Waidson: Death by Water; or the Childhood of Wilhelm Meister. In: MLR. 56 (1961) S. 44—53; s. auch Heidi Gidion, a.a.O. S. 133—135.

KAPITEL IV

Faust II

> Es [Klassische Walpurgisnacht] ist eine mythische Belustigung, dem Welt-Revue-Charakter der Faustdichtung ganz gemäß... Goethe's ironische Art, den Mythus zu beschwören.
>
> THOMAS MANN

Die letzte Hauptarbeitsperiode an *Faust II* fällt in die Jahre zwischen 1825 und 1831. Teile des dritten Aktes entstehen bereits 1800 unter dem Titel „Helena im Mittelalter. Satyr-Drama. Episode zu Faust“, aber erst im Jahre 1826 wird dieser Akt vollendet und 1827 als „Helena. Klassisch-romantische Phantasmagorie. Zwischenspiel zu Faust“ veröffentlicht. Dann folgen die Kaiserhofszenen des ersten Aktes, die 1828 veröffentlicht werden, 1830 der zweite und fünfte Akt „bis zum Ende des Endes“ und 1831 der vierte Akt. Am 22. Juli 1831 verzeichnet Goethe in seinem Tagebuch das letzte Mundum.[1] Die Entstehungsgeschichte des *Faust II* wird hier bedeutungsvoll, da Ironie oft an die Zeit gebunden erscheint. Es gehört u. a. zu den Anforderungen der Ironie an den Leser, daß er den Text mindestens zweimal liest.[2] Im Hinblick auf den Autor bedeutet diese Bindung der Ironie an die Zeit, daß die Verzögerungen von Arbeitsperioden und Überarbeitungen in besonderer Weise die Entfaltung der Ironie ermöglichen. Es ist zu bedenken, daß sowohl die endgültige Anordnung der *Divan*-Gedichte als auch die Entstehung der *Wanderjahre* und des *Faust II* sich über lange Jahre hinziehen. Das von Goethe so oft erwähnte „Steigern“ und „Kohobieren“ ist teilweise nichts anderes als ein Ironisieren von alten Texten und Plänen. Die Makarie der *Wanderjahre* erscheint noch

---

[1] WA III 13, 112.

[2] s. Eva Schaper: Zwischen den Welten. Bemerkungen zu Thomas Manns Ironie. In: Literatur und Gesellschaft vom neunzehnten ins zwanzigste Jahrhundert. Festgabe Benno v. Wiese. Hrsg. v. Hans Joachim Schrimpf. Bonn: Bouvier 1963. S. 330 bis 364; Hermann J. Weigand: The Magic Mountain. A Study of Thomas Mann's Novel Der Zauberberg (= University of North Carolina Studies in the Germanic Languages and Literatures, 49). Chapel Hill: University of North Carolina Press 1964. S. 95.

1821 als „Frau von S.", die Helena von 1800 als griechische Tragödiengestalt. Indem sich Goethe 1825 die *Ur-Helena* von 1800 noch einmal vornimmt, gelingt ihm die endgültige Einfügung in den neuen Plan, und zwar in der Form einer ironischen Transponierung des Textes von 1800. Um den Text von damals als ironisch erscheinen zu lassen, bedarf es u. a. nicht mehr als der Vorschaltung des Satzes: „Bewundert viel und viel gescholten, Helena." Diese chiastische Antithese bewirkt die ironische Distanzierung der Tragödiengestalt, indem auf die polaren Aspekte, unter denen sie zu betrachten ist, verwiesen wird.[3]

Im Jahre 1800 gerät die Arbeit ins Stocken, weil sich der Anschluß zum Faustdrama sowie eine stoffgemäße dichterische Behandlungsweise der Helena-Episode nicht finden lassen. Die Gegenüberstellung des barbarischen nordischen Teufels und der klassisch-antiken Schönheit erscheint Goethe unerträglich. Die Verschiebung des Antiken ins Fratzenhafte bekümmert ihn so sehr, daß er „nicht geringe Lust" fühlt, das Helena-Drama aus dem Rahmen der Faustdichtung herauszulösen. Goethe gelingt schließlich die Vermittlung des Schönen „mit dem Abgeschmackten" in Form der Verwandlung des nordischen Teufels ins Häßlich-Erhabene der Phorkyasgestalt, wenn man die Tagebucheintragung vom 26. September 1800 auf den *Faust* beziehen kann.[4] Auf jeden Fall gewinnt Goethe mit der Phorkyas eine Gestalt, die später durch die gemeinsame Beziehung zum Chaos — denn sowohl die Phorkyaden als auch Mephisto sind aus dem Chaos hervorgegangen — Mephistos Wechsel hinüber in die antike Welt ermöglicht. Aber gerade dieses Problem der Motivation der Umwandlung des Mephisto sowie der Einführung Fausts und das Problem einer gemäßen dichterischen Sageweise werden um 1800 noch nicht bewältigt, und so bleibt das Werk für nahezu ein Vierteljahrhundert liegen bis zur letzten Schaffensperiode von 1825 bis 1831. In dieser Zeitverzögerung aber von fast fünfundzwanzig Jahren liegen die großen Möglichkeiten der Ironie. Zwar ist schon die *Ur-Helena* von 1800 als Satyrdrama geplant, wie der Titel zeigt, aber an der Tatsache, daß Goethe die Arbeit am *Faust* damals aufgibt, läßt sich ersehen, daß die Voraussetzungen für eine ironische Behandlung des Helena-Stoffes noch nicht geklärt sind.

In der Zwischenzeit entstehen u. a. der *Divan* und die *Wanderjahre*, bei denen Goethe sich des ironischen Prinzips bewußt wird im Verlauf der einzelnen Fassungen vom „Deutschen Divan" (1814), „Wiesbadener Divan" (1815), von dem *West-östlichen Divan* von 1819 bis zum „Neuen Divan von 1820" sowie von dem Kranz der Novellen von 1809 bis 1818 und den *Wanderjahren* von 1821 und 1829. Die endgültigen Fassungen dieser Werke erscheinen, nach-

---

[3] s. Trunz (HA 3, 586); Peter Salm: Faust and Irony. In: GR. 40 (1965) S. 200 bis 201.

[4] WA III 2, 307—308.

dem es Goethe mit der „Klassisch-romantischen Phantasmagorie“ gelungen ist, sich einer neuen dichterischen Sageweise für den *Faust* zu versichern und das Helena-Drama in den neuen Plan einzufügen. Der Plan selbst bleibt noch ständig im Werden, aber mit der *Helena* von 1827 ist für den *Faust II* ein Fixpunkt gewonnen, von dem aus es sich rückwärts zum zweiten und ersten Akt sowie vorwärts zum vierten und fünften Akt arbeiten läßt.

Wenn man nach einem Ansatzpunkt für die neue dichterische Sageweise sucht, kann man vielleicht bis zum „Prolog im Himmel“ von 1800 zurückgehen. Hier wird das ironische Verhältnis zwischen Faust und Mephisto, das bis dahin einfach nach dem für Goethe archetypischen Verhältnis von Götz und Weislingen, Clavigo und Carlos, Egmont und Oranien, Tasso und Antonio strukturiert gewesen ist, in einen kosmisch-religiösen Horizont gestellt. Damit sind die Voraussetzungen für den ersten und zweiten Teil der Tragödie und der Rahmen des Ganzen gegeben. Max Kommerell hat dieses neue Verhältnis von Faust und Mephisto treffend charakterisiert:

> Die Ironie Fausts gegen Mephisto ist gelassen, die Mephistos gegen Faust todfeindlich, was dem von Gott uranfänglich abgewogenen Kräfteverhältnis der Parteien entspricht.
> Allem Schaffen wirkt Vernichtendes entgegen, woran das Schaffende in Unterscheidung sich erkennt, in Gefahr belebt, in Teilvernichtung wieder herstellt.[5]

Aber vom „Prolog im Himmel“ her läßt sich immer noch nicht die besondere Form, die der zweite Teil des Faust schließlich erhält, erklären. Der Prolog schließt nicht die kausalmotivierte, zusammenhängende Handlungsfolge und -führung aus, sondern im Gegenteil, er erfordert sie sogar. Und Goethe selbst hat die Fortsetzung des *Faust* auch zunächst in diesem Sinne geplant. Noch 1828 schreibt Goethe an Zelter, daß er gar zu gern die zwei ersten Akte des zweiten Teils fertig bringen möchte, „damit Helena als dritter Akt sich ganz ungezwungen anschlösse und, genugsam vorbereitet, nicht mehr phantasmagorisch und eingeschoben, sondern in ästhetisch-vernunftgemäßer Folge sich erweisen könnte“.[6] Im Sinne einer „ästhetisch-vernunftgemäßen Folge“ werden Schemata entworfen, vollständige Pläne aufgestellt und Einzelnes bereits ausgearbeitet; es fehlt nur noch, wie Goethe sagt, „einer gewissen genialen Redaktion“: „... es kommt nur auf einen reinen genialen Entschluß an, so ist es als eine Art von

---

[5] Max Kommerell: Geist und Buchstabe der Dichtung. 3. Aufl. Frankfurt a. M.: Klostermann 1944. S. 24; Paul Böckmann sieht Faust und Mephisto in ähnlicher Weise als „Knecht“ und „Gesinde“ des Herrn einander zugeordnet (P. B.: Die zyklische Einheit der Faustdichtung. In: P. B.: Formensprache. Hamburg: Hoffmann & Campe 1966. S. 207—208); Karl S. Guthke hat das Bild des ironischen Gottes im „Prolog im Himmel“ herausgestellt (K. S. G.: Goethe, Milton und der humoristische Gott. In: Goethe 22 (1960) S. 104—111).

[6] WA IV 43, 262.

Ganzem brauchbar und gewiß manchem angenehm."[7] Dieser „reine geniale Entschluß" fällt mit der Entscheidung zur durchgängigen Ironie, und ist wohl nicht vor 1831 anzusetzen, als Goethe sich entschied, Helena „zu Anfang des dritten Aktes ... ohne Weiteres" auftreten zu lassen.[8] Die Ironie ist vielleicht die ganze Zeit seit 1800, aber auch noch seit 1825 mehr unbewußt als bewußt verwendet worden. Erst seit 1831 scheint sich Goethe über die „geniale Redaktion" klar zu werden und setzt sie nun voller Absicht ein. Indem er die Hadesszene, die er noch bis 1830, wenn auch nicht mehr als Abschluß der „Klassischen Walpurgisnacht", so doch noch als Prolog zur „Helena" geplant hat, in Form einer dramatischen Aposiopese aufgibt, bekennt er sich endgültig und uneingeschränkt zur Ironie als Gestaltungsprinzip des *Faust*.[9] Diese Ironie richtet sich gegen die anfänglichen Pläne und Schemata, wie schon Karl Reinhardt gespürt hat.[10] Die Ironie hebt diese Pläne und Schemata auf und transponiert das gesamte Werk auf eine höhere Ebene. Daß dabei die im *Divan* und in den *Wanderjahren* entwickelte Ironie mit eine Rolle gespielt hat, ist anzunehmen. Auf jeden Fall wird jetzt, nach dem „reinen, genialen Entschluß" von 1831, das Werk sehr zügig zu Ende geführt und abgeschlossen in dem Bewußtsein: „... nur so kann es sein und nicht anders."[11]

Hier geht es also nicht um die Entstehungsgeschichte des *Faust* als solche, sondern um die Bindung der Ironie an die Zeit und die Entwicklung und Reife des Ironieprinzips im Laufe der einzelnen Arbeitsperioden. Die Entwicklung und letzte Entscheidung zur Ironie ist bisher in diesem Sinne nicht erkannt und herausgestellt worden. Die Entscheidung von 1831 erscheint auch deshalb so wichtig, weil Goethe damit den Versuch einer dramatischen Einheit im engeren Sinne des Wortes endgültig aufgibt und sich bei der Herstellung der Einheit des Werkes auf die Ironie verläßt. Bisher hat man diese Einheit auf höherer Ebene meistens im Zeichen der Symbolik gesehen.

Karl Reinhardt erklärt: „Ohne Ironisches kein Faustisches."[12] Die Bedeutung dieses Wortes ist sowohl für die gattungsgebundene Ironie — d. h. tragische und dramatische Ironie —, für die Ironisierung von historischen Stilen und Formen (Antike Tragödie, Barockkantate und Rokokomythologie) — d. h. also Parodie im ursprünglichen Sinne des Wortes —, als auch für die sprachliche Ironie im einzelnen erkannt und ausführlich dargelegt worden.[13] Die Bedeutung

---

[7] WA IV 42, 197—198.

[8] WA IV 48, 72.

[9] Karl Kerényi: Das Ägäische Fest (= Albae Vigiliae, XI). Amsterdam/Leipzig: Pantheon 1941. S. 43.

[10] Karl Reinhardt: Die klassische Walpurgisnacht. Entstehung und Bedeutung. In: K. R.: Tradition und Geist. Göttingen: Vandenhoeck & Ruprecht 1960. S. 333.

[11] zitiert nach Otto Pniower: Goethes Faust. Berlin: Weidmann 1899. S. 220.

[12] Reinhardt: Die klassische Walpurgisnacht. S. 330.

[13] Ebd., S. 309—356; Helmut Rehder: The Classical Walpurgis Night in Goethe's Faust. In: JEGP. 54 (1955) S. 591—611; Stuart Atkins: Irony and Ambiguity in the Final

der Ironie für die Einheit von *Faust II* ist jedoch bisher nicht behandelt worden. Es ist hier einleitend aufgewiesen worden, wie Goethe mittels der Ironie die dramatische Einheit im engeren Sinne des Wortes aufhebt. Nach Aristoteles repräsentiert das Drama den maximalen Direktheitsgrad der Mimesis, „da es die in der sozialen Wirklichkeit handelnden Personen in spielenden Personen darstellt", wie Heinrich Lausberg formuliert.[14] Die Dialektik der Ironie in *Faust II* besteht darin, daß sie einerseits diesen hohen Direktheitsgrad der Mimesis, der dem Drama zu eigen ist, ins Minimalmögliche verwandelt, indem sie die dargestellten Personen der Realitätsdimension der dichterischen Nachahmung entrückt, daß sie aber andererseits als durchgängig eingesetztes Stilmittel und als Gedankenform die Integration des Werkes herstellt.

Es gibt wohl wenige Dramen, in denen die dichterische Realität der Personen als dramatische Charaktere in einer dramatischen Situation so in Frage steht wie in *Faust II*. Was Emil Staiger von der „Klassischen Walpurgisnacht" gesagt hat, läßt sich auf den gesamten zweiten Teil des *Faust* beziehen: „[Wir] verlieren ... allen festen Boden unter den Füßen ... Von vornherein steht die Realität auf einem so unzuverlässigen Grund, daß ihre Preisgabe kaum überrascht."[15] Bei der Mummenschanz, der „Klassischen Walpurgisnacht", dem Helena-Akt und der Schlacht im Vorgebirge hat man immer wieder gefragt, ob diese Personen und ihre Handlungen nicht alle nur geträumt, gedichtet oder, wie Thales sagt, „nur gedacht" (v. 7946) sind.[16]

Ferner wird in *Faust II* die Rhetorik des Dramas weitgehend durch die Rhetorik der Epik und Lyrik verdrängt. Georg Lukács, Katharina Mommsen und

---

Scene of Goethe's Faust. In: Festschrift E. H. Zeydel. Princeton: Princeton University Press 1956. S. 7—27; Stuart Atkins: Goethe's Faust. A Literary Analysis. Cambridge, Mass.: Harvard University Press 1958. S. 111; 114; 129; 138; 144/45; 148; 150; 152; 163; 165; 167; 169/70; 176; 187; 189; 195; 197; 200; 204; 210—12; 219; 225; 240/41; 244; 254; 257; 275; siehe ferner: Bernhard Blume: Fausts Himmelfahrt. In: Études 22 (1967) S. 340, 344; E. M. Butler: The Fortunes of Faust. Cambridge [Eng.]: Cambridge University Press 1952. S. 195—198; 234/35; 260; 262/63; Henry Hatfield: Goethe. A Critical Introduction. Norfolk, Conn.: New Directions 1963. S. 178; 190/91; 194; 201; 217; Georg Lukács: Goethe und seine Zeit. Bern: Francke 1947. S. 157—159; 204; Eudo C. Mason: Goethe's Faust. Its Genesis and Purport. Berkeley/Los Angeles: University of California Press 1967. S. 324/25; 332; 341; Hans Joachim Schrimpf: Über Goethes Altersweisheit und Altersstil. In: Festschrift zur Eröffnung der Universität Bochum. Hrsg. v. Hans Wenke und Joachim H. Knoll. Bochum: Kamp 1965. S. 173 f.; Hans Joachim Schrimpf: Goethe. Spätzeit, Altersstil, Zeitkritik (= Opuscula, 32). Pfullingen: Neske 1966. S. 17—23.

[14] Lausberg, I, 565.

[15] Staiger, III, 323—324.

[16] Atkins: Goethe's Faust. S. 192—230; Katharina Mommsen: Natur- und Fabelreich in Faust II. Berlin: de Gruyter 1968. S. 1 ff.

Wolfgang Streicher haben die epischen Elemente in *Faust II* aufgewiesen.[17] Streicher hat besonders gezeigt, wie diese Elemente in der Entwicklung des dramatischen Geschehens zu einem „Maximum an Desintegration" führen. Es ist hierbei zu denken an die Selbsteinführung und die Beschreibung der Masken durch den Herold bei der Mummenschanz, die Darstellung des Großbrandes im Bericht des Herolds oder der Helena-Erscheinung im soufflierten Theaterbericht des Astrologen, ferner an die Homunculus-Deutung des Fausttraumes, die Beschreibungen der Figuren der „Klassischen Walpurgisnacht" durch die Sphinxe, die Einführung in die Welt der griechischen Sage durch Chiron sowie an Phorkyas' Erzählung vom arkadischen Glück, den Schlachtenbericht im Vorgebirge und das Gespräch über den Fortschritt der Meereskolonisation bei Philemon und Baucis. Auf der anderen Seite sind die Passagen anzuführen, in denen die dramatische Handlung ins Lyrische oder Opernhafte übergeht. Hier ist an die erste Szene „Anmutige Gegend" zu erinnern, ferner die Szene „Am untern Peneios", das Ägäische Fest, Fausts Arkadien-Monolog, die Lynkeus-Lieder und die Engelchöre.[18] Kaum hat sich die Szene zur dramatischen Situation zugespitzt, so erfolgt die epische oder lyrische Auflösung, so daß, wie Wolfgang Streicher mit Recht sagt, „von einer dramatischen Einheit im *Faust* nie die Rede sein kann".[19]

Aber mit der bewußt eingesetzten Ironie gewinnt Goethe ein Integrationsmedium, das die Einheit des Werkes auf einer höheren Ebene wiederherstellt. Es gilt dabei zu erkennen, daß es in *Faust II* überhaupt nicht mehr um die dramatische Auseinandersetzung von *personae tragoediae* geht, sondern um die Darstellung der Phänomene des Lebens: Gesellschaft, Natur, Schönheit, Kunst, Politik, Besitz und Liebe. Goethe hat diese Interpretation selbst bestätigt, indem er Eckermann zustimmte, als dieser dem Dichter erklärte:

> ... im Grunde sind doch der Auerbachsche Keller, die Hexenküche, der Blocksberg, der Reichstag, die Maskerade, das Papiergeld, das Laboratorium, die klassische Walpurgisnacht, die Helena, lauter für sich bestehende kleine Weltkreise, die, in sich abgeschlossen, wohl aufeinander wirken, aber doch einander wenig angehen. Dem Dichter liegt daran, eine mannigfache Welt auszusprechen, und er benutzt die Fabel eines berühmten Helden bloß als eine Art von durchgehender Schnur, um darauf aneinander zu reihen was er Lust hat. Es ist mit der Odyssee und dem Gil Blas nicht anders.[20]

---

[17] Lukács: Goethe und seine Zeit. S. 192—194; Mommsen: Natur- und Fabelreich in Faust II. S. 39 ff.; Wolfgang Streicher: Die dramatische Einheit von Goethes Faust. Betrachtet unter den Kategorien Substantialität und Funktionalität (= Studien zur deutschen Literatur, Bd. 4). Tübingen: Niemeyer 1966. S. 37 ff.; 45—54; 57—68.

[18] Reinhardt: Die klassische Walpurgisnacht. S. 350—356; Streicher: Die dramatische Einheit von Goethes Faust. S. 54—56.

[19] Streicher: Die dramatische Einheit ... S. 5.

[20] Eckermann, 338—339.

Faust befindet sich als Prototyp des Menschen in Konfrontation mit diesen in sich abgeschlossenen Weltkreisen. Die Urphänomene des Lebens erweisen sich als ironisch strukturiert wie in den *Wanderjahren*. Der Mensch vermag nicht, aus sich selbst heraus die ironische Polarität des Lebens zu überwinden, so sehr er auch danach strebt, durch Steigerung über sie hinauszugelangen. Jede Auseinandersetzung endet mit einem Unentschieden. Dieser ironische Schwebezustand trägt entscheidend zum undramatischen Charakter des *Faust II* bei, aber gewährleistet gleichzeitig die höhere Einheit des Werkes. Dabei läßt sich eindeutig feststellen, wie Ironieformen des *Divans* und der *Wanderjahre* zur Ironie des *Faust II* beitragen. Die Nähe zur ironischen Rhetorik der *Wanderjahre* wird in der Aposiopese der Hadesszene sowie in der Motiv- und Bildverknüpfung und den mythologischen Vergleichen ersichtlich; die Nähe zur ironischen Rhetorik des *Divans* wird offenbar in der spielerisch leichten Aufeinanderbeziehung von Klassik und Walpurgisnacht, Griechenland und Mittelalter, Sparta und Missolunghi, in der west-östlichen Metaphernsprache der Plutus-Beschreibung und des ersten Lynkeus-Liedes sowie in dem Reimspiel der Vereinigung von Faust und Helena, das das Gedicht von Behramgur und Dilaram zum Vorbild hat.

Es geht hier nun darum, die ironische Einheit des *Faust II* in aufsteigender Größenordnung vom Kleinsten bis zum Ganzen aufzuweisen und die Bedeutung der Ironie für die Kernprobleme des *Faust II* — Helenas Existenzform, den Ausgang der Wette und die Erlösung Fausts — herauszustellen. Gleich zu Anfang, in der ersten Szene „Anmutige Gegend", wird die Person des Helden aus dem dramatischen Funktionszusammenhang herausgelöst und die Frage nach seiner Schuld in den Zustand ironischer Schwebe gebracht. Ariel sendet Faust den Geisterkreis anmutiger kleiner Gestalten zur Hilfe. Es spielt keine Rolle, „ob er heilig, ob er böse" (v. 4619), die Elfen eilen überall dorthin, wo sie helfen können; es „jammert sie der Unglücksmann" (v. 4620). Die Schuld wird nicht geleugnet, aber der starre Gegensatz von Gut und Böse wird im Zuge der schwebenden Bewegung der Elfen aufgelöst. Der Geisterkreis „umschwebt" Fausts Haupt, „der Blüten Frühlingsregen" sinkt „über alle schwebend", das Herz wird „in Kindesruh" gewiegt (v. 4613, 4621, 4639).

Die Dämmerung verhüllt die Konturen der Landschaft; die Gegensätze zwischen Himmel und Erde verschwimmen. Die Nacht sinkt herein, die Sterne erscheinen. Die Entfernung der Planeten wird nicht aufgehoben, aber die Unendlichkeit der „großen Lichter" wird erfaßbar in der Spiegelung als „kleine Funken ... im See" (v. 4644 f.). Die Polarität von Groß und Klein, Nah und Fern wird bezeugt, aber zugleich wird hingewiesen auf die Steigerung im Vertrauen auf den „Tagesblick" und die Hinwendung zum „Glanze" der herannahenden Sonne. Seiendes und Zeit, Landschaft und Flora in der Folge der Tages- und Jahreszeiten werden in diese dynamische Aufwärtsbewegung mithineingezogen:

> Täler grünen, Hügel schwellen,
> Buschen sich zu Schatten-Ruh;
> Und in schwanken Silberwellen
> Wogt die Saat der Ernte zu. (v. 4654 ff.)

In dieser Szene lassen sich die Grundbegriffe der Goetheschen Metaphysik erkennen: Polarität und Steigerung, und sogar „die Liebe ... von oben" in Form des Mitleids der Elfen mit dem „Unglücksmann". Die letzte Szene des *Faust II*, „Bergschluchten", erweist sich so als gesteigerte Spiegelung von „Anmutiger Gegend", die ihrerseits in Ariels Sonnenhymnus in geschwächter Form den Gesang der Erzengel im „Prolog im Himmel" wieder aufnimmt. Zwischen allen drei Szenen läßt sich so ein Verhältnis von ironischer Polarität und Steigerung wahrnehmen.

Fausts Monolog nimmt die Dynamik der Steigerung der Ariel- und Elfenchorverse auf mit seinem Bekenntnis zu beständigem Streben „zu höchstem Dasein" (v. 4685). Das „Feuermeer" der Sonne (v. 4710), „des ewigen Lichts" (v. 4697), verweist Faust zurück an die Polarität der Erde:

> Ist's Lieb? Ist's Haß? die glühend uns umwinden,
> Mit Schmerz- und Freuden wechselnd ungeheuer. (v. 4711 f.)

Faust wendet sich ab von dem Versuch unmittelbarer Erkenntnis zum Abglanz der Sonne im Regenbogen des Wasserfalls. Der Regenbogen überbrückt in Wort und Bild die Polarität von Himmel und Erde, Ewigkeit und Vergänglichkeit: er verkörpert „Wechsel-Dauer" (v. 4722). Das Wort vereinigt die Widersprüchlichkeit von Formlosigkeit und Zeitlichkeit einerseits und Gestalt und Unveränderlichkeit andererseits. Im farbig gebrochenen Abglanz der Sonne tritt das Unerforschliche indirekt in Erscheinung.

Die Doppelnatur Fausts kommt in den Wort- und Satzantithesen zum Ausdruck. Er sieht sich auf sich selbst und die Erde sowie auf das Gleichnis im Abglanz der Sonne zurückverwiesen und fühlt sich doch dem Streben nach dem „ewigen Licht" verpflichtet (v. 4697). Dieser in Faust angelegte Konflikt wird aber nicht dramatisch entwickelt, sondern episch-lyrisch dargestellt im Hereinbrechen der Nacht und dem Werden eines neuen Tages.

In der nächsten Szene, in der „Kaiserlichen Pfalz", führt Mephisto sich mit antithetischer Rätselrede ein, die sich zweideutig sowohl auf den Narren als auch auf den Teufel beziehen läßt (v. 4743—4750). Die Klagen des Staatsrats erweisen sich als reine Ständesatire, Mephistos Hinweise auf die unterirdischen Schätze dagegen als ein sehr raffinierter Angriff auf die mittelalterliche Weltordnung. Die Geldgier führt zu einer Umkehrung der hierarchischen Ordnung: der Kaiser will Schwert und Zepter niederlegen, zum Bauern werden und „mit eignen hohen Händen, / ... das Werk vollenden" (v. 5002 ff). Der Kaiser führt seinen eigenen Untergang herbei: als er den Narren auffordert, die Schätze ans Licht zu bringen, nimmt Mephisto ihn beim Worte und herrscht ihn an:

> Nimm Hack' und Spaten, grabe selber,
> Die Bauernarbeit macht dich groß. (v. 5039 f.)

Der Astrolog, dem Mephisto „einbläst", hebt die Verbindung von Schatzheberglück und -verdienst hervor:

> Erst müssen wir ...
> Das Untre durch das Obere verdienen.
> Wer Gutes will der sei erst gut. (v. 5051 ff.)

Es ist aber nicht so, daß Mephisto auf einmal zum Anwalt der Ethik geworden ist, sondern daß lediglich die ironische Selbstaufhebung der Moral in der politischen Welt herausgestellt wird. Mephisto führt vor, was für ein leichtes Spiel er mit dem Kaiser und seinen Beratern hat. Die Sanierung des Staatshaushaltes wird somit moralisch von vornherein in Frage gestellt.

Sobald es um „höhere Geheimnisse" geht, häufen sich die Wort- und Satzantithesen und verdichten sich zum Paradox. In der „Finsteren Galerie" fällt Mephisto die Aufgabe der verhüllenden Offenbarung zu. Es geht darum, Faust in das Mysterium der Mütter einzuweihen. Mephisto bedient sich dabei des feierlichen Paradoxes, der Aussageform des Unsagbaren. Kein Weg führe in das Reich der Mütter,

> ... Ins Unbetretene,
> Nicht zu Betretende; ein Weg ans Unerbetene,
> Nicht zu Erbittende ... (v. 6222 ff.)

Obwohl Faust durch die Nennung der Mütter „aufgeschreckt" wird, sucht er zunächst Mephistos Reden mit sarkastisch paradoxen Wortwiederholungen und pseudo-etymologischen Wortspielen abzutun:

> Du spartest dächt' ich solche Sprüche,
> Hier wittert's nach der Hexenküche,
> Nach einer längst vergangnen Zeit.
> Mußt' ich nicht mit der Welt verkehren?
> Das Leere lernen, Leeres lehren? — (v. 6228 ff.)

Aber schließlich wird Faust doch von Mephistos Reden bewegt, „ergriffen, fühlt er tief das Ungeheure" (v. 6274) und entschließt sich zu dem großen Wagnis:

> Nur immer zu! Wir wollen es ergründen,
> In deinem Nichts hoff' ich das All zu finden.
> ...
> ... im Erstarren such' ich nicht mein Heil,
> Das Schaudern ist der Menschheit bestes Teil. (v. 6255 f., 6271 f.)

Das Reich der Mütter ist nicht im Koordinatensystem der menschlichen und sogar nicht einmal in einem der teuflischen Einbildungskraft zu erfassen. Mephisto entsendet Faust mit den Worten: „Versinke denn! Ich könnt' auch sagen: steige! / 's ist einerlei" (v. 6275). Im Zusammenhang mit dem „Unbetretenen, nicht zu Betretenden" verlieren die Richtungsverben ihren Sinn.

Diese paradoxe Sprache, die den Bereich des Unaussprechlichen abzugrenzen sucht, findet ihre Fortsetzung in Fausts Helenabeschwörung im „Rittersaal":

> In eurem Namen, Mütter, die ihr thront
> Im Grenzenlosen, ewig einsam wohnt,
> Und doch gesellig. Euer Haupt umschweben
> Des Lebens Bilder, regsam, ohne Leben.
> Was einmal war, in allem Glanz und Schein,
> Es regt sich dort; denn es will ewig sein.
> Und ihr verteilt es, allgewaltige Mächte,
> Zum Zelt des Tages, zum Gewölb der Nächte. (v. 6427 ff.)

Der Astrolog, dem Mephisto souffliert, verfällt in seiner Rede in den gleichen Ton:

> Ein dunstiger Nebel...
> ...schleicht sich ein, er wogt nach Wolkenart,
> Gedehnt, geballt, verschränkt, geteilt, gepaart. (v. 6440 ff.)

„Mein Schreckensgang bringt seligsten Gewinn": Faust erblickt „die Wohlgestalt", die ihn „voreinst entzückte" (v. 6489, 6495). Aber er verwechselt Schein und Wirklichkeit, er greift in die Vorstellung des „Raubes der Helena", in das Spiel im Spiel ein, und die Szene endet mit der Explosionskatastrophe: „Faust liegt am Boden. Die Geister gehen in Dunst auf."

Das Wortgeplänkel zwischen Mephisto und Famulus, Baccalaureus und Wagner vollzieht sich in sarkastischem Antithesenspiel, aber in Homunculus' Deutung von Fausts Traum wandeln sich die flachen Antithesen zu einer erhaben paradoxen Metaphernsprache. Die Flamme sucht Kühlung im Wasser. Das Fließende erscheint als Kristall, der sich seinerseits weich und formbar der Wellenbewegung anpaßt:

> Sie [Leda] setzt den Fuß in das durchsichtige Helle;
> Des edlen Körpers holde Lebensflamme
> Kühlt sich im schmiegsamen Kristall der Welle. (v. 6908 ff.)

„Der Schwäne Fürst..." schmiegt sich Ledas Knie „zudringlich-zahm" an (v. 6916 f.). Die paradoxe Feuer- und Wassermetaphorik findet ihre Fortsetzung in der Verkörperlichung des Homunculus beim Ägäischen Fest. Homunculus naht sich voll Sehnsucht nach körperlichem Werden dem Muschelwagen der Galatee. Seine Phiole zerschellt, und er geht in einem Flammenmeer unter in das Wasser, das Element der Ursprünge alles Lebens, um selbst auch zu entstehen:

> Welch feuriges Wunder verklärt uns die Wellen,
> ...
> ... ringsum ist alles vom Feuer umronnen;
> So herrsche denn Eros, der alles begonnen!
> Heil dem Meere! Heil den Wogen!
> Von dem heiligen Feuer umzogen;
> Heil dem Wasser! Heil dem Feuer!
> Heil dem seltnen Abenteuer! (v. 8474 ff.)

Das Mysterium der Zeugung steht im Zeichen der Polarität von Feuer und Wasser.

Im Helena-Akt erfolgt die Neuverteilung der Kräfte des Verhältnisses von Schaffen und Vernichtung, Bejahung und Verneinung im Sinne der antiken Welt als Beziehung zwischen Schönheit und Häßlichkeit. Phorkyas sucht einen unüberbrückbaren Gegensatz zwischen Scham und Schönheit herauszustellen, während die Chorführerin bekräftigt: „Wie häßlich neben Schönheit zeigt sich Häßlichkeit" (v. 8810). Aber wie auch Faust sich mit den Gegenkräften verbinden muß, so ist auch die antike Welt der Schönheit gezwungen, mit ihrer Gegenkraft ein Bündnis abzuschließen, um sich zu retten und zu bewahren.

Der Eindruck der Helena auf die mittelalterliche Welt kommt wieder in Paradoxen zur Sprache, die das Geheimnis und Wunder der Erscheinung der Helena auf der Faustburg signalisieren. Lynkeus fleht Helena an:

> Laß mich sterben, laß mich leben,
> Denn schon bin ich hingegeben
> Dieser gottgegebnen Frauen. (v. 9219 ff.)

Die Hyperbel erweist sich als Ernst, da Helena als die „Schwanerzeugte" ja Zeustochter ist (v. 9108). In der mittelalterlichen Herrscherinnen- und Frauenpanegyrik wird das Unmögliche möglich: die Sonne geht „wunderbar im Süden auf" (v. 9225). Beim Anblick der Helena wird der Arme reich, der Reiche arm. Der paradoxe König-Bettler-Topos wird in Wort und Tat umgesetzt: Lynkeus „fühlt sogleich / Sich bettelarm und fürstenreich" (v. 9275 f.). Er schleppt all seine Schätze heran, und auch Faust gebietet, „Paradiese von lebelosem Leben" herzurichten (v. 9340 f.).

Das arkadische Glück, das vom Ausgleich und der Schwebe lebt, wird durch Euphorion zerstört, indem er unversöhnliche Gegensätze in das friedliche Leben hineinzieht:

Träumt ihr den Friedenstag?
Träume, wer träumen mag.
Krieg! ist das Losungswort.
...
Frauen werden Amazonen
Und ein jedes Kind ein Held. (v. 9835 ff.; 9861 f.)

In Euphorions unbedingtem Streben und Tod bricht der Gegensatz zwischen Glück und Schönheit auf, so daß Faust und Helena nicht länger vereint bleiben können.

In den Antithesen zu Anfang des vierten Aktes finden sich keine Verdichtungen zum echten Paradox. Zwar versucht Mephisto mit Hilfe der Theorie des Plutonismus das „offenbare Geheimnis" zu erklären, daß der „starre zackige Felsengipfel" des Hochgebirges eigentlich „der Grund der Hölle" sei: „Was ehmals Grund war ist nun Gipfel" (v. 10088). Aber Faust kehrt sich nicht daran, ähnlich wie Montan fragt er „nicht woher und nicht warum" (v. 10096). Der Hinweis auf den Plutonismus lenkt Fausts Aufmerksamkeit in die entgegengesetzte Richtung: aufs Wasser und den neuen Plan, „das herrische Meer vom Ufer auszuschließen" (v. 10229). Auch dieser Plan erwächst aus dem Gegensatz, aus der Polarität des flachen Uferlandes und der Woge:

Geringe Höhe ragt ihr stolz entgegen,
Geringe Tiefe zieht sie mächtig an. (v. 10225 f.)

Erst in dem Faustplan erhalten die Paradoxe unbestreitbare Würde.

Mephistos Plutonismus verweist auf den politischen Umsturz, der „das Unterste ins Oberste" zu kehren droht (v. 10090). Der Kaiser stellt sich dem Gegenkaiser zur letzten Schlacht. Mephisto und Faust helfen, die alte Ordnung zu bewahren, ohne daß damit nun etwa die moralische Berechtigung der Herrschaft bestätigt wird. Im Gegenteil, sie erweist sich von ähnlicher Fragwürdigkeit wie Fausts Belehnung mit dem Strande, die durch die Unterstützung des Kaisers mit zweifelhaftem Spuk erlistet wird. Die drei Gewaltigen stellen deutlich heraus, daß die sogenannte Redlichkeit der Großen nichts anderes ist als Diebstahl im großen: „Kontribution" (v. 10827 ff.). Diese ironische Entlarvung der Besitztumsethik findet ihre Fortsetzung im fünften Akt, indem auch die Meereskolonisation „nicht mit rechten Dingen" (v. 11114) zugeht, die Handelsschifffahrt sich als Piraterie erweist und die Flurbereinigung des „Weltbesitzes" sich nur durch Brandstiftung und Mord erreichen läßt. Vor Fausts Augen ist sein Reich „unendlich", allein „im Rücken neckt" ihn „der Verdruß" über den „Lindenraum, die braune Baute, / Das morsche Kirchlein" (v. 11154, 11157 f.). Aber hat man Gewalt, „so hat man Recht" (v. 11184). In dieser zynischen Schlußfolgerung, die sich rücksichtslos über den Gegensatz von Gewalt und Recht hinwegsetzt, offenbart sich die moralische Fragwürdigkeit des erworbenen Besitzes.

Bei der Selbstdarstellung der Sorge handelt es sich nicht um ein In-die-Schwebe-bringen von Gegensätzen, sondern um eine Fixierung zwischen ihnen. Während Faust im „Weiterschreiten" „Qual und Glück" findet und in der Qual das Glück und in dem Glück die Qual, „unbefriedigt jeden Augenblick" (v. 11451 f.), erstarrt der Mensch, der von der Sorge besessen ist, zwischen „Glück und Unglück", „Wonne" und „Plage", „Lassen" und „Sollen", „Befreien" und „Erdrücken", „Schlaf" und „Erquicken":

> Er verhungert in der Fülle,
> ...
> Atemholend und erstickend;
> Nicht verzweiflend, nicht ergeben. (v. 11461 ff.)

Hier wird die Wichtigkeit der Steigerung deutlich, die in Fausts fortwährendem „Weiterschreiten" zum Ausdruck kommt. Er vermag sich der Sorge zu erwehren. Er erkennt ihre Macht nicht an. Er erstarrt nicht, auch wenn sie ihn blendet, sondern strebt weiterhin fort, „das größte Werk" zu vollenden.

Selbst Fausts letzter Monolog bewegt sich noch in versteckten Antithesen:

> Ein Sumpf ...
> Verpestet alles schon Errungene. (v. 11559 f.)

Neue Räume sollen Millionen erschlossen werden:

> Nicht sicher zwar, doch tätig-frei zu wohnen.
> ...
> Im Innern hier ein paradiesisch Land,
> Da rase draußen Flut bis auf zum Rand. (v. 11564 ff.)

Aus dieser kühnen Vorwegnahme einer unsicheren Zukunft, die täglich erobert werden muß, erwächst die konjunktivische Aussage:

> Zum Augenblicke dürft' ich sagen:
> Verweile doch, du bist so schön! (v. 11581 f.)

Diese Aussage erscheint nahezu konzessiv gebunden an die Bedingung:

> Solch ein Gewimmel möcht' ich sehn,
> Auf freiem Grund mit freiem Volke stehn. (v. 11579 f.)

Aber noch verbietet sich im Grunde der Ausspruch, denn es gibt weder freien Grund noch freies Volk. Die Gegenwart steht in offenbarem Gegensatz zu der Zukunftsvision. Wenn Faust nun doch das Bekenntnis zum Genuß des höchsten Augenblicks ausspricht, so erfolgt dieses Bekenntnis als Potentialis, lediglich „im Vorgefühl" einer Zukunft, die er nicht mehr erleben wird, ja nicht mehr erleben will, denn mit dem Bekenntnis spricht er sein eigenes Todesurteil aus. Aber der Tod bedeutet nicht sein Ende, da der „höchste Augenblick“ als Möglichkeit in die Zukunft projiziert wird.

In der Szene „Bergschluchten“ wiegt die vertikale Antithese vor: Wasser stürzt herab, Blitze schlagen hernieder, „Wurzeln, sie klammern an“ (v. 11846), die Stämme der Bäume recken sich „mit eignem kräftigen Triebe, / ... in die Lüfte“ (v. 11870 f.). Eine kosmogonische „allmächtige Liebe / Die alles bildet, alles hegt“ (v. 11872 f.), erfüllt die Bergschluchten von oben bis unten zur tiefsten, schützenden Höhle. Einzelne Anachoreten sind in Stufenanordnung auf immer höhere Regionen hin verteilt. Der *Pater ecstaticus*, dessen Sprache erfüllt ist von mystischen Paradoxen und Märtyrersehnsucht, schwebt auf und nieder. Über ihm erhebt sich die „höhere Atmosphäre“: „Hier ist die Aussicht frei, / Der Geist erhoben“ (v. 11989 f.). Alles wird in den Sog der Steigerung hineingezogen, der bis vor die *Mater gloriosa* führt, die die Bitte einer Büßerin, „sonst Gretchen genannt“, um Gnade für Faust gewährt. Aber damit wird der Steigerung kein Ende gesetzt, sondern sie geht über die *Mater gloriosa* hinaus in ihrer Aufforderung:

> Komm! hebe dich zu höhern Sphären,
> Wenn er dich ahnet, folgt er nach. (v. 12094 f.)

Auch die Erlösung weist die Struktur der Goetheschen Problemsituation auf. Für die ironische Polarität des Lebens gibt es keine Lösung oder Erkenntnis, es sei denn die ahnende Steigerung über die Polarität hinaus. Das Religiöse verhüllt und offenbart sich in der Sprache im Widerspruch. Nur so wird das „Unzulängliche ... Ereignis“. „Alles Vergängliche / ist nur ein Gleichnis“ (v. 12104 f.), aber doch eben Gleichnis, eine Möglichkeit, „das Unbeschreibliche“ zu ahnen.

Bei der Analyse der Wort- und Satzantithesen kommt natürlich den Kombinationen von „Scherz“ und „Ernst“ in *Faust II* besondere Bedeutung zu. Es ist bereits bezeichnend, daß das Substantiv „Scherz“ im ersten Teil des *Faust* überhaupt nicht verwendet wird, lediglich das Verbum tritt dreimal auf.[21] Für „Ernst“ und das Adjektiv „ernst“ läßt sich ein sehr deutliches Übergewicht für den zweiten Teil verzeichnen. Aber eine direkte Kombination, wie „... diese sehr ernsten Scherze ...“, läßt sich nicht nachweisen, nur verdeckte Gegenüberstellungen lassen sich belegen. So z. B. in der Kaiserpfalzszene: nachdem der Kaiser seine „Getreuen, Lieben“ „aus der Näh' und Ferne“ (v. 4761 f.) willkommen geheißen hat, drückt er seinen Unwillen aus, daß er sich

> ... in diesen Tagen,
> Wo wir der Sorgen uns entschlagen,
> Schönbärte mummenschänzlich tragen
> Und Heitres nur genießen wollten,

[21] Alle Angaben sind dem Wortindex zu Goethes Faust. Hrsg. v. A. R. Hohlfeld, Martin Joos, W. F. Twadell. Madison: University Wisconsin 1940, entnommen.

„ratschlagend quälen" soll (v. 4765 ff.). Aus dem Gegensatz der Lustbarkeiten der Fastnachtszeit und dem Ernst des politischen Alltags treten der Staatsbankrott und die gewissenlose Genußsucht des Herrschers um so stärker hervor. Später wird die Zeit bis zum Aschermittwoch, dem Tag der Sühne, auf Dekret des Kaisers hin um so lustiger mit der Mummenschanz der nächsten Szenen verbracht. Dieses Dekret erfolgt ironischerweise auf den Hinweis des Astrologen, daß zum Schatzheberglück auch Schatzheberverdienste gehören. Die Reaktion des Kaisers darauf lautet: „So sei die Zeit in Fröhlichkeit vertan!" (v. 5057). Aber die Fröhlichkeit wird zum bitteren Ernst, „zu Leiden wandelt sich die Lust" (v. 5937). Der Herold, der „ernstlich an der Pforte" wacht, „daß ... am lustigen Orte" sich „nichts Verderbliches" einschleicht, vermag nicht den Auftritt von Faust und Mephisto zu verhindern (v. 5496 ff.). Die Mummenschanz endet mit einer Feuerkatastrophe, aber schließlich stellt sich der Großbrand als Zauberei, als „Flammengaukelspiel" heraus, so daß der Kaiser am nächsten Tage erklären kann: „Ich wünsche mir dergleichen Scherze viel" (v. 5987 f.). Der Kaiser erkennt nicht die ernste Warnung, die das Flammenzauberspiel enthält. Blendwerk und Belehrung, Maskenscherz und Maskenernst werden bei der Mummenschanz ununterscheidbar und stellen sich bei jedem Versuch einer eindeutigen Festlegung als ihr Gegenteil heraus.

Homunculus, der sich als höchst ironisches Männlein erweist, erklärt, daß seine Entstehung in der Phiole „kein Scherz", d. h. also Ernst, gewesen sei (v. 6879). Auch Euphorions erste Worte erfolgen im Zeichen des Scherzes, der sich nur allzu bald in Trauer verwandeln soll:

> Hört ihr Kinderlieder singen,
> Gleich ist's euer eigner Scherz;
> Seht ihr mich im Takte springen,
> Hüpft euch elterlich das Herz. (v. 9695 ff.)

In diesen Versen wird zugleich deutlich, wie Fausts und Helenas Glück an Euphorions Schicksal gebunden ist.

Auch die Hofämterverleihung steht zwischen Scherz und Ernst, da die Hofämter, die hier zwar aus einem ernsten Anlaß vergeben werden, auf Festivitäten hin entworfen sind. Und so antworten die neuen Würdenträger dem Kaiser auf seine ernsten Reden mit Versprechungen zu neuen Lustbarkeiten.

Mephisto, der bei der Auseinandersetzung um „Faustens Unsterbliches" ins Proszenium gedrängt wird, unterliegt auf Grund seiner unnatürlichen Liebe zu den Engeln:

> Ein bißchen weltlicher bewegt die holden Glieder;
> Fürwahr der Ernst steht euch recht schön.
> Doch möcht' ich euch nur einmal lächeln sehn;
> Das wäre mir ein ewiges Entzücken. (v. 11788 ff.)

Mephisto spricht hier zwischen Scherz und Ernst sein „Verweile doch, du bist so schön" aus. Theodor W. Adorno hat die Ironie aufgewiesen, daß der Teufel von der eigenen Liebe, die die „Negation der Negation" darstellt, übertölpelt wird.[22]

Das Wort „schweben" und die mit ihm verwandten Bilder bringt Goethe in *Faust II* zu höchster Geltung.[23] Es gehören dazu die Verben „schwanken", „wogen", „wallen" und die Substantive „Wolke", „Nebel", „Dunst", „Schaum". Alle diese Wörter umfassen den Bereich des undeutlich und teilweise mit Täuschung In-Erscheinung-Tretenden.[24] Hinter dem Schleier von Nebel, Wolke, Dunst und Schaum mag sich durchaus das Wahre verbergen. Es geht hier nur darum, die allgemeine Unsicherheit, den Realitätsschwund in *Faust II* an Wort und Bild aufzuweisen. Die Beschwörung der Helena im Rittersaal als auch ihre Versetzung auf die Faustburg erfolgen bei Nebel; durch Nebeltrugbilder werden die Truppen des Gegenkaisers getäuscht. Die Zeugung der Helena wird verhüllt im „dichtgewebten Flor" des aufsteigenden Wasserdunstes (v. 6919). Unter den Beleidigungen der Phorkyas droht Helena, im Schwindel in „flüchtige Wolken" zu versinken. Phorkyas spricht sie an:

> Tritt hervor aus flüchtigen Wolken, hohe Sonne dieses Tags,
> Die verschleiert schon entzückte, blendend nun im Glanze herrscht. (v. 8909 f.)

Als das arkadische Glück endet, lösen sich Helenas Gewänder in Wolken auf, „umgeben Faust, heben ihn in die Höhe und ziehen mit ihm vorüber". Auf dem Hochgebirge tritt Faust aus der Wolke heraus: „Sie teilt sich wandelnd, wogenhaft, veränderlich" (v. 10046). Er erkennt „ein göttergleiches Fraungebild", „Junonen ähnlich, Leda'n, Helenen" (v. 10049 f.). Ein Nebelstreif umschwebt ihn, steigt „leicht und zaudernd hoch und höher auf, / Fügt sich zusammen" (v. 10057 f.). Der Gnadenakt der letzten Szene wird im Wolkenbild vorweggenommen:

> Wie Seelenschönheit steigert sich die holde Form,
> Löst sich nicht auf, erhebt sich in den Äther hin
> Und zieht das Beste meines Innern mit sich fort. (v. 10064 ff.)

---

[22] Theodor W. Adorno: Zur Schlußszene des Faust. In: T. W. A.: Noten zur Literatur II. Frankfurt a. M.: Suhrkamp 1961. S. 16; s. K. R. Eissler: Goethe. A Psychoanalytical Study. 1775—1786. Detroit: Wayne State University 1963. (Bd. 2). S. 1454, Anm. 26. Harold Jantz: Goethe's Last Jest: or „Faust holt den Teufel". In: Festschrift für Detlev W. Schumann zum 70. Geburtstag. Hrsg. von Albert R. Schmitt. München: Delp 1970. S. 166—172.

[23] Allein achtzehn Belege sind für das Simplex „schweben" zu zählen, vierzehn für Komposita.

[24] Das Verb „scheinen" ist vierundvierzigmal in diesem Sinne belegt.

Das Wolkenbild ist als Vergängliches nur Gleichnis. Faust erklärt in der Auseinandersetzung mit der Sorge:

> Tor! wer dorthin die Augen blinzelnd richtet,
> Sich über Wolken seinesgleichen dichtet[.] (v. 11443 f.)

Die Wolke ist der Inbegriff des Zerfließenden, Vergänglichen, das nicht festzulegen ist, und doch erfüllt die Wolke im Höhersteigen die metaphysische Funktion, die ihr von Goethe zugedacht worden ist: sie zieht das Beste in Faust hinan.[25]

Der Spiegel und das Prinzip der Doppelung spielen ebenfalls eine große Rolle in *Faust II.* Gleich zu Anfang, in „Anmutige Gegend", erscheinen die fernen Sterne nah „im See sich spiegelnd" (v. 4646), der Regenbogen „spiegelt ab das menschliche Bestreben" (v. 4725). Die Scheinbilder werden zu Sinnbildern, ohne daß dabei der Scheincharakter aufgehoben wird.

Wie dem Homunculus die Traumszene der Helenazeugung „im glatten Spiegel" des Wassers erscheint (v. 6912), so wiederholt sich diese Erscheinung für Faust am „Untern Peneios":

> Gesunde junge Frauenglieder
> Vom feuchten Spiegel doppelt wieder
> Ergetztem Auge zugebracht! (v. 7283 ff.)

Helena, die Faust schon im ersten Teil im Spiegel der Hexenküche erschienen ist, wird noch einmal nach der Auflösung des arkadischen Glücks sichtbar in der Wolkenform „und spiegelt blendend flücht'ger Tage großen Sinn" (v. 10054). Die Spiegelung ist Schein, und doch kommt ihr die größte Bedeutung zu, da sie den Sinn zu Höherem erweckt. Selbst für den Kaiser bewährt sich die Spiegelung im Feuerbrunnen in diesem Sinne: „Es war nur Schein, allein der Schein war groß" (v. 10420). Lediglich in der Schlacht gegen den Gegenkaiser erweist sich die Spiegelung als reines Blendwerk (v. 10584 ff.).

Das Prinzip der Doppelung wird zunächst von Mephisto in Form der Zweideutigkeit und Täuschung eingesetzt. Mephisto bläst dem Astrologen ein, was er sagen soll. Der Kaiser hört „doppelt, was er spricht und dennoch überzeugt's" ihn nicht (v. 4971), sondern macht ihn eher mißtrauisch, aber in einer derartigen Weise, daß er später nur um so sicherer von den „Lügenschäumen" des Teufels eingenommen wird (v. 5000). Der Baccalaureus verwahrt sich gegen die „doppelsinnigen Worte" Mephistos, die ihm noch von der „Schülerszene" in *Faust I* in unangenehmer Erinnerung sind (v. 6739). In der Begegnung mit Helena führen Phorkyas' Reden vom „doppelhaft Gebild" (v. 8872) zur Identitätskrise der Königin, die aber von Helena ins Positive gewendet wird.

---

[25] s. Trunz (HA 3, 603—604).

Die Verdoppelung des Bachs zu Bächen und zum Strom, von denen das feindliche Heer im Vorgebirge sich hinweggeschwemmt wähnt, erweist sich als Blendwerk (v. 10725 ff.). Auch bei Faust erscheint die Doppelung zunächst als negatives Prinzip, das ihn dem Teufel in die Arme treibt:

> Sprach ich vernünftig wie ich's angeschaut,
> Erklang der Widerspruch gedoppelt laut;
> Mußt' ich sogar vor widerwärtigen Streichen
> Zur Einsamkeit, zur Wildernis entweichen;
> Und um nicht ganz versäumt, allein zu leben,
> Mich doch zuletzt dem Teufel übergeben. (v. 6233 ff.)

Der Gang zu den Müttern aber gibt Faust die Kraft, trotz der Explosionskatastrophe „das Doppelreich, das große" später in Arkadien sich zu bereiten. „Doppelreich" ist der Inbegriff aller Polarität, besonders aber der Inbegriff des Dichterischen, das die Polarität von Bild und Sinn darstellt.[26]

In der „Klassischen Walpurgisnacht" steht die Doppelung ebenfalls unter positivem Vorzeichen. Beim „seeisch heitern Feste" leuchtet Luna doppelt (v. 7510 ff.). Die Doriden retten und lieben die Fischerknaben:

> Hoch ist der Doppelgewinn zu schätzen:
> Barmherzig sein, und sich zugleich ergetzen. (v. 8402 f.)

Das Prinzip der Spiegelung und Doppelung wird auch zur Herstellung des Zusammenhanges in *Faust II* verwendet. Goethe hat in dem bekannten Brief an K. J. L. Iken dieses Verfahren erklärt: „Da sich gar manches unserer Erfahrungen nicht rund aussprechen und direkt mitteilen läßt, so habe ich seit langem das Mittel gewählt, durch einander gegenüber gestellte und sich gleichsam abspiegelnde Gebilde den geheimeren Sinn dem Aufmerkenden zu offenbaren."[27] So wird das Ägäische Fest dem Abstieg Fausts in die Unterwelt gegenübergestellt, und die Ereignisse in den „Felsenbuchten des ägäischen Meers" spiegeln die geplante, aber schließlich fortgelassene Hadesszene. Helena geht nicht etwa kausal, sondern spiegelbildlich motiviert aus der mystischen Hochzeit des Homunculus mit der Galatee hervor.[28] Sowohl in der Homunculus- wie in der Faust-Handlung der „Klassischen Walpurgisnacht" entsteht Leben aus dem Tode. Homunculus muß vergehen, um „verkörperlicht" zu werden (v. 8252); Faust muß in die Unterwelt hinabsteigen und sich an die Königin des Totenreiches wenden, um Helena „ins Leben [zu] ziehn" (v. 7439). Beide Handlungen stehen im Zeichen von Tod und Geburt, und beide werden beherrscht von

---

[26] s. Böckmann: Die zyklische Einheit der Faustdichtung. S. 204.

[27] WA IV 43, 83.

[28] s. Kerényi: Das Ägäische Fest. S. 70—72; vgl. Mommsen: Natur- und Fabelreich in Faust II. S. 2—6; 183 ff.

Eros, „der alles begonnen" (v. 8479). Eros als die zeugende Urpotenz der Kosmogonie und als Sehnsucht nach dem Schönen ist das *tertium comparationis* beider Handlungen.[28a]

In ähnlicher Weise spiegelt sich Fausts Belehnung mit dem Meeresstrande, die schließlich auch von Goethe ausgelassen worden ist, in der Verleihung der Hofämter.

Paul Böckmann hat die Bedeutung des „Supplierens" für den *Faust II* herausgearbeitet.[29] Es ist bereits bei der Besprechung des *Divans* auf den Begriff verwiesen worden wie auch bei der Interpretation der *Wanderjahre*. Während der Arbeit an *Faust II* fällt der Begriff besonders häufig bei Goethe. Im Sinne dieses Begriffes läßt er Szenen und Handlungsübergänge aus, damit der Leser sie ergänze — und zwar ironisch ergänze. In der Zyklenbildung des *Divans* und in den Spiegelungen und Aposiopesen der *Wanderjahre* hat Goethe dieses Prinzip erprobt.

Neben der Ergänzung von Übergängen und Handlungszusammenhängen besteht das Supplieren in der wechselseitigen — und wie wir hinzufügen möchten: ironischen — Erhellung der Bilder, Motive und Personen.[29a] Bei der Deutung der Bilder des Lichts, des Goldes, der Schatzkiste sowie der Personen wird darauf zurückzukommen sein. Spiegelung und Doppelung stehen in einem zu supplierenden Verhältnis zu den Bildern des Lichts, die die Mehrheit der Bilder in *Faust II* darstellen. Dabei sei noch nicht einmal im einzelnen auf die Belege für Sonne, Mond und Sterne eingegangen, die sich nicht auf das „heilige" oder „ewige" Licht beziehen (v. 4633, 4697). Die Szene „Anmutige Gegend" bildet als Lichthymne den Auftakt zum zweiten Teil des *Faust* und spiegelt sich gegensätzlich in den Szenen des letzten Aktes, die vom „letzten Sonnenblick" bis zur tiefen Mitternacht und zu Fausts Erblindung führen (v. 11140). Aber inmit-

---

[28a] s. Kerényi, a.a.O. S. 53—54; 68—72.

[29] Böckmann: Die zyklische Einheit der Faustdichtung. S. 199—200. Diesem Aufsatz verdanke ich wesentliche Einsichten in Faust II. Ich übernehme den Begriff der „supplierenden Symbolik" und füge ergänzend die ironische Dimension hinzu. Die folgenden Belege sind für den Begriff des „Supplierens" im Zusammenhang mit Faust II anzuführen: Brief an F. W. Riemer vom 29. Dezember 1827: „Ich unterließ, wie Sie sehen, in prosaischer Paranthese das, was geschieht und vorgeht, auszusprechen und ließ vielmehr alles in dem dichterischen Flusse hinlaufen, anzeigen und andeuten, soviel mir zur Klarheit und Faßlichkeit nötig schien; da aber unsre lieben deutschen Leser sich nicht leicht bemühn, irgend etwas zu supplieren, wenn es auch noch so nah liegt, so schreiben Sie doch ein, wo Sie irgend glauben, daß eine solche Nachhülfe nötig sei. Das Werk ist seinem Inhalt nach rätselhaft genug, so möge es denn der Ausführung an Deutlichkeit nicht fehlen" (WA IV 43, 219). Briefkonzept an W. v. Humboldt vom 1. Dezember 1831: „Nun hat der Verstand an dem zweiten Teile mehr Forderung als an dem ersten, und in diesem Sinne mußte dem vernünftigen Leser mehr entgegengearbeitet werden, wenn ihm auch noch an Übergängen zu supplieren genug übrigblieb" (WA IV 49, 166).

[29a] Böckmann, a.a.O. S. 199 ff.

ten dieser absoluten Nacht, die „tiefer tief" über Faust hereinbricht (v. 11499), leuchtet in seinem Innern ein „helles Licht" auf (v. 11500). Dieses innere Licht ist die letzte reine Lichtmetapher im *Faust:* über diese Polarität von absoluter Nacht und innerem Licht hinaus gibt es nur noch die intensivierten Lichtmetaphern in Form von Flamme, Glut, Brand, Blitz, Glanz und Strahl sowie die Bilder ätherischer Himmelsklarheit (v. 11722, 11732, 11727, 11802, 11817, 11854 ff.). Im Bild der Flamme bezeugt sich die himmlische Abkunft des Menschen. In der ersten Szene von *Faust II* will Faust „des Lebens Fackel ... entzünden" (v. 4709). Auch Fausts Streben nach Helena steht in diesem Zusammenhang: er sehnt sich nach „des edlen Körpers holde[r] Lebensflamme" (v. 6909). Aber Faust vermag nicht, ins „ewige Licht" zu schauen, er steht betroffen vor dem „Flammenübermaß": „Ein Feuermeer umschlingt uns, welch ein Feuer!" (v. 4708 ff.). Er muß sich abwenden und wird an den „farbigen Abglanz" verwiesen. Ähnlich vermag er Helena nicht im Leben zu halten, und lediglich „Kleid und Schleier bleiben ihm in den Armen". Aber im „Abglanz" bewahrt sich Faust seinen Lichtsinn, und selbst die Sorge vermag diesen Lichtsinn nicht zu zerstören. Die physische Blindheit ist nahezu die Voraussetzung, um in das „Flammenübermaß" des Himmels aufgenommen zu werden. Das Paradox der menschlichen Existenz besteht darin, daß der Mensch des heiligen, ewigen Lichts bedarf, seinen unmittelbaren Anblick jedoch nicht aushalten kann. Der blendende Glanz des Absoluten kann nur mittelbar und verhüllt ertragen werden. Daraus ergibt sich für Goethe die vermittelnde Aufgabe des dichterischen Gleichnisses, Geheimnisses und vor allem der Ironie. Er faßt nicht, wie Hölderlins Dichter, „des Vaters Strahl, ihn selbst, mit eigener Hand".[30]

Von der Lichtmetaphorik her ist auch der ständige Wechsel von Hell und Dunkel, Verhüllung und Klärung zu deuten. Auf die mit Morgensonne erfüllte „Lustgartenszene" folgt die Begegnung zwischen Faust und Mephisto in der „Finsteren Galerie". Von den „Hell erleuchteten Sälen" bewegt sich die Hofgesellschaft in den „Rittersaal" mit „dämmernder Beleuchtung". Auch die „Klassische Walpurgisnacht" vollzieht sich in einem Wechsel von Hell und Dunkel. Mephisto sucht die Regionen der Finsternis auf, in die der „allerklarste Mondenschein" nicht hereindringt (v. 7823 f.), während Homunculus, der aus dem Dunkel der Phiole als „helles, weißes Licht" entsteht (v. 6828), sich zu Lunas Licht und Klarheit hingezogen fühlt. Auch hier erfolgt die Aufnahme in die höhere Region des Werdens unter Intensivierung der Lichtmetaphorik zu Flamme, Blitz, Glut und Feuer. Die Bergschluchtenszene spiegelt diese letzten Verse des Ägäischen Festes auf einer höheren Ebene wider.[30a]

---

[30] Hölderlin: Sämtliche Werke. Bd. II: 1. S. 219.

[30a] Herbert Seidler erwähnt das „Ironische der Beleuchtung" (Die Klassische Walpurgisnacht. In: Chr. WGV. 73 [1969] S. 30).

Die Beschwörung der Helena kann beginnen, sobald „die Lichter ... trübe schon im Saal" brennen (v. 6367). Hier zeigt sich die Notwendigkeit und Folgerichtigkeit der Verbindung von Licht- und Nebelmetaphorik. Das Absolute kann nur indirekt und in der Verhüllung zur Erscheinung kommen. Deshalb bedarf es des dichterischen Gleichnisses und des Spiegels sowie der Wolke, des Nebels und des Halbdunkels. Die Gestalt der Helena als Verkörperung der absoluten Schönheit oszilliert zwischen Sonnenklarheit und Wolken- oder Nebeltrübung sowohl bei der ersten Beschwörung als auch bei ihrem ersten Auftritt nach der „Klassischen Walpurgisnacht". Phorkyas spricht sie als „hohe Sonne dieses Tags" an (v. 8909), um sie dann sogleich wieder in Nebel einzuhüllen und auf die Faustburg zu entführen. Dort tritt sie erneut als Sonne aus dem Nebel hervor, um sich dann endgültig wieder als Wolke aufzulösen am Ende der Arkadienszene. Die absolute Schönheit tritt für den Menschen in Verhüllung und Entbergung zu Tage, sie ist nicht zu erwerben und festzuhalten als dauernder Besitz. Sie existiert in ironischer Schwebe zwischen Schein und Sein, Wolkennebel und Licht.

Zwei weitere Bilder, die in diesem Zusammenhang noch Beachtung verdienen, sind Schatzkiste und Gold. Der Astrolog stellt die Verbindung zwischen der Licht- und Edelmetallmetaphorik her: „Die Sonne selbst sie ist ein lautres Gold" (v. 4955). Auf die Bedeutung des Goldes hat Wilhelm Emrich ausführlich hingewiesen, aber er unterläßt es auch hier wieder, die ironischen Verknüpfungen darzulegen.[31] Die einzelnen Bilder sind ironisch zu supplieren. Die Schatzkiste ist ähnlich wie das Kästchen in den *Wanderjahren* mit Geheimnis, Kostbarkeit, Reichtum, Verschwendung und Verhängnis verbunden. Schon im ersten Teil des *Faust* spielt das Schmuckkästchen eine Rolle bei der Verführung Gretchens. Die Schmuckstücke erwecken Gretchens Eitelkeit, durch die Mephisto Macht über sie gewinnt. Im zweiten Teil wird die Schatzkiste von Faust als Plutus und Mephisto als Geiz bei der Mummenschanz eingeführt (v. 5685 ff.). Wie Katharina Mommsen gezeigt hat, erweist sich dabei die Kiste in einem ständigen Formwechsel begriffen.[32] Sie erscheint als ein „Kessel", in dem es „von goldnem Blut", „von Kronen, Ketten, Ringen" wallt und schwillt (v. 5711 ff.). Als der Kaiser in der Maske des Pan herantritt, wird die Schatzkiste als wunderbare „Feuerquelle" bezeichnet (v. 5921). Wasser-, Feuer- und Schatzmetaphorik verschränken sich :„Perlenschaum sprüht rechts und links" (v. 5928). Die Maske des Kaisers fängt Feuer und entfacht die Illusion des Großbrandes. Dem Kaiser erscheint am nächsten Tag der Blick in die Kiste als Vorausschau einer absoluten Weltherrschaft über Mensch und Natur. Die Naturherrschaft erscheint als Gewalt

---

[31] Wilhelm Emrich: Die Symbolik von Faust II. 3. Aufl. Frankfurt a. M.: Athenäum 1964. S. 148 f.; 191 f.; 197 ff.; 267 ff.; 272 f.; Wilhelm Emrich: Symbolinterpretation und Mythenforschung. In: W. E.: Protest und Verheißung. 2. Aufl. Frankfurt a. M.: Athenäum 1963. S. 77—78.

über die Elemente von Feuer und Wasser. Mephisto malt die Seeherrschaft in Wendungen aus, die an das Ägäische Fest erinnern (v. 6006 ff.).

Das verbindende Element zwischen beiden Szenen ist das Bild des Goldes, das tief zweideutig erscheint. Es ist einerseits der gehortete Reichtum, der zu politischer Machtkonzentration führt, andererseits der verschwenderische Reichtum der Poesie und Liebe.

Knabe Lenker als Verschwendung und Poesie wirft Perlen und Juwelen unter das Volk, das ägäische Meer überläßt den Nereiden und Tritonen die Schätze gescheiterter Schiffe, damit sie sich zum Fest der Galatee-Aphrodite schmücken. Aphrodite ist die antike Verkörperung des Reichtums der Liebe, der sich ständig hingibt und verschwendet und doch „nicht ärmer wird".[32a] In der Gestalt der Galatee spiegelt sich diese Liebe wider. Aus dem gleichen Gefühl heraus huldigen Lynkeus und Faust Helena mit ihren Schätzen. Daß aber das Gold zugleich auch die primitivste und dämonische Kraft des Eros darstellt, demonstriert Mephisto bei der Mummenschanz, indem er einen Phallus aus dem Gold formt.

Auf der anderen Seite ist das Gold der gehortete Reichtum, der sowohl in der vulkanischen als auch in der politischen Welt zu Habgier, Umsturz und Krieg führt und die Besitzenden verdirbt und vernichtet. Das Kleinvolk der raub- und mordgierigen Pygmäen, Daktylen und Ameisen wird von dem herabstürzenden Meteor erschlagen. Die moralische Fragwürdigkeit des kaiserlichen Sieges ist bezeugt durch die Plünderung der Kisten des Gegenkaisers durch die drei Gewaltigen, deren Handlung nicht weniger verwerflich ist als die Kontributionen, die von den Herrschern auferlegt werden. Die Korruption der Kirche erweist sich darin, daß sie Anspruch erhebt auf das Gold im Beuteschatz des Kaisers. Und so wird auch Fausts „Weltbesitz" fragwürdig im Zeichen von Kiste und Reichtum. Die „Kisten, Kasten, Säcke", „das Königsgut", „die Kostbarkeiten", die der Kahn auf dem „großen, gradgeführten Kanal" heranbringt, sind durch Piraterie erworben und stacheln nur noch Fausts Hab- und Besitzgier an (v. 11143 ff.). Faust erklärt sich als „am härt'sten ... gequält", da er gerade im Reichtum fühlt, was ihm fehlt (v. 11252 f.). Das kleine Besitztum der beiden Alten, Philemon und Baucis, führt ihm die Begrenztheit seines Weltbesitzes vor Augen, und so gibt er Mephisto den Auftrag zu ihrer gewaltsamen Umsiedlung, die in Mord und Brand endigt. Das Verbrechen kündigt sich bereits in der ironischen Zweideutigkeit an, in der das Wort „rein" hier erscheint. Faust erklärt: „Mein Hochbesitz er ist nicht rein" (v. 11156). Diese Klage über den

[32] Katharina Mommsen: Goethe und 1001 Nacht (= Veröffentlichungen des Instituts für deutsche Sprache und Literatur, 21). Berlin: Akademie-Verlag 1960. S. 208 bis 214.

[32a] Walter F. Otto: Theophania. Der Geist der altgriechischen Religion (= rowohlts deutsche enzyklopädie, 15). Hamburg: Rowohlt 1956. S. 88.

Mangel an Reinheit erwächst nicht der Seelennot über den moralisch fragwürdigen Erwerb des Grundbesitzes, sondern dem Verdruß über den Widerstand der Alten gegen seine Landesplanung. Dem Begriff der Reinheit, der für Goethe von höchster Bedeutung ist, werden hier alle seelischen, ethischen und religiösen Qualitäten entzogen, und zugleich wird bitter ironisch die moralische Alternative zu Fausts Besitztumsideologie aufgewiesen.[33]

Aber trotz des letzten Verbrechens und der Perversion des Begriffes der Reinheit ist es möglich, daß durch die „Liebe ... von oben" Faust schließlich doch vom „Erdenrest" gereinigt und sein „Seelenschatz" gerettet wird (v. 11954, 11946). Die Bezüge zur Schatzmetaphorik der Bergschluchtenszene sind ironisch zu supplieren. Auch die „Liebe ... von oben" erweist sich als verschwenderischer Reichtum, der immer gibt und schenkt und doch „nicht ärmer wird". So geraten Galatee und die *Mater gloriosa* in ein ironisches Spiegelverhältnis von Ähnlichkeit und Gegensatz.

Außer Wort, Satz, Motiv und Bild stehen auch Person, Rhythmus, Szene und Akt in *Faust II* im Licht ironischer Polarität. Das Wesen der Elfen bezeugt sich in ihrer Kleinheit und „Geistergröße" (v. 4617). Bei der Mummenschanz werden einzelne Masken vom Herold antithetisch eingeführt oder sie treten antithetisch gepaart auf, wie z. B. Furcht und Hoffnung, Mutter und Tochter, Faust-Plutus als Reichtum und Mephisto als Geiz. Mephisto erscheint zum erstenmal als Zoilo-Thersites, der seinen Maskenvorbildern getreu alles beschimpft und verkleinert:

> ... wo was Rühmliches gelingt
> Es mich sogleich in Harnisch bringt.
> Das Tiefe hoch, das Hohe tief,
> Das Schiefe grad, das Grade schief,
> Das ganz allein macht mich gesund,
> So will ich's auf dem Erdenrund. (v. 5465 ff.)

In dieser Selbstvorstellung der Maske erweist sich der Ernst des scherzhaften Spiels. Der Schein der Maske stellt das Sein heraus.

Am Hofe zeigt sich Mephisto als Narr und Weiser, dem Baccalaureus erscheint er „dunkel-helle", bei der Mummenschanz, in der „Klassischen Walpurgisnacht" und im Helena-Akt tritt er als Hermaphrodit und Transvestit auf, bei der „Grablegung" als Päderast. Seine Geschlechtswandlungen bilden die parodistische Folie der hermaphroditischen Geniusgestalten in *Faust II*. Knabe Lenker, Euphorion und Homunculus stellen die ernste Ergänzung zu Mephistos grotesker Bisexualität dar. Wilhelm Emrich hat die Doppelstruktur der Geniusgestalten zwischen Männlichem und Weiblichem, Unterirdischem und Über-

---

[33] s. Adolf Beck: Der Geist der Reinheit. In: Goethe 7 (1942) S. 160—169; Goethe 8 (1943) S. 19—57.

irdischem aufgewiesen. Aber auch hier versäumt es Emrich wiederum, auf die Ironie hinzuweisen. Sein Augenmerk richtet sich lediglich auf die ironische Behandlung überlieferter Mythologeme, aber nicht auf die ironische Struktur der Personengestaltung selbst.[34]

Wie bereits dargelegt, erscheint auch Helena als Doppelgestalt. Phorkyas führt Helena ihre eigene Figur vor, wie sie sich in den vielfältigen mythologischen Erzählungen darbietet. Helena wird verwirrt von den vielfachen Erscheinungen ihrer Gestalt in der Mythologie. Sie erkennt, daß es nur ihr Bild in der Sprache der mythenbildenden Phantasie gewesen ist, das sich dem Bild des Achill verband, und so sinkt sie hin, da sie sich selbst zum Bilde wird. Aus dieser Krise geht Helena als Person hervor, die sich nicht mehr verwirren läßt durch ihr Bild in der Mythologie, sondern ihre Existenz in ironischer Spannung auf dieses Bild bezogen weiß.[35]

Die Verdoppelung der Person ergibt sich aus der ironischen Spannung auf mythologische Vorbilder hin. Paul Böckmann hat unter Heranziehung der *Götterlehre* von Karl Philipp Moritz gezeigt, wie Goethe mit den mythologischen Figuren im *Faust* „alte Motive neu suppliert" und „die Urphänomene menschlichen Daseins faßlich macht".[36] Dabei ergibt sich eine ironische Spannung, die erzeugt wird durch das *cum grano salis,* mit dem hier suppliert wird, durch die Aufhebung der totalen „Ineinssetzung des Vergleichenden mit dem Verglichenen" in der Vossianischen Antonomasie.[37] Es wird hier sozusagen die maximale Toleranz der Vossianischen Antonomasie überschritten, ohne daß aber zur Distanz der reinen Beispielfigur des Exemplums vorgedrungen wird. Helena tritt Faust erst dann gegenüber, als sie sich gleichsam als Ironisierung der Vossianischen Antonomasie begreift. Auch Faust erscheint so in den Paralipomena als „neuer Paris" und „zweiter Orpheus"[38], bei der Mummenschanz als Plutus, in der „Klassischen Walpurgisnacht" als Antäus und im letzten Akt als König Ahab, der den Weinberg des frommen Naboth zu besitzen begehrt. Euphorion tritt auf „wie ein kleiner Phöbus" (v. 9620), wie Hermes, der Sohn

[34] Emrich: Symbolinterpretation und Mythenforschung. S. 67—94.

[35] s. Oskar Seidlin: Helena: Vom Mythos zur Person. In: O. S.: Von Goethe zu Thomas Mann. Göttingen: Vandenhoeck & Ruprecht 1963. S. 65—93; s. auch Edward B. Hungerford: Goethe's Helena. In: E. B. H.: Shores of Darkness. New York: Columbia University Press 1941. S. 240—291. Katharina Mommsens Gedankengänge berühren sich eng mit der vorliegenden Untersuchung mit der Ausnahme, daß Mephisto nicht eine entscheidende Rolle als Dichter zugeschrieben wird (Natur- und Fabelreich in Faust II. S. 7 ff.; 25; 42; 129; 132; vgl. S. 240, 244).

[36] Böckmann: Die zyklische Einheit der Faustdichtung. S. 206.

[37] Lausberg, II, 699.

[38] WA I 15^{II}, 176; 211; s. Harold Jantz: Kontrafaktur, Montage, Parodie: Tradition und symbolische Erweiterung. In: Tradition und Ursprünglichkeit. Akten des III. Internationalen Germanistenkongresses 1965. Hrsg. von Werner Kohlschmidt und Herman Meyer. Bern/München: Francke 1966. S. 55—58.

der Maja (v. 9637 ff.), als Ikarus und mythische Byronfigur (v. 9901 ff.). Die beiden Alten werden Philemon und Baucis genannt, obwohl sie nichts „mit jenem berühmten Paare des Altertums und der sich daran knüpfenden Sage" zu tun haben. Wie Goethe ausdrücklich im Gespräch versichert, hat er diesem Paar jene Namen nur gegeben, „um die Charaktere dadurch zu heben. Es sind ähnliche Personen und ähnliche Verhältnisse, und da wirken denn die ähnlichen Namen durchaus günstig".[39]

Die gleiche Funktion haben die Fußnoten zum vierten Akt mit den Belegen aus der Bibel (v. 10 094, 10 131, 10 323), auch wenn sie vielleicht von Riemer stammen.[40] Sie werden in den Text gesetzt, um bewußt zu machen, daß „auch hier geschieht, was längst geschah" (v. 11 286, s. 9637 ff.). Es geht im positiven wie im negativen Sinne um den ironischen Verweis auf Grundsituationen des menschlichen Lebens, die in der antiken Mythologie oder der Bibel bezeugt sind, und auf die man sich ironisch-beispielhaft beziehen kann.

Auch bei den Personenkonstellationen lassen sich ironische Polaritäten feststellen. Es sei hier nur erinnert an Anaxagoras und Thales, Lynkeus und Faust, Kaiser und Gegenkaiser, die beiden Alten Philemon und Baucis und den hundertjährigen Faust. Auf die Spiegelung von Galatee und *Mater gloriosa* sowie von Helena und Gretchen ist bereits verwiesen worden. In ähnlicher Weise spiegelt der Baccalaureus den Faust des ersten Teils wider. Ferner sind die Kabiren, Homunculus und Euphorion mitsamt ihren Sehnsüchten als Parallele und Kontrast ironisch zu Faust und seinem Streben zu supplieren.[41] Sie sind sich ebenfalls in ihrem dunklen „Drange ... des rechten Weges wohl bewußt" (v. 328 f.).

Die polaren Wechselverhältnisse der rhythmischen Formen hat Kurt May im einzelnen für jede Szene aufgewiesen, so daß hier nur die Fälle anzuführen sind, in denen die Ironie nicht erkannt worden ist. Die Ironie der „Klassischen Walpurgisnacht" wird zum Teil durch die nordisch-faustischen Reimverse hervorgerufen. Kurt May versucht hier im Bereich des Metrums „einen sehr langsam ansteigenden Weg zu Helena hin" aufzuweisen. Vom Inhalt her überträgt er einen Reifeprozeß für „die antike Schönheitswelt" auf die rhythmischen Formen der „Klassischen Walpurgisnacht". Aber, wie es ihn auch schon bei der Mummenschanz befremdet hat, daß die antiken Masken in altdeutschen Versmaßen sprechen, so scheitert er besonders hier an der Erklärung der Faustverse und der Gesellschaftssprache des 18. Jahrhunderts im Munde der antiken Gestal-

---

[39] Eckermann, 382.

[40] Zu den Bibelbelegen im vierten und fünften Akt widersprechen sich die Kommentare. Georg Witkowski und Robert Petsch führen die Belege auf Riemer zurück, Erich Schmidt, Ernst Beutler und Trunz auf Goethe selbst.

[41] Mommsen: Natur- und Fabelreich in Faust II. S. 206—211; Reinhardt: Die klassische Walpurgisnacht. S. 339—344.

ten.[42] Kurt May verfehlt den ironischen Kontrast von Form und Charakter der „Klassischen Walpurgisnacht". Der methodische Fehler besteht darin, daß vom Inhalt her gewisse Erwartungen an die metrischen Formen des Textes herangetragen werden, anstatt daß die Formensprache des Textes abgehört wird. Dabei hat Goethe selbst auf den Kontrast, den er für die „Klassische Walpurgisnacht" beabsichtigt hat, hingewiesen im Gespräch mit Eckermann am 15. Januar 1827: „Die klassische Walpurgisnacht muß in Reimen geschrieben werden und doch muß alles einen antiken Charakter tragen."[43] Diese Ironie der Formensprache hat eine Entsprechung im *Divan* in der Huri des mohammedanischen Paradieses, die Knittelverse spricht, und findet in *Faust II* ihren Höhepunkt im Reimspiel des Liebesgespräches zwischen Faust und Helena.

Auch bei der Interpretation der Formensprache des arkadischen Glücks verfehlt Kurt May den intendierten Kontrast von Versform und Versgehalt. Er erklärt, daß das Ethos des Gehaltes „die tänzelnde Bewegung" verbiete: „‚Heílige Póesie / Hímmelan steíge sie', — im Walzertakt? — Nein. Das nähme der Wirkung gerade dieser Verse das Gewicht weg, das sie vom Versgehalt aus haben."[44] Es gehört zum ironischen Charakter des Spätwerks, das Schwerwiegende durch das Leichte, den Ernst durch den Scherz auszudrücken. Und schließlich wird Euphorions tänzerische Bewegung nicht durchgehalten, sondern sie mündet in den Ikarusflug und -sturz.

Der Ernst der Grablegungsszene wird kontrapunktisch hervorgehoben durch die scherzhaften „Ländlerverse" der Lemuren. „Nachklingend und kontrasthaft entsprechend", wie Kurt May sagt, erfolgt die Antwort der himmlischen Heerscharen.[45] Aber May sieht hier die Gefahr, „daß man die himmlischen Heerscharen in Versen von würdelos tänzelnder Bewegung sprechen lassen müßte".[46] Er hält das „rhythmische Tänzeln, die Bewegung im Walzertakt für ... unerträglich" und „mit der Würde" und „Weihe der Gestalten ... unvereinbar".[47] Auch hier versucht er eine Harmonie im Ethos von Form und Inhalt herzustellen und hilft sich mit dem Ausdruck „falsche Daktylen" aus der Verlegenheit.[48] Er übersieht, daß sich der ironische Kontrast bis in die Bergschluchtenszene fortsetzt und die Verse hier religiöse Kontrafakturen profaner Rhythmen darstellen.

Auch im Stil lassen sich Polaritäten aufweisen. Es sei hier nur an die Vulgarismen und Barbarismen der „Klassischen Walpurgisnacht" erinnert, wie z. B.

---

[42] Kurt May: Faust II. Teil. In der Sprachform gedeutet (= Literatur als Kunst). 2. Aufl. München: Hanser 1962. S. 115; 52.

[43] Eckermann, 155.

[44] May: Faust II. Teil. S. 205.

[45] Ebd., S. 291.

[46] Ebd., S. 248.

[47] Ebd., S. 281.

[48] Ebd., S. 287.

einrammeln, einschwärzen, gruneln, krabbeln, trallern, überkleistern, behemdet, quammig, quappig, verrückt, Kniff, Mannsen, Hansen, Luder, Plackerei, Sauertopf, dazu Fremdwörter wie etymologisch, mythologisch, rapieren, respektieren, amüsieren, appetitlich, galant, respektabel, Old Iniquity, Plastron, Scharade. Es ist dabei im Auge zu behalten, daß diese Wörter nicht alle aus Mephistos Munde kommen, sondern auch von den antiken Figuren verwendet werden. Hierzu sind ferner die „Piquen" gegen die Mythologen, Philologen und Naturwissenschaftler aus Goethes Zeit zu rechnen. Diese „Piquen" dürfen keineswegs ausschließlich satirisch betrachtet werden, denn sie sind als „Scherz und Ernst" gemeint. Der spezielle Fall wird „ins Allgemeine gespielt" und erhält dadurch die Funktion des Ironisch-Vorbildlichen. Wie Goethe im Gespräch mit Eckermann am 21. März 1830 erklärt: „... zwar [wird es] dem Leser nicht an Beziehungen fehlen, aber niemand wird wissen, worauf es eigentlich gemeint ist."[49] Ähnliches läßt sich von den Anachronismen sagen, über die Goethe einmal „das vielleicht paradox scheinende Wort" ausspricht: „daß alle Poesie eigentlich in Anachronismen verkehre".[50]

Im Gespräch mit Faust und Chiron wechseln die Sprachstile erhabener Sehnsucht und gelassener weltweiser Ironie miteinander ab. Auf Anaxagoras' visionäre Beschwörung des Meteorsturzes erfolgt Thales' beruhigender Ausspruch zu Homunculus: „Sei ruhig! es war nur gedacht" (v. 7946). Diese Ironisierung des Vorganges bringt den unbedingten Plutonismus in die ausgleichende Schwebe zum Neptunismus. Es handelt sich hier also keineswegs darum, daß Goethe bemüht ist, eine „Pique" gegen den Vulkanismus anzubringen, wie es in den älteren Kommentaren immer heißt, sondern er wiegt sich hier ironisch „zwischen zwei entgegengesetzten Meinungen", um vielleicht „bei keiner zu verharren", wenn auch seine Sympathien zweifellos beim Neptunismus liegen.[51] Beim Ägäischen Fest erfolgt dann die Steigerung über diese beiden entgegengesetzten Meinungen hinaus in der Feuer-Wasser-Hochzeit des entflammten Meeres.

Der polare Wechsel von Szenenabschnitten läßt sich besonders eindrucksvoll im dritten und fünften Akt verfolgen. „Der Freude" des arkadischen Glücks „folgt sogleich [die] grimmige Pein" von Euphorions Todesflug (v. 9903 f.). Das Lynkeus-Lied im fünften Akt zeigt den Gegensatz von friedlicher Natur und Zerstörung in der menschlichen Welt im Kontrast der beiden Strophen. Der Blick in die Natur ist ein ironischer, der nicht begrenzt und sondert, sondern alles in seiner Vielfalt ins Blickfeld miteinschließt: — das Sichtbare, den Seher sowie das darüberstehende Höhere — und sie als identisch betrachtet:

---

[49] Eckermann, 308.
[50] WA I 42^I, 171.
[51] WA II 10, 173; s. Mommsen: Natur- und Fabelreich in Faust II. S. 190—206.

So seh' ich in allen
Die ewige Zier,
Und wie mir's gefallen
Gefall' ich auch mir. (v. 11296 ff.)

Darauf folgt in dem bejahenden Ton Goethescher Entsagung das Bekenntnis zur Welt:

Ihr glücklichen Augen
Was je ihr gesehn,
Es sei wie es wolle,
Es war doch so schön! (v. 11 300 ff.),

— um dann in der nächsten Strophe beim Anblick des Feuers und der Zerstörung im menschlichen Bereich wieder aufgehoben zu werden:

Sollt Ihr Augen dies erkennen!
Muß ich so weitsichtig sein! (v. 11 328 f.)

Lynkeus vermag nicht, wie die Erzengel im „Prolog im Himmel", in einen Lobgesang auf den Zyklus von Schaffen und Vernichtung in der Schöpfung einzustimmen, sondern kann nur noch nach „langer Pause" den Gesang voll Resignation zu Ende führen.

Auf den Wechsel von Hell und Dunkel in der Folge der Szenen im ersten und zweiten Akt ist bereits hingewiesen worden. Ähnlich kontrastreiche Aneinanderreihungen von Szenen lassen sich für den Helena-Akt und die Kaiserszenen im vierten Akt anführen: an die Bedrohung der Helena schließen sich Lynkeus' und Fausts Huldigung „dieser gottgegebnen Frauen" an; nach der Plünderung kommt die Verleihung der Hofämter, die dadurch in eine ironische Parallelität zur vorangehenden Szene gestellt wird. Der letzte Akt vollzieht sich bei fortschreitender Verdunklung bis zur absoluten Nacht, um dann in die Helligkeit und Klarheit der Bergschluchtenszene umzuschlagen.

In Anlehnung an Max Kommerell sei schließlich die Polarität der einzelnen Akte stichwortartig angedeutet. Im ersten Akt stehen sich Gesellschaftliches und Dämonisches gegenüber, im zweiten Geist und Natur, im dritten Antike und Mittelalter (Neuzeit), im vierten Revolution und Restauration und im letzten Akt schließlich menschliches Streben und „die Liebe ... von oben".[52]

So läßt sich auch für den *Faust II* eine durchgängige ironische Polarität von der kleinsten bis zur größten dichterischen Einheit aufweisen. Alles spiegelt sich, verdoppelt sich, wird verschleiert, nur durch indirekte Hinweise vermittelt und der unmittelbaren Festlegung entzogen. In den Lebens- und Weltkreisen, die sich in den einzelnen Akten repräsentieren, befindet sich Faust stets in

---

[52] Kommerell: Geist und Buchstabe der Dichtung. S. 40.

Konfrontation mit einer Gegenwelt. Sowohl bei der Mummenschanz, in der „Klassischen Walpurgisnacht“ und bei der Begegnung mit Helena, als auch bei der Schlacht im Vorgebirge und bei der Landgewinnung sucht Faust auf Grund seines Strebens die Polarität des Daseins zu überwinden. Er ist dabei auf die Mithilfe Mephistos und die Magie angewiesen, die ihn nur um so stärker in die Verwirrung und Verzweiflung hineinziehen und -verwickeln. Es zeigt sich also, daß sich die faustische Grundsituation auf die Struktur der Goetheschen Ironie zurückführen läßt. Diese Grundsituation kehrt ständig wieder. Die Konstellationen verändern sich, aber die Struktur bleibt die gleiche. Es läßt sich also nicht von einer fortschreitenden Entwicklung Fausts zu höherer Einsicht sprechen, sondern in jedem neuen Lebens- und Weltbereich, in den Faust eintritt, bietet sich immer wieder die alte faustische Grundsituation dar, wie Paul Böckmann gezeigt hat.[53]

Diese faustische Grundsituation ist eingebettet in die Grundpolarität des Daseins, wie sie im „Prolog im Himmel“ dargestellt wird:

Es wechselt Paradieseshelle
Mit tiefer, schauervoller Nacht;
Es schäumt das Meer in breiten Flüssen
Am tiefen Grund der Felsen auf. (v. 253—256)

Fausts Streben entspringt dem dunklen Bewußtsein, daß es einen Weg über diese Polarität des Daseins hinaus gibt. Und in dem Vertrauen auf den Menschen, der „in seinem dunklen Drange“ sich der *via dei* „wohl bewußt“ ist, überläßt der Herr seinen Knecht Faust dem Mephisto und gibt ihm die Erlaubnis, Faust die *via diaboli* „sacht zu führen“ (v. 314).

Bei der Mummenschanz werden in den Masken sämtliche Bereiche des gesellschaftlichen Lebens bis in seine dämonischen und schicksalhaften Untergründe zur Schau gestellt und zugleich verborgen. Faust sieht sich konfrontiert mit Herrsch-, Genuß- und Habsucht nach immer neuen Erlebnissen und Schätzen. Man verlangt von ihm die Beschwörung der Helena. Mit Hilfe des magischen Schlüssels, den Mephisto ihm gibt, vermag er ins Reich der Mütter zu dringen und die Schatten von Helena und Paris ans Licht zu bringen. Hier sieht sich Faust „des Lebens Bilder[n], regsam, ohne Leben[,] / Was einmal war, in allem Glanz und Schein“ gegenüber (v. 6430 f.). Aber er verkennt das ironische Verhältnis von Schein und Wirklichkeit. Faust hält das Geisterspiel für Realität. Er will sich über sich selbst und die paradoxe Situation hinaussteigern: „Hier sind es Wirklichkeiten, / Von hier aus darf der Geist mit Geistern streiten“ (v. 6553 f.). Er wird selbst von der Genußsucht ergriffen, will den Schatten der Helena besitzen und führt dadurch die Katastrophe herbei.

---

[53] Die zyklische Einheit der Faustdichtung. S. 208—209.

Die nächste Begegnung mit Helena vollzieht sich nicht im direkten Zugriff, sondern mittelbar im Zurückgehen auf die Anfänge der griechischen Welt und in einem erneuten naturhaften Entstehen dieser Welt im Rahmen der „Klassischen Walpurgisnacht". Die Vereinigung mit Helena erfolgt in der Dichtung des Reimgesprächs:

HELENA: Doch wünscht' ich Unterricht, warum die Rede
Des Manns mir seltsam klang, seltsam und freundlich.
Ein Ton scheint sich dem andern zu bequemen,
Und hat ein Wort zum Ohre sich gesellt,
Ein andres kommt, dem ersten liebzukosen.
...
So sage denn, wie sprech' ich auch so schön?

FAUST: Das ist gar leicht, es muß von Herzen gehn.
Und wenn die Brust von Sehnsucht überfließt,
Man sieht sich um und fragt —

HELENA: Wer mit genießt.

FAUST: Nun schaut der Geist nicht vorwärts, nicht zurück,
Die Gegenwart allein —

HELENA: Ist unser Glück. (v. 9367 ff.)

In der vollkommenen Schwebe von Vergangenheit und Zukunft, von Realität und Idealität in der Dichtung wird hier das gemeinsame Glück von Faust und Helena erreicht:

HELENA: Ich fühle mich so fern und doch so nah
Und sage nur zu gern: Da bin ich! da!

FAUST: Ich atme kaum, mir zittert, stockt das Wort,
Es ist ein Traum, verschwunden Tag und Ort.

HELENA: Ich scheine mir verlebt und doch so neu,
In dich verwebt, dem Unbekannten treu.

FAUST: Durchgrüble nicht das einzigste Geschick,
Dasein ist Pflicht und wär's ein Augenblick. (v. 9411 ff.)

Diese Schwebe zwischen Vergangenheit und Gegenwart, Traum und Wirklichkeit, Ewigkeit und Augenblick kann durch die Bedrohung des Krieges nicht zerstört werden. Das Heer des Menelaos wird „zersprengt" von den Kolonnen der Heerführer, die von Faust „Befehl und Anordnung" entgegennehmen (v. 9457). Es ist wichtig, festzuhalten, daß Faust die Lage dadurch meistert, daß er Mephisto nicht zur Hilfe ruft.

So wird das Glück in der arkadischen Landschaft möglich, die in Fausts Worten entsteht. Arkadien ist das Land der Dichtung, das „Doppelreich" von Göttern und Menschen, Alter und Jugend, Vergangenheit und Gegenwart, Antike und Neuzeit. Es ist bezeichnend, daß Euphorion, das Kind, das aus der Verbindung von Faust und Helena hervorgeht, die Verkörperung der Poesie darstellt.

Das arkadische Glück wird durch Euphorions Sehnsucht zum Unbedingten zerstört. Er vernichtet die künstliche Schwebe von Realität und Idealität, von der die Dichtung des arkadischen Glücks lebt, indem er die Poesie ins Unbedingte hinauszusteigern sucht:

> Heilige Poesie,
> Himmelan steige sie[!] (v. 9863 f.)

Er vermag es nicht, sich mit dem „farbigen Abglanz“ zu begnügen, sondern er „wirft sich“ als Ikarus „in die Lüfte“ und „stürzt zu der Eltern Füßen“. Die Katastrophe wird durch die Projektion des faustischen Strebens im Sohne herbeigeführt. Helena folgt dem Knaben und kehrt zurück in die Unterwelt. „Glück und Schönheit“ lassen sich nicht dauerhaft vereinen. Die Verbindung Fausts mit der Schönheit läßt sich nur im Daseinsaugenblick der Dichtung verwirklichen, die vom Prinzip der Ironie beherrscht ist und alles in der Schwebe bewahrt. Die Dichtung vermag das Unbedingte nicht unmittelbar zu erfassen und zum Besitz zu machen. Sie muß notwendigerweise an dieser Aufgabe scheitern, wie Euphorions Todesflug zeigt. Die Dichtung erfüllt ihren Sinn nicht im Griff nach dem Absoluten selbst, sondern indem sie sich als richtungweisende und wegbereitende Kraft über die Polarität des Daseins hinaus bewährt.

In diesem Zusammenhang zeigt sich, daß Arthur Henkels Formel „Liebe ohne Besitz“ sich als weitaus zutreffender für den zweiten Teil des *Faust* als für die *Wanderjahre* erweist. Während die Paare in den *Wanderjahren* es schließlich trotz oder durch Entsagung möglich machen, Liebe und Besitz miteinander zu verbinden, so müssen die Personen des Dramas lernen, daß der Sinn der Liebe und Schönheit nicht im Besitz besteht, sondern in der Kraft der Steigerung. Die Doriden dürfen die Fischerknaben nur für den Augenblick, aber nicht „fest, unsterblich halten“ (v. 8406), und müssen später „gemächlich sie ans Land“ wieder setzen (v. 8415). Nereus' Vaterglück besteht darin, daß er seine Töchter einmal im Jahre sehen darf. Und so kann auch Fausts Verlangen nach Helena nur als „Liebe ohne Besitz“ im geistigen Raum der Dichtung Erfüllung finden. Wie Paul Böckmann sagt: „Sobald die Schönheit wie ein irdischer Besitz festgehalten werden soll, entschwindet sie, läßt sie nur ihr Kleid als leere Hülle zurück.“[54] Das bedeutet, daß Faust als Dichter ohne Mephistos Hilfe sein Schicksal zu meistern weiß und nur die Projektion seines Strebens in seinem Sohne das arkadische Glück zerstört.

---

[54] Ebd., S. 205.

Auf Faust als Dichter und das Dichterische gibt es eine Reihe von Verweisen im zweiten Teil. Bei der Mummenschanz wird Fausts Auftritt als Plutus von dem Knaben Lenker angeführt, der sich selbst als die Poesie bezeichnet und von Faust „Geist von meinem Geist“ und „mein lieber Sohn“ genannt wird (v. 5573, 5623, 5629). Wilhelm Emrich hat darauf hingewiesen, daß es Lesarten gibt, „in denen Goethe ganz offen Faust-Plutus einen Dichter nennt“. Faust und Knabe Lenker erscheinen als Vorbilder der dichterischen Existenz und des dichterischen Reichtums.[55] Bei seinem Eindringen in den Bereich der Mütter ist Faust zunächst als Dichter konzipiert. Das Wort „kühner Dichter“ wird wahrscheinlich deshalb schließlich durch „kühner Magier“ ersetzt, weil Faust ja nur unter Mephistos Mithilfe in den Bereich der Mütter einzudringen vermag, — wenn es sich bei der Textänderung nicht darum handelte, daß die Extrafigur eines Dichters vorgesehen war.[56] Auf jeden Fall verkennt Faust bei der Schattenbeschwörung der Helena und des Paris die Schwebe von Schein und Wirklichkeit, die dem Dichter vertraut ist. In der „Klassischen Walpurgisnacht“ ist es dann Chiron, der Faust belehrt, daß alle Figuren, „die des Dichters Welt erbauten“ (v. 7340), nicht mit der Wirklichkeit zu verwechseln sind: „Der Dichter bringt sie, wie er’s braucht, zur Schau“ (v. 7429). Goethe sagt einmal: „Für den Dichter ist keine Person historisch, es beliebt ihm seine sittliche Welt darzustellen und er erweis’t zu diesem Zweck gewissen Personen aus der Geschichte die Ehre, ihren Namen seinen Geschöpfen zu leihen.“[57] Chiron gibt mit seiner Lehre Faust zugleich zu verstehen, wie Helena im Bereich der Schwebe der Dichtung zu existieren vermag:

> Nie wird sie mündig, wird nicht alt,
> Stets appetitlicher Gestalt,
> Wird jung entführt, im Alter noch umfreit;
> Gnug, den Poeten bindet keine Zeit. (v. 7430 ff.)

Chiron weist hier über den konkreten Fall hinaus auf den Anachronismus als das „unveräußerliche Recht des Dichters“.[58] So ist es Faust dann möglich, in der Dichtung die „einzigste Gestalt“ ins Leben zu ziehen (v. 7439). Und in diesem Sinne erweist sich *Faust II*, insbesondere der Helena-Akt, aber auch schon die Mummenschanz, als Dichtung der Dichtung. Die Dichtung wird hier zum Gegenstand ihrer selbst. Lediglich das faustische Verlangen nach Besitz des Absoluten im Sohne zerstört die Dichtung des arkadischen Glücks. Das Wort der Dichtung kann das Göttliche nicht halten, „doch göttlich ist’s“ (v. 9950), wie Kleid und Schleier der Helena, die das Göttliche umhüllen. Das dichterische

---

[55] Wilhelm Emrich: Das Rätsel der Faust-II-Dichtung. In: W. E.: Geist und Widergeist. Frankfurt a. M.: Athenäum 1965. S. 219.

[56] vgl. dagegen Mommsen: Natur- und Fabelreich in Faust II. S. 39—81; 240; 244.

[57] WA I 41^{I}, 206.

[58] WA I 42^{I}, 172.

Wort hebt den Menschen empor, so wie „Helenens Gewande ... sich in Wolken“ auflösen und Faust „in die Höhe“ heben, und trägt ihn „über alles Gemeine rasch / Am Äther hin“ (v. 9952 f.).

Hier läßt sich dann auch die Frage nach dem Wirklichkeitscharakter der Helena, die bereits mehrfach erörtert worden ist, endgültig beantworten. Helena ist eine Gestalt dichterischer Wirklichkeit, die in der ironischen Schwebe von Realität und Idealität existiert. Die Fragestellung Wirklichkeit oder Traum ist verfehlt.[59] Wie *Faust II* zeigt, entzieht sich Helena jedem Zugriff des Entweder/Oder durch Auflösung ins Nebel- oder Wolkenhafte.

Im vierten Akt sucht Faust die Konfrontation mit dem Elementarbereich des Meeres. Aber es ist nicht mehr das Meer der Galatee, der Ursprung alles Lebens und der griechischen Schönheit, sondern der Bereich der „zwecklosen Kraft unbändiger Elemente“:

> Sie [die Woge] schleicht heran, an abertausend Enden
> Unfruchtbar selbst Unfruchtbarkeit zu spenden;
> Nun schwillt's und wächst und rollt und überzieht
> Der wüsten Strecke widerlich Gebiet.
> Da herrschet Well' auf Welle kraftbegeistet,
> Zieht sich zurück und es ist nichts geleistet,
> Was zur Verzweiflung mich beängstigen könnte! (v. 10 212 ff.)

Faust will „das herrische Meer vom Ufer“ ausschließen, dem Wasser Land, der Unfruchtbarkeit Nutzbarkeit und Wachstum und der Zwecklosigkeit Sinn entgegensetzen. Es geht ihm dabei zunächst noch nicht um ein soziales Programm, sondern um die Bezwingung der Elementarkräfte und die Überwindung der Sinnlosigkeit des Daseins. Dabei verläßt er sich aber wieder auf Mephistos Hilfe und die Magie. Somit ist das Werk von vornherein in Frage gestellt. Wie bei der Beschaffung von Gretchen oder Helena äußert Faust seinen Wunsch, und Mephisto ergreift sogleich die Gelegenheit, Faust erneut in die Abhängigkeit zu führen.[60]

Wie in der „Klassischen Walpurgisnacht“ wird auf die Anfänge, hier die Ursprünge der Gesellschaft und der politischen Macht, zurückgegangen. Goethes Gesellschaftstheorie beruht, wie in den *Wanderjahren* ersichtlich wird, auf dem Begriff des Besitzes. Da Faust Grundbesitz erwerben will, sieht er sich mit der Welt des gesellschaftlichen und politischen Lebens konfrontiert, das auf dem Grundbesitz beruht. Der Staat befindet sich im Aufruhr des Bürgerkrieges. Eine neue Ordnung und Regelung der Besitzverhältnisse kündigt sich an. Wie in Mephistos geologischen Theorien, die er im Hochgebirge vorträgt, soll „das

---

[59] s. Mommsen: Natur- und Fabelreich in Faust II. S. 7 ff.; 129; 132.
[60] s. Böckmann: Die zyklische Einheit der Faustdichtung. S. 207.

Unterste ins Oberste" sich kehren. Der moralische Anspruch der Revolution erscheint durchaus gerechtfertigt. Es heißt ausdrücklich, wenn auch aus Mephistos Munde:

> Doch war's zuletzt den Besten allzutoll.
> Die Tüchtigen sie standen auf mit Kraft
> Und sagten: Herr ist der uns Ruhe schafft.
> Der Kaiser kann's nicht, will's nicht — laßt uns wählen,
> Den neuen Kaiser neu das Reich beseelen,
> ...
> Fried' und Gerechtigkeit vermählen. (v. 10 277 ff.)

Aber Mephisto und Faust schlagen sich auf die Seite der Restauration. Sie unterstützen die Korruption des alten Regimes, die sich bereits bei der Ausgabe des Papiergeldes bezeugt hat. Die fortschreitende moralische Degradierung der staatlichen Ordnung wird ersichtlich sowohl bei der Führung des Krieges, bei der alle Mittel — „Trug! Zauberblendwerk! Hohler Schein" (v. 10 300) — zur Erringung des Sieges recht sind, als auch nach dem Kriege bei der Verleihung der Hofämter und der nachträglichen Sanktionierung der Kriegsführung durch die Kirche. Durch Mephistos Einbeziehung der Landgewinnung in den Rahmen der politischen Korruption und Restauration wird Fausts „Weltbesitz" auch von dieser Seite her moralisch in Frage gestellt, bevor überhaupt noch ein einziger Spatenstich geleistet ist. Die weitere moralische Unterminierung erfolgt dann durch die unnatürlichen Kräfte, die bei der Landgewinnung am Werk sind, und durch Raub und Mord bei der Flurbereinigung. Aber bei der Begegnung mit der Sorge zieht sich Faust nicht mehr auf Mephisto und die Magie zurück. Er steht vor ihr — „ein Mann allein" (v. 11 406) —, und wenn sie ihn auch blind macht, so erhält sich Faust ein „helles Licht" „im Innern".[61]

Erst jetzt stellt sich Fausts Vision ein, „vielen Millionen" Räume zu eröffnen und „mit freiem Volke" „auf freiem Grund" zu stehen (v. 11 563 ff.). Diese Vision ist als Steigerung über die polaren Gegensätze von Land und Wasser, Revolution und Restauration hinaus auf eine ungewisse neue Ordnung des menschlichen Lebens in der Zukunft bezogen. Mephisto kann Faust diese Zukunft nicht verschaffen. Er kann Faust von seinem Streben nach Steigerung nicht ablenken, seine Tätigkeit nicht zum Erschlaffen bringen. Somit verliert Mephisto seine Wette.

Aber Faust spricht unmißverständlich die Worte, wenn auch nicht den Sinn der Wette aus. Auf den konjunktivisch-konzessiven Vorbehalt und den utopischen Charakter des Ausspruchs wird keine Rücksicht genommen. Alle Bedingungen der Wette treten ein: „Die Zeit wird Herr, ... / Die Uhr steht still —

---

[61] s. Paul Stöcklein: Die Sorge im Faust. In: P. S.: Wege zum späten Goethe. 2. Aufl. Hamburg: M. v. Schröder 1960. S. 93—162.

... / Der Zeiger fällt. ... / Es ist vorbei" (v. 11 592 ff.). Somit gewinnt Mephisto die Wette.

Dieses Paradox ist von Goethe bewußt geplant und mit voller Absicht eingesetzt worden. Bereits 1820 schreibt Goethe an Karl Ernst Schubarth, einen der ersten Faustinterpreten: „Mephistopheles darf seine Wette nur halb gewinnen, und wenn die halbe Schuld auf Faust ruhen bleibt, so tritt das Begnadigungsrecht des alten Herrn sogleich herein, zum heitersten Schluß des Ganzen."[62] Das Begnadigungsrecht wird in der weiteren Entwicklung der Faustkonzeption bis zur letzten Fassung auf die *Mater gloriosa* übertragen, aber die ironische Schwebe in der Entscheidung der Wette wird beibehalten. Es entspricht sowohl dem polaren Aufbau der Tragödie im Kleinsten wie im Ganzen als auch der Grundstruktur der Goetheschen Ironie, daß Mephisto die Wette halb gewinnt und halb verliert. So stellt sich am Ende wieder die Polarität des Daseins her. Der Mensch versucht, durch Steigerung über die Polarität hinauszudringen, um Gewißheit über die sinnverwirrende und zur Verzweiflung führende Ironie des Daseins zu erlangen, aber es mißlingt ihm. Die Gewißheit des rhetorischen Autors, der sich bei Gebrauch der Ironie niemals im Zustand der Vieldeutigkeit oder Schwebe befindet und der um den intendierten Sinn der Ironie weiß, steht dem Menschen in Goethes *Faust* nicht offen. Der Mensch bedarf der „Liebe ... von oben", um den Sinn dieser „sehr ernsten Scherze" zu erfahren.

Damit erhebt sich die Frage nach der Bedeutung der letzten Szene, die man wohl selten im Sinne der Ironie, aber oft im Sinne der Mystik und eines Mysterienspiels interpretiert hat. Wie Stuart Atkins sagt, hat Benno v. Wiese „wohl mehr als irgendein anderer getan, die Theorie in Umlauf zu setzen, *Faust* sei eine einzigartige Mischung von Mysterienspiel und Tragödie".[63] Für v. Wiese ist „die Erlösung in der Ewigkeit ... reines Mysterienspiel". Die Bezeichnung „reines Mysterienspiel" aber bedeutet, daß „Besitz oder ... naiv erlebte Gegenwart des Göttlichen" und „Geborgenheit im Glauben" vorauszusetzen sind. Diese Deutung gründet sich auf einer für Goethe willkürlich angesetzten Glaubensgewißheit einer „mystischen Einigung" des unverbesserlichen Menschen „in Gott". „Diese von Ewigkeit zu Ewigkeit bestehende Einheit des Menschen mit Gott"[64] ist aber für Goethe nicht im Sinne einer Glaubensgewißheit gegeben, höchstens im Sinne der Ironie. Goethes Mystik ist eine ironische Mystik, und die Einheit mit Gott wird höchstens als dichterisches Gleichnis „des Wünschenswertesten" ins Auge gefaßt.[65] Es ist darauf hinzu-

---

[62] WA IV 34, 5.

[63] Stuart Atkins: Faustforschung und Faustdeutung seit 1945. In: Euphorion 53 (1959) S. 243.

[64] Benno v. Wiese: Die deutsche Tragödie von Lessing bis Hebbel. 6. Aufl. Hamburg: Hoffmann & Campe 1964. S. 123; 126; 167.

[65] HA 8, 445.

weisen, daß Gott am Ende des *Faust* nicht wieder auftritt, wie im „Prolog im Himmel", und keineswegs von Einheit mit Gott die Rede ist, sondern nur von Erhebung „zu höhern Sphären" (v. 12 094). Das Vokabular der Steigerung und Erhebung — und nicht der Einigung und Einheit — beherrscht die letzte Szene.[66]

Die letzte Szene des *Faust* ist nicht „reines Mysterienspiel", sondern Parodie im ursprünglichen Sinne des Wortes: bewußte Verwendung der Motivik des Mysterienspiels im Zusammenhang des Goetheschen Denkens und Dichtens.[67] Die Bergschluchtenszene ist eine *parodia Goetheana*, mystische Ironie im Sinne Goethes, ein „sehr ernster Scherz".

Es handelt sich hier durchaus nicht um Mystik, wie Emil Staiger meint, denn hier wird keineswegs „jede Unterscheidung" aufgehoben.[68] Der Abstand zwischen Mensch und Welt einerseits und dem Göttlichen andererseits wird verringert, aber bleibt doch gewahrt. Die Welt und „alles Vergängliche" erhalten in der letzten Szene vom *Chorus mysticus* eine nachträgliche Sinngebung als „Gleichnis", wie Erich Trunz dargelegt hat.[69] Aus diesem Grunde wird hier der Ausdruck „mystische Ironie" verwendet.

Die Interpretation der letzten Szene als Parodie findet ihre Rechtfertigung durch das Gespräch, das Goethe am 6. Juni 1831 mit Eckermann führt: „Übrigens werden Sie zugeben, daß der Schluß, wo es mit der geretteten Seele nach oben geht, sehr schwer zu machen war, und daß ich, bei so übersinnlichen, kaum zu ahnenden Dingen, mich sehr leicht im Vagen hätte verlieren können." Goethe verwendet also „die scharf umrissenen christlich-kirchlichen Figuren und Vorstellungen" lediglich aus dem Grunde, um seinen „poetischen Intentionen ... eine wohltätig beschränkende Form und Festigkeit" zu geben.[70]

Die katholische Motivik bedeutet also weder Goethes Hinwendung zum Glauben noch eine traditionell kirchliche Lösung des Faustthemas. Die katholische Motivik wird von Goethe nicht anders als die antike Mythologie behandelt[71], wie auch im *Divan* und in den *Wanderjahren*, und dient hier zur Verwirklichung der Goetheschen Ironie. Die polaren Gegensätze, die die Zweideutigkeit des Lebens in allen Bereichen bezeugen, werden in Richtung auf eine

---

[66] s. Trunz (HA 3, 624—625); es ist bezeichnend, daß die Begriffe „Einigung" und „Einheit", die Benno v. Wiese ansetzt, im gesamten *Faust* überhaupt nicht vorkommen.

[67] Martin Heinrich Müller: Parodia Christiana. Studien zu Jacob Baldes Odendichtung. Zürich: Juris Verlag 1964. S. 88.

[68] Staiger, III, 461—462.

[69] HA 3, 633.

[70] Eckermann, 382—383.

[71] s. Otto Pniower: Goethes Religion. In: O. P.: Dichtungen und Dichter. Essays und Studien. Berlin: S. Fischer 1912. S. 174—175. — Thomas Mann hat sehr treffend von dem „katholischen Opernhimmel" „am Schlusse des *Faust*" gesprochen (Gesammelte Werke. Bd. 9. S. 743).

höhere rhetorische Gewißheit hin gesteigert. Diese Gewißheit erhebt sich über alle Begriffe der menschlichen Rhetorik. Sie ist und bleibt für die menschliche Sprache unerreichbar. Der Mensch bedarf der wortlosen „Liebe ... von oben". Die höhere Gewißheit ist damit nicht völlig der menschlichen Erfahrung entrückt, sondern ahnbar jenseits der Sprache. So bewältigt die Ironie bei Goethe das Problem der menschlichen Existenz und Transzendenz. Die Ironie hält den Zugang zur göttlichen Gewißheit offen, auch wenn sie ihrer nie sicher und sie nie aus eigener Kraft zu erreichen ist. Die Perfektibilitätstheorie der faustischen Selbsterlösung verbietet sich also auch durch die Struktur der Goetheschen Ironie.

Die rhetorische Figur „... diese sehr ernsten Scherze ..." ist selbst „nur ein Gleichnis", aber mit Hilfe dieser Figur gelingt es Goethe, jenseits von Religion und Philosophie in der unzulänglichen Sprache der Dichtung eine dichtungsgemäße Lösung der menschlichen Existenz- und Transzendenzproblematik zu finden. Es geht darum, zu erkennen, daß Fausts Erlösung nicht philosophiert oder kanonisiert, sondern gedichtet wird, d. h., daß sie sich in den Ausdrucksformen eines Mediums vollzieht, das von der Schwebe zwischen Realität und Idealität lebt. In diesem Sinne läßt sich wohl die Anwendung eines der letzten Verse des *Chorus mysticus* auf die dichterische Leistung der Ironie im *Faust* rechtfertigen:

> Das Unbeschreibliche
> Hier ist's getan.

ZUSAMMENFASSUNG

Ja, es ist etwas wie Weltherrschaft als Ironie ...
THOMAS MANN

Die Untersuchung der Ironie in Goethes Spätdichtung hat gezeigt, daß die Ironie in den drei Hauptwerken *Divan*, *Wanderjahre* und *Faust II* nicht nur in der für sie eindeutig von der Rhetorik vorgesehenen und definierten Art und Weise auftritt, sondern auch in den dichterischen Imaginations- und Aufbauformen sowie in den ontologischen, ethischen und religiösen Vorstellungen des Goetheschen Altersdenkens und -dichtens. So ergibt sich für alle drei Werke eine ironische Einheit, in der sowohl „das Ganze im Kleinsten" wie auch das Kleinste im Ganzen erkennbar werden, so daß sich die Anwendung der Formel „... diese sehr ernsten Scherze ..." auf das gesamte Spätwerk rechtfertigen läßt.[1]

In den einzelnen Werken kommt die Ironie dann noch in ganz spezifischen Formen zur Ausbildung. Beim *Divan* handelt es sich dabei um eine *concetto*-artige Verbindung der entferntesten und widersprüchlichsten Dinge nach dem Vorbild der orientalischen Rhetorik, bei den *Wanderjahren* um eine absichtlich hergestellte *obscuritas* und beim zweiten Teil des *Faust* um eine Integrationsform des Dramas.

Die Frage nach der Berechtigung und Notwendigkeit der Ironie bei Goethe läßt sich vielleicht am besten durch einen Vergleich mit den letzten Paragraphen von Ludwig Wittgensteins *Tractatus logico-philosophicus* veranschaulichen. Dort heißt es:

> Die Lösung des Problems des Lebens merkt man am Verschwinden dieses Problems. (Ist nicht dies der Grund, warum Menschen, denen der Sinn des Lebens nach langen Zweifeln klar wurde, warum diese dann nicht sagen konnten, worin dieser Sinn bestand.)
>
> Es gibt allerdings Unaussprechliches. Dies z e i g t sich, es ist das Mystische. ... Wovon man nicht sprechen kann, darüber muß man schweigen.[2]

---

[1] WA I 2, 216.
[2] Ludwig Wittgenstein: Tractatus logico-philosophicus. Frankfurt a. M.: Suhrkamp 1964. S. 114—115.

Goethe bewahrt die Problematik des Lebens in den ironisch polarisierten Formeln und Bildern des Lebens, weil er sie nicht lösen kann und will. Er weiß, daß alle voreiligen Lösungen das Leben verfälschen. Wenn Goethe die Problematik gelöst hätte und sich über den Sinn des Lebens restlos klar geworden wäre, hätte sich die dichterische Aussage erübrigt. Die Goethesche Ironie erhält die Problematik und vermag zugleich auf eine mögliche Lösung und das Unaussprechliche hinzuweisen, ohne daß sie sich deren sicher und klar ist. Nach Goethe muß also der Mensch nicht unbedingt darüber schweigen, wovon er nicht sprechen kann, sondern er kann dieses Unaussprechliche indirekt durch Ironie ahnbar werden lassen. Darin liegt gerade die Aufgabe und der Vorzug der Dichtung.

Mit dem Unaussprechlichen ist die Frage nach der Mystik und dem Mystischen verbunden, in deren Bereich alle drei Werke vorstoßen und ausmünden. Die Goethe-Forschung hat sich eingehend mit der Goetheschen Mystik befaßt. Hans Pyritz spricht davon, „daß wir uns zur Anerkennung dieser Provinz im Goetheschen Reich werden entschließen müssen, wenn wir die letzten, verhohlensten Wagnisse vor allem des jungen und alten Dichters erahnen wollen".[3] Dieser Entschluß enthält etwas Gezwungenes und gibt mit Recht ein gewisses Widerstreben zu erkennen, Goethe nun mit diesem Urteil völlig der Mystik zurechnen zu müssen. Pyritz hat es wohl gespürt, daß Goethe kein echter Mystiker gewesen ist, aber ihm ist, wie auch vielen anderen, die Ironie Goethes dabei entgangen. Goethe hat zwar gesagt: „Der Greis ... wird sich immer zum Mystizismus bekennen", aber in den „Noten und Abhandlungen zu besserem Verständnis des West-östlichen Divans" hat sich Goethe deutlich gegen die Mystik ausgesprochen: „Denn was tut der Mystiker anders, als daß er sich an Problemen vorbeischleicht, oder sie weiterschiebt, wenn es sich tun läßt?"[4] Goethe hat besonders die Mystik seiner Zeit verurteilt, da sie, „genau betrachtet, doch eigentlich nur eine charakter- und talentlose Sehnsucht ausdrückt".[5] Goethe ist, wie wir glauben, hinreichend gezeigt zu haben, ein mystischer Ironiker. Durch das Gegengewicht und den Ausgleich der Ironie lassen sich die Bedenken gegenüber einer reinen Mystik bei Goethe beseitigen.[6]

Wort und Begriff des Symbols sind in der vorliegenden Studie mit Ausnahme der theoretischen Diskussion im ersten Kapitel bewußt vermieden worden, aber nicht die Sache selbst: die Verbindung von Bild und Sinn. Wenn man sich die einschlägigen Aussagen Goethes über das Symbol anschaut, so wird man erkennen, daß die Verbindung von Sinn und Bild eine ironische ist: „Jedes

[3] Pyritz, 216.
[4] MuR 806; ähnlich Biedermann 3, 516; WA I 7, 66. Siehe ferner MuR 336—339; 369; 535; 1001; 1287.
[5] WA I 7, 83. Vgl. dagegen WA I 7, 151—152.
[6] s. Claude David: Goethes Wanderjahre als symbolische Dichtung. In: Sinn und Form 8 (1956) S. 123.

Existierende ist ein Analogon alles Existierenden ..."[7]; „Alles was geschieht ist Symbol ..."[8]; „Das Wahre ... läßt sich niemals von uns direkt erkennen: wir schauen es nur im Abglanz, im Beispiel, Symbol ..."[9]; „Alles Vergängliche / Ist nur ein Gleichnis" (*Faust*, v. 12104—5). Wie bei der Ironie wird der gemeinte Sinn durch das Gegenteil ausgedrückt. „Das Besondere ... repräsentiert" „das Allgemeinere". Das ist für Goethe „die wahre Symbolik".[10] Aus dieser Verwandtschaft von Ironie und Symbolik wird offenbar, wie man bei Goethe nicht nur von einem *symbolisme qui cherche*, sondern auch von einer *ironie qui cherche* sprechen kann. In der Goetheschen Ironie bleibt auch „die Idee ... immer unendlich wirksam und unerreichbar ... und, selbst in allen Sprachen ausgesprochen, doch unaussprechlich".[11]

Die Verwandtschaft von Allegorie und Ironie ist bereits im *Divan*-Kapitel aufgewiesen worden; bei beiden handelt es sich um ein „Anders-Sagen".[12] Hier wird jetzt zugleich deutlich, wie im Zusammenhang mit der Ironie die Unterscheidung zwischen Symbol und Allegorie hinfällig wird. Ferdinand Weinhandl hat erklärt, daß „der Gegensatz von *Symbol und Allegorie* ... der Schlüssel zur Goetheschen Lebensdeutung in ihrem umfassendsten Sinn" ist.[13] Aber Goethe selbst hat u. a. von nahe verwandtem „Gebrauch" und von einer möglichen Annäherung der Allegorie an das Symbol gesprochen.[14] Man hat aber meistens an der Unterscheidung festgehalten:

> Die Allegorie verwandelt die Erscheinung in einen Begriff, den Begriff in ein Bild ...
>
> Die Symbolik verwandelt die Erscheinung in Idee, die Idee in ein Bild ...[15]

Aber Goethes Symbolbegriff ist ein relativ später, und seine Unterscheidung ist nicht absolut zu setzen. Walter Müller-Seidel hat im Anschluß an Walter Benjamin dargelegt, inwiefern Goethes Unterscheidung sich nachteilig auf die Bewertung der Allegorie ausgewirkt hat. Wilhelm Emrich, Georg Gadamer,

---

[7] MuR 554.
[8] WA IV 29, 122.
[9] WA II 12, 74.
[10] MuR 314.
[11] MuR 1113.
[12] Lausberg, I, 449; Angus Fletcher: Allegory. The Theory of a Symbolic Mode. Ithaca, N. Y.: Cornell University Press 1964. S. 2 f.
[13] Ferdinand Weinhandl: Die Metaphysik Goethes. Berlin: Junker & Dünnhaupt 1932. S. 267.
[14] WA II 1, 357; WA I 49^I^, 142.
[15] MuR 1112; 1113; s. Erich Kahler: Untergang und Übergang der epischen Kunstform. In: NRds. 64 (1953) S. 38; Heinz Politzer: Das Handwerk der Interpretation. In: H. P.: Das Schweigen der Sirenen. Studien zur deutschen und österreichischen Literatur. Stuttgart: Metzler 1968. S. 393—394.

Walter Müller-Seidel u. a. haben den Schluß gezogen, daß Goethes Unterscheidung nicht mehr haltbar ist.[16] Emrich erklärt: „Wie immer auch der Unterschied zwischen Symbol und Allegorie definiert werden mag, sinnbildliche Formen der Poesie sind beide."[17] Im Grunde handelt es sich bei der Goetheschen Auffassung von Allegorie und Symbol nicht um konträre, sondern um graduell verschiedene Begriffe. Diese Ansicht findet eine Stütze in der Poetik und Rhetorik.[18] Das Goethesche Symbol ist lediglich „besonders undurchsichtig", es ist im wesentlichen nichts anderes als die enigmatische Allegorie der Rhetorik.[19]

Wilhelm Emrich hat in zwei grundlegenden Aufsätzen zum Problem der Symbolinterpretation auf die „unauflösliche Spannung" hingewiesen, die sowohl beim Symbol im engeren Goetheschen Sinne als auch bei der Allegorie „zwischen Bild und Bedeutung vorliegt": „Es bleibt immer ein Abstand zwischen Bild und Sinn, Erscheinung und Wesen ...".[19a] Dieser „Widerstreit zwischen Wesen und Erscheinung" erinnert an Kierkegaards Ironie-Definition, nämlich, „daß die Erscheinung nicht das Wesen, sondern das Gegenteil des Wesens ist".[20] Emrich hat die Polarität der Goetheschen Sinnbilder herausgearbeitet. Georg Gerster hat diese Sinnbildstruktur als eine ironische erfaßt:

> Die Ironie vermittelt ... zwischen Empirie und Abstraktion, zwischen Erfahrung und Idee, zwischen Bild und Bildsinn — das Positive, Erfahrene ist da, deutet

---

[16] Walter Benjamin: Ursprung des deutschen Trauerspiels. Frankfurt a. M.: Suhrkamp 1963. S. 174—268; Walter Müller-Seidel: Probleme der literarischen Wertung. Über die Wissenschaftlichkeit eines unwissenschaftlichen Themas. Stuttgart: Metzler 1965. S. 17—19; Wilhelm Emrich: Das Problem der Symbolinterpretation im Hinblick auf Goethes Wanderjahre. In: W. E.: Protest und Verheißung. 2. Aufl. Frankfurt a. M.: Athenäum 1963. S. 48—66; Georg Gadamer: Wahrheit und Methode. Grundzüge einer philosophischen Hermeneutik. 2. Aufl. Tübingen: Mohr 1965. S. 68 ff.; siehe ferner: Manfred Jurgensen: Symbol als Idee. Studien zu Goethes Ästhetik. Bern/München: Francke 1968; Maurice Marache: Le Symbole dans la pensée et l'œuvre de Goethe. Paris: Nizet 1960; Curt R. Müller: Die geschichtlichen Voraussetzungen des Symbolbegriffs in Goethes Kunstanschauung (= Palaestra, 211). Leipzig: Mayer & Müller 1937; Bengt Algot Sørensen: Symbol und Symbolismus in den ästhetischen Theorien des 18. Jahrhunderts und der deutschen Romantik. Kopenhagen: Munksgaard 1963; Doris Starr: Über den Symbolbegriff in der deutschen Klassik und Romantik unter besonderer Berücksichtigung von Friedrich Schlegel. Reutlingen: Hutzler 1964; Weinhandl: Die Metaphysik Goethes. S. 262 ff.

[17] Emrich: Das Problem der Symbolinterpretation im Hinblick auf Goethes Wanderjahre. S. 55.

[18] Lausberg, I, 441 ff.

[19] Ebd., S. 444.

[19a] Emrich, a.a.O. S. 55.

[20] Sören Kierkegaard: Über den Begriff der Ironie mit ständiger Rücksicht auf Sokrates (= Gesammelte Werke, 31. Abteilung). Düsseldorf/Köln: Diederichs 1961. S. 251.

aber ‚ironisch' an, daß es auch noch etwas anderes ist, insofern es einem übergeordneten Zusammenhang ebenso zugehört wie der Zeitlichkeit und Geschichte.[21]

Wieweit die Ironie besonders dem Alter zuzuschreiben ist, bleibe dahingestellt. Beda Allemann hat erklärt, daß die Ironie „in besonderer Weise dem Alterswerk verbunden" ist, doch weiß er lediglich Fontane als Beispiel zu nennen.[22] Obwohl sich hier noch weitere Namen anführen ließen, so ist doch der Umfang des Beweismaterials zu gering, um, streng wissenschaftlich gesehen, eine solche Verallgemeinerung ohne weiteres zuzulassen. Man kann einfach zu viele jugendliche Ironiker als Gegenbeispiel aufzählen, wie z. B. Wieland, Friedrich Schlegel, Heine, Büchner oder Thomas Mann. Diese Frage läßt sich von der Literaturwissenschaft her nicht eindeutig und mit wissenschaftlicher Evidenz beantworten, wie schon Walter Müller-Seidel dargelegt hat.[23] Goethe ist Zeit seines Lebens Ironiker gewesen. Wir stimmen dem Satz von Erich Franz zu: „Durch sein ganzes Leben und Schaffen geht dieser Hang zur Ironie."[24]

Die vorliegende Monographie hat sich auf die Beschreibung der Struktur und Funktion seiner Ironie in der Zeit von 1814 bis 1832 beschränkt. Eine Darstellung der Entwicklung der Ironie — besonders aus der davorliegenden Übergangszeit der *Wahlverwandtschaften, Sonette* und *Pandora* heraus — muß einer stärker historisch orientierten Untersuchung vorbehalten bleiben. Im Rahmen der vorliegenden Studie läßt sich lediglich die Frage beantworten, ob sich für den Zeitraum von 1814 bis 1832 eine Zunahme der Ironie feststellen läßt. Bereits bei der Neuanordnung der Gedichte des „neuen Divans von 1820", aber dann wesentlich deutlicher beim Übergang von der ersten zur zweiten Fassung der *Wanderjahre* und ganz besonders bei der Entstehung des *Faust II* seit 1825 wird eine Steigerung der Ironie ersichtlich. Der zweite Teil des *Faust* erscheint nahezu als Gipfel des Ironiestrebens des alten Goethe. Es wird offenbar, wie sehr die Tragödie einen nicht geringen Teil ihrer Ironieformen der Lyrik des *Divans* und der Epik der *Wanderjahre* verdankt. Als besonders ausschlaggebender Wendepunkt erscheint dabei der Entschluß zur Auslassung der Hadesszene im Winter 1830/31.

Wie dargelegt worden ist, zeichnet sich die Goethesche Ironie durch die Ungewißheit des Autors aus. Während sich nach dem Vorbild der Rhetorik

---

[21] Georg Gerster: Die leidigen Dichter. Goethes Auseinandersetzung mit dem Künstler. Zürich: Artemis 1954. S. 42. Siehe ferner Franz Koch: Goethes Gedankenform. Berlin: de Gruyter 1967. S. 269.

[22] Beda Allemann: Ironie und Dichtung. Pfullingen: Neske 1956. S. 27.

[23] Walter Müller-Seidel: Goethe und das Problem seiner Alterslyrik. In: Unterscheidung und Bewahrung. Festschrift Hermann Kunisch. Hrsg. v. Klaus Lazarowicz und Wolfgang Kron. Berlin: de Gruyter 1961. S. 270.

[24] Erich Franz: Mensch und Dämon. Goethes Faust als menschliche Tragödie, ironische Weltschau und religiöses Mysterienspiel. Tübingen: Niemeyer 1953. S. 141.

höchstens der Hörer oder Leser, aber niemals der ironische Autor im Zustand der Vieldeutigkeit oder Unsicherheit befinden, so ist für die Goethesche Ironie der Zustand der vieldeutigen Schwebe des Autors charakteristisch. Bei Goethe wird die Position des Hörers oder Lesers gleichsam auf die Position des Autors verlegt. Der Standpunkt der „rhetorischen Gewißheit" aber wird in den Bereich des „Höheren und Höchsten" transzendiert. Dieses „Höhere und Höchste" kann vom Menschen nicht erreicht werden, aber wird ahnbar gleichsam als Schnittpunkt von Parallelen, die von den durch die Ironie in Schwebe gebrachten polaren Gegensätzen ausgehen. Das Zurückgehen auf die Rhetorik findet hier seine Rechtfertigung, indem dadurch eine fest umrissene Strukturform der Goetheschen Ironie gewonnen wird, die den Prinzipien von Polarität, Steigerung und kosmischer Liebe entspricht, sich auf *Divan*, *Wanderjahre* und *Faust II* anwenden läßt und direkte Vergleiche ermöglicht. Die Herstellung des ironischen Schwebezustandes bedeutet die höchstmögliche irdische Vollkommenheit und Glückserfüllung. Im *Divan* wird diese vollkommene Schwebe erreicht in dem Spiel, in dem sich die Liebenden Hatem und Suleika die Worte der Leidenschaft zuwerfen, „als wär's ein Ball", und in dem Gespräch zwischen Dichter und Huri; in den *Wanderjahren* während des Aufenthaltes der Entsagenden am Lago Maggiore und im *Faust II* im arkadischen Glück der Liebe zwischen Faust und Helena. Diese Zustände des Glücks, die aus der vollkommenen Schwebe erwachsen, sind nur kurz, aber der Augenblick erhält Dauer auf Grund seiner symbolischen Bedeutung und Wirkung. Um aber in den Zustand der Gewißheit zu gelangen, bedarf es der „Liebe ... von oben", die im *Divan* durch die „ewige Liebe" in dem Gedicht „Höheres und Höchstes" verkörpert wird, in den *Wanderjahren* durch das wohltätige Einwirken der Entelechie Makariens in das irdische Leben der Urenkel. Makarie bildet eine Ausnahme, da sie als Mensch aus eigener Kraft fähig ist, über den Schwebezustand hinaus in den Bereich des „Höheren und Höchsten" zu gelangen und als „Liebe ... von oben" in das Leben der Menschen wieder einzugreifen. Makariens siderische Existenz ist nicht mit der des Dichters im *Divan* zu vergleichen, der in den mohammedanischen Himmel eindringt, denn dieser Himmel ist nur ein ironischer Vorhimmel, und noch weniger mit der Faustens, dessen Unsterbliches von den Engeln emporgetragen wird. Insofern erweist sich der Makarienmythos als die kühnste Dichtung des Goetheschen Spätwerks.

Friedrich Schlegel gehört mit zu den ersten, die das Wesen der Goetheschen Ironie erkannt haben, und so ist es auch nicht verwunderlich, daß die sogenannte „romantische Ironie" verwandte Züge aufweist.[25] Wie bei Goethe, soll in der

[25] s. Ingrid Strohschneider-Kohrs: Die romantische Ironie in Theorie und Gestaltung (= Hermaea, N. F. 6). Tübingen: Niemeyer 1960. S. 7. Siehe ferner Ernst Behler: Die Theorie der romantischen Ironie im Lichte der handschriftlichen Fragmente Friedrich Schlegels. In: ZfdPh. 88 (1969/70). Sonderheft: Friedrich Schlegel und die Romantik. S. 90—114.

Ironie, wie Schlegel sagt, „alles Scherz und alles Ernst sein". Die Ironie wird als Verbindung von polaren Gegensätzen definiert:

> In ihr soll ... alles treuherzig offen und alles tief verstellt [sein]. Sie entspringt aus der Vereinigung von Lebenskunstsinn und wissenschaftlichem Geist, aus dem Zusammentreffen vollendeter Naturphilosophie und vollendeter Kunstphilosophie. Sie enthält und erregt ein Gefühl von dem unauflöslichen Widerstreit des Unbedingten und Bedingten ... Sie ist die freieste aller Lizenzen ... und doch auch die gesetzlichste, denn sie ist unbedingt notwendig. Es ist ein sehr gutes Zeichen, wenn die harmonisch Platten gar nicht wissen, wie sie diese stete Selbstparodie zu nehmen haben, immer wieder von neuem glauben und mißglauben, bis sie schwindlicht werden, den Scherz gerade für Ernst und den Ernst für Scherz halten.[26]

Schlegel bezeichnet die Ironie als „die Form des Paradoxen".[27] Auch die Begriffe der Schwebe und der „wiederholten Spiegelungen" tauchen bei ihm auf. In dem berühmten Athenaeumsfragment 116 über die progressive Universalpoesie heißt es über ihre Darstellungsweise: „Und doch kann auch sie am meisten zwischen dem Dargestellten und dem Darstellenden, frei von allem realen und idealen Interesse auf den Flügeln der poetischen Reflexion in der Mitte schweben, die Reflexion immer wieder potenzieren und wie in einer endlosen Reihe von Spiegeln vervielfachen."[28] Wie bei Goethe ist das ironische Spiel der Kunst auch ontologisch begründet. Für Schlegel ist es ferne Nachbildung „von dem unendlichen Spiele der Welt, dem ewig sich selbst bildenden Kunstwerk".[29] Oder es gilt als „klares Bewußtsein der ewigen Agilität, des unendlich vollen Chaos".[30] Auch die Funktion der Ironie wird bei Schlegel in Beziehung auf das Absolute und Unaussprechliche hin gesehen. Die Ironie erregt das Gefühl „von der Unmöglichkeit und Notwendigkeit einer vollständigen Mitteilung".[31] Schlegel spricht von der „Mystik des Witzes".[32] Die Ironie ist für ihn „gleichsam die *epideixis* der Unendlichkeit".[33] Sie steht bei ihm ebenfalls in Beziehung zu der göttlichen Liebe.[34]

Aber in der romantischen Ironie steigert sich der Autor über die Polarität des Daseins hinaus, er setzt sich aus Freiheit über sich selbst hinweg. Der roman-

[26] Jacob Minor (Hrsg.): Friedrich Schlegel. Prosaische Jugendschriften. Bd. 2. Wien: Konegen 1882. S. 198.

[27] Ebd., S. 190.

[28] Ebd., S. 220.

[29] Ebd., S. 364.

[30] Ebd., S. 296.

[31] Ebd., S. 198.

[32] Ebd., S. 253—254.

[33] Ernst Behler (Hrsg.): Friedrich Schlegel. Schriften und Fragmente. Ein Gesamtbild seines Geistes. Stuttgart: Kröner 1956. S. 161.

[34] Friedrich Schlegel: Sämtliche Werke. Bd. 15. 2. Original-Ausgabe Wien: Klang 1846. S. 171—172; 56.

tische Autor kennt nicht den Zustand rhetorischer Ungewißheit wie Goethe. Er ist sich vollkommen des beabsichtigten Ironiesinnes bewußt und setzt die Ironie souverän für seine Zwecke ein. Der romantische Autor befindet sich in konstanter Progression auf dem Weg zur Vermählung des Endlichen mit dem Unendlichen, auch wenn „die völlige Koinzidenz ... ewig unerreichbar" bleibt.[35] Die Erhebung über die Polarität des Daseins und über sich selbst hinaus vollzieht der romantische Autor „im steten Wechsel von Selbstschöpfung und Selbstvernichtung".[36]

Es ist das Wesensmerkmal der Goetheschen Ironie, daß der Standpunkt, über den „die Liebe ... von oben" den Menschen emporhebt, nicht vernichtet wird, sondern als Wert bestehen bleibt. Im *Divan* werden der *amor naturalis* im Gegensatz zum *amor dei* und die „Erdesprachen" gegenüber der wortlosen Sprache des „Höheren und Höchsten" erhalten. In den *Wanderjahren* steht das irdische Dasein der Makarie gleichberechtigt neben ihrer siderischen Existenz, die „ätherische Dichtung" ihres Sternenwesens neben dem „terrestrischen Märchen" der Gesteinsfühlerin. In *Faust II* ist und bleibt „alles Vergängliche... ein Gleichnis". Während das romantische Ich sich selbst und seine Werte setzt und wieder aufhebt, werden bei Goethe der Mensch, seine Werte und seine Welt bewahrt. Die romantische Ironie setzt sich über sich selbst hinweg. Jeder überwundene Zustand wird vernichtet. Es geht um die Vermählung des Endlichen mit dem Unendlichen. Insofern ist der Begriff der Mystik bei den Romantikern durchaus angebracht.

Hegel und Kierkegaard setzen in ihrer Kritik an der romantischen Ironie an dem negativen Prinzip der Selbstvernichtung an. Hegel erklärt:

> Das Ironische aber als die geniale Individualität liegt in dem Sich-Vernichten des Herrlichen, Großen, Vortrefflichen, und so werden auch die objektiven Kunstgestalten nur das Prinzip der sich absoluten Subjektivität darzustellen haben, indem sie, was dem Menschen Wert und Würde hat, als Nichtiges in seinem Sich-Vernichten zeigen. Darin liegt denn, daß es nicht nur nicht Ernst sei mit dem Rechten, Sittlichen, Wahrhaften, sondern daß an dem Hohen und Besten nichts ist, indem es sich in seiner Erscheinung in Individuen, Charakteren, Handlungen selbst widerlegt und vernichtet, und so die Ironie über sich selbst ist.[37]

Kierkegaard spricht von der „unwegsamen Unendlichkeit", in der die romantische Ironie „verzehrend voranstürmt", von der Aushöhlung und Vernichtung der Wirklichkeit in dem steten Wechsel von Selbstschöpfung und Selbstaufhebung:

---

[35] Friedrich Schlegel: Neue Philosophische Schriften. Hrsg. v. Josef Körner. Frankfurt a. M.: Schulte-Bulmke 1935. S. 368.

[36] Minor: Friedrich Schlegel. Prosaische Jugendschriften. Bd. 2. S. 211.

[37] Georg Wilhelm Friedrich Hegel: Sämtliche Werke. Bd. 12. 3. Aufl. Stuttgart: Frommann 1953. S. 104.

> Die Wirklichkeit will ... nicht bemäkelt werden, und das Sehnen soll eine gesunde Liebe sein, nicht ein verzärteltes weichliches sich aus der Welt Davonschleichen. Es kann darum wahr sein, wenn die Romantik sich nach einem Höheren sehnt; indes, gleich wie der Mensch nicht scheiden soll, was Gott zusammengefügt hat, so soll er auch nicht zusammenfügen, was Gott geschieden hat; solch eine krankhafte Sehnsucht aber ist ein Versuch, das Vollkommene schon vor der Zeit haben zu wollen.[38]

Wenn man von den polemischen Tönen und dem Klischee — klassisch-gesund und romantisch-krank — absieht, so tritt aus dieser Charakterisierung der romantischen Ironie die Goethesche deutlich als Gegensatz hervor. Das Wesen der Goetheschen Ironie besteht ja gerade darin, daß nicht versucht wird, zusammenzufügen, „was Gott geschieden hat". Kierkegaard nennt die Goethesche Ironie eine beherrschte, da sie die Bewegung ins Unendliche zum Halten bringt, „verendlicht, begrenzt und ... damit Wahrheit, Wirklichkeit, Inhalt" gewährt.[39] Die Ausgewogenheit der Goetheschen Ironie wird hervorgehoben:

> Ironie als ein beherrschtes Moment zeigt sich in ihrer Wahrheit gerade dadurch, daß sie lehrt, die Wirklichkeit zu verwirklichen, gerade dadurch, daß sie den gebührenden N a c h d r u c k a u f d i e W i r k l i c h k e i t legt. Hierbei kann die Meinung jedoch keineswegs sein, die Wirklichkeit ... zu vergöttlichen, oder es zu leugnen, daß da in jedem Menschen ist, oder doch sein sollte, ein Sehnen nach einem Höheren und Vollkommneren. Dies Sehnen aber darf nicht etwa die Wirklichkeit aushöhlen, vielmehr soll des Lebens Inhalt ein wahres und bedeutungsvolles Moment in der höheren Wirklichkeit werden, deren Fülle von der Seele begehrt wird. Hierdurch erhält die Wirklichkeit ihre Giltigkeit, nicht etwa als ein Fegefeuer ..., sondern als Geschichte, in welcher das Bewußtsein Stück um Stück sich hinlebt, jedoch auf die Art, daß die Seligkeit nicht darin besteht, dies alles zu vergessen, sondern darinnen gegenwärtig wird.[40]

Aus dieser meisterhaften Beschreibung Kierkegaards wird deutlich, daß die Ironie für Goethe keine Ausflucht ist, sondern Bewältigung — wenn auch nicht Lösung — der menschlichen Existenzproblematik. Zwischen Relativismus und Mystik schafft sich Goethe in der Ironie, die in der Formel „... diese sehr ernsten Scherze ..." Ausdruck gefunden hat, eine Möglichkeit des Selbst- und Weltverständnisses, die nicht direkt als Alterslehre und -weisheit mitteilbar ist, sondern durch die Gestalt der Dichtung spricht. Es hat also, wie Thomas Mann einmal sagt[41], „mit ‚diesen sehr ernsten Spielen'" — (oder „Scherzen") —, „es hat mit der Kunst vielleicht eine glücklichere, hilfreichere, lebensdienlichere Bewandtnis als mit allem Ratwissen, Glauben und Lehren".

---

[38] Kierkegaard: Über den Begriff der Ironie. S. 334.
[39] Ebd., S. 331.
[40] Ebd., S. 333—334.
[41] Gesammelte Werke, Bd. 11, S. 489.

ANHANG

Stand der Forschung

Während im Vorwort der Stand der Forschung zum Problem der Ironie in Goethes Spätwerk im allgemeinen skizziert worden ist, wird in diesem Exkurs ein Überblick über die Ironie in der Spezialliteratur zum *Divan*, zu den *Wanderjahren* und *Faust II* gegeben.

Die Bedeutung der Ironie für den *Divan* ist von der Forschung allgemein anerkannt, aber nie systematisch untersucht und als Gestaltungs- und Formprinzip erfaßt worden. Nun hat der *West-östliche Divan* trotz des sehr ausführlichen Kommentars von Christian Wurm aus dem Jahre 1834 und der positiven Rezensionen von Johann Gottfried Ludwig Kosegarten, Friedrich Bouterwek, Heinrich Döring, Hegel, Heine und sogar von Friedrich Theodor Vischer besonders unter dem Vorurteil gegen Goethes Alterswerk zu leiden gehabt.[1] Ernst Beutler hat 1943 die Aufnahme und Wirkung des *Divans* bis in die Gegenwart mit den folgenden Worten beschrieben: „Die Tatsache, daß noch bei Beginn des vorigen Weltkrieges die Divanexemplare der ersten Cottaischen Ausgabe von 1819 unverkauft in den deutschen Buchhandlungen lagen, beweist, daß es . . . nicht gelungen war, die Leser an das Werk heranzuführen."[2]

Bei Gustav von Loeper und Heinrich Düntzer spielt der Begriff der Ironie keine nennenswerte Rolle bei der Kommentierung des *Divans*.[3] Aber Konrad Burdach, der die Grundlagen der modernen *Divan*-Forschung gelegt hat, ver-

---

[1] Christian Wurm: Commentar zu Goethes West-östlichem Divan. Nürnberg: Schrag 1834; Fambach, 239—250; Karl S. Guthke: Lessing-, Goethe- und Schiller-Rezensionen in den Göttingischen Gelehrten Anzeigen 1769—1836. In: FDH. 1965. S. 138; Heinrich Döring: Goethe's Leben. Weimar: Hoffmann 1828. S. 402—404; Georg Wilhelm Friedrich Hegel: Sämtliche Werke. Bd. 13. 3. Aufl. Stuttgart: Frommann 1953. S. 239 f.; Heinrich Heine: Die Romantische Schule. In: H. H.: Sämtliche Werke. Hrsg. v. Ernst Elster, Bd. 5. Leipzig/Wien: Bibliographisches Institut o. J. S. 261—263; Friedrich Theodor Vischer: Kritische Gänge. 2. Aufl. München: Meyer & Jessen 1922. Bd. 6, S. 378—415; bes. S. 410, 414.

[2] Ernst Beutler: Goethe. West-östlicher Divan (=Sammlung Dieterich, Bd. 125). Wiesbaden: Dieterich 1948. S. XII.

[3] Gustav v. Loeper: Goethes Werke. 4. Theil: West-östlicher Divan. Berlin: Hempel 1872. S. 79; Heinrich Düntzer: Goethes West-östlicher Divan (= Erläuterungen zu den Deutschen Klassikern, 1. Abth., Bd. 31—33). Leipzig: Wartig 1878. S. 280.

wendet den Begriff häufig.[4] Aus den modernen Kommentaren zum *Divan* ist das Wort „Ironie“ überhaupt nicht mehr hinwegzudenken. Es gehört zu dem spezifischen Vokabular der *Divan*-Anmerkungen.[5]

Friedrich Gundolf sieht das Wesen des *Divans* darin, daß Goethe hier „aus absichtlichem Geheimnis oder Freude am Spiel und an erlangter, souverän mit Sachen und Formen schaltender Meisterschaft, oft das Schwere leicht gesagt und unter glitzernd glatter Fläche seine Tiefen verborgen“. Die Ironie im *Divan* bezeichnet Gundolf als sokratische.[6] Max Kommerell gebraucht nicht den Begriff Ironie, aber kommt dem Tatbestand sehr nahe, wenn er über das „Buch des Paradieses“ sagt: „Wann wird man aufhören, die Liebe für ‚Ernst‘ zu erklären? ... Hat nicht die Liebestradition aller Kulturvölker die Werke der Liebe immer wieder mit den Worten des Spiels benannt? Ist die Kunst nicht Spiel? Und ist das Spiel nicht Ernst?“[7] Grete Schaeder hebt die Bedeutung des Prosatons hervor: „Man hat diesen Ton als romantische Ironie, als Desillusionierung angesehen — er ist das Gegenteil davon: überall wird durch ihn das natürliche und sittliche Gleichgewicht wieder hergestellt.“[8] Paul Böckmann hat in seiner sehr eindringlichen Studie über die Liebessprache der Heidelberger Divangedichte die Ironie aus dem geselligen Gesprächsspiel auf der Basis des „Buches der Liebe“ hergeleitet. Auf dieser Grundlage entstehe die „Kunst ... des mensch-

[4] Konrad Burdach: West-östlicher Divan (= Goethes Sämtliche Werke. Jubiläumsausgabe in vierzig Bänden). Bd. 5. Stuttgart/Berlin: Cotta o. J. (1905). S. XXIV; XXX; 349; 351; 363; 369; 371; 539; 408; 416—418.

[5] Beutler: Goethe. West-östlicher Divan. S. 434; 490; 527; 536; 596; 601; 676; 734; 750. — Ingeborg Hillmann: Dichtung als Gegenstand der Dichtung. Untersuchungen zum Problem der Einheit des West-östlichen Divans (= Bonner Arbeiten zur deutschen Literatur, Bd. 10). Bonn: Bouvier 1965. S. 30; 36; 47; 51; 64; 72; 113/14; 116; 119; Hermann August Korff: Goethe im Bildwandel seiner Lyrik. Bd. 2. Hanau: Dausien 1958. S. 117/18; 125; 139; 164; 239; 269; 274; Hermann August Korff: Die Liebesgedichte des West-östlichen Divans in zeitlicher Folge mit entstehungsgeschichtlichem Kommentar. 2. Aufl. Zürich: Hirzel 1949. S. 28; 79; 186; 188; Momme Mommsen: Studien zum West-östlichen Divan (= Sb. d. dt. Ak. d. W. zu Berlin, Klasse für Sprache, Literatur und Kunst, 1963, Nr. 1). Berlin: Akademie-Verlag 1962. S. 30; 43; 99; 147; Pyritz, 64; 69; 181; 196; 212; Rudolf Richter: Goethes Werke. Fest-Ausgabe. Bd. 3. Leipzig: Bibliographisches Institut o. J. (1926). S. 310; 312; 315; 323; 331/32; 336; 346; Max Rychner: J. W. Goethe. West-östlicher Divan (= Manesse Bibliothek der Weltliteratur). Zürich: Manesse 1952. S. 412; 425; 465; 467; 485; 559; Trunz (HA 2, 538/39; 543—45; 554; 559/60; 562; 572); Ursula Wertheim: Von Tasso zu Hafis. Probleme von Lyrik und Prosa des West-östlichen Divans. Berlin: Rütten & Loening 1965. S. 91; 106; 110; 134; 175; 188; 190; 196; 198; 278; 332; 380; 383.

[6] Friedrich Gundolf: Goethe. Berlin: Bondi 1916. S. 648; 669.

[7] Max Kommerell: Gedanken über Gedichte. 2. Aufl. Frankfurt a. M.: Klostermann 1956. S. 305; s. auch S. 282.

[8] Grete Schaeder: Gott und Welt. Drei Kapitel Goethescher Weltanschauung. Hameln: Seifert 1947. S. 368; s. Konrad Burdach: Vorspiel (= DVjs.-Buchreihe, Bd. 3). Bd. 2. Halle: Niemeyer 1926. S. 364.

lich erfüllten Miteinanderseins" im Wechselgespräch, die das Buch Suleika auszeichnet.[9] Hans Joachim Schrimpf faßt Goethes Ironie im *Divan* als „Funktion des Geistes" auf, „mit der nicht das Ich über die Welt und seine eigenen Erzeugnisse desillusionierend triumphiert, sondern umgekehrt". Auch er sieht, wie vor ihm Konrad Burdach, Friedrich Gundolf und Grete Schaeder, in den Ironieformen des *Divans* „Abstand von der Romantik, eine demütige Unterwerfung des subjektiven Geistes unter die Sinnenfülle der Gegenstände. Es ist eine Ironie des behutsamen Umgangs mit den Dingen".[10]

Hermann August Korff versteht den *Divan* unter den Begriffen höhere Ironie und Humor als Maskenpoesie. Als den stilistischen Grundzug der Divanlyrik begreift er die „Verbindung von Scherz und Ernst". Korff verwendet diese Verbindung fast im Sinne der vorliegenden Untersuchung, ohne sie aber auf den Begriff der Ironie zurückzubeziehen oder mit der Rhetorik in Verbindung zu setzen.[11]

Bei Emil Staiger fällt das Wort Ironie nur vereinzelt bei der Besprechung des *Divans* bzw. des „Schenkenbuches". Staiger beschränkt sich weitgehend auf die vielzitierte Gesamtcharakteristik orientalischer Dichtkunst in den „Noten und Abhandlungen".[12] Auch Hans-Egon Hass versteht den *Divan* als Maskenkunst. Er hebt den Prosaton hervor und sieht die Funktion der Alltagssprache in der Herstellung einer ironischen Distanz zwischen Dichter und Erlebnis. Nach Hans-Egon Hass ermöglicht die Maske jene Serenität, die alle irdischen Dinge im Licht einer ewigen Idee erscheinen läßt. Hass verweist dann auf das Schwebende, das Gleichgewicht zwischen den Sphären, das den Dichter miteinschließt und endlich sogar den Leser.[13] Ingeborg Hillmann erfaßt in einer bedeutsamen Untersuchung zum Problem der Einheit des *Divans* genau die Fragestellung der vorliegenden Studie, wenn sie feststellt: „Die Ironie, die für den Divanstil kennzeichnend ist, besteht in der Nutzung der von Goethe immer wieder hervorgehobenen Möglichkeit orientalischer Dichtung, ‚Höheres und Höchstes' auf leicht spielerische Weise auszusagen."[14]

---

[9] Paul Böckmann: Die Heidelberger Divan-Gedichte. In: Goethe und Heidelberg. Unter Mitarb. v. Richard Benz ... hrsg. v. der Direktion des Kurpfälzischen Museums. Heidelberg: Kerle 1949. S. 204—239; Wiederabdruck: Die Liebessprache der Heidelberger Divangedichte. In: P. B.: Formensprache. Hamburg: Hoffmann & Campe 1966. S. 167—192; bes. S. 173.

[10] Hans Joachim Schrimpf: Das Weltbild des späten Goethe. Stuttgart: Kohlhammer 1956. S. 73.

[11] Korff: Goethe im Bildwandel seiner Lyrik. Bd. 2. S. 139; 121.

[12] Emil Staiger: Goethe: Sommernacht. In: E. S.: Meisterwerke deutscher Sprache. 2. Aufl. Zürich: Atlantis 1948. S. 119—135.

[13] Hans-Egon Hass: De l'Ironie chez Goethe. In: Études 22 (1967) S. 27—39. Deutsche Fassung: Über die Ironie bei Goethe. In: Ironie und Dichtung. Hrsg. von Albert Schaefer. München: Beck 1970. S. 59—83.

[14] Hillmann: Dichtung als Gegenstand der Dichtung. S. 72.

Die Ironie der *Wanderjahre* hat die zeitgenössische Kritik kaum wahrgenommen. Karl August Varnhagen von Ense, dessen einsichtsvolle Besprechung der Ausgabe von 1821 Goethe dankbar erwähnt und in einer Anzeige hervorgehoben hat, meint, daß im Vergleich zu den *Lehrjahren* die Ironie in den *Wanderjahren* nur selten hindurchleuchte.[15] Theodor Mundt trifft durchaus das Wesen des Romans, wenn auch von einem negativen Standpunkt, wenn er erklärt, daß die „freimaurerische Geheimniskrämerei, die gern mit sibyllinischen Sentenzen um sich wirft, diese vornehme Weisheitsmiene, die überall aus den *Wanderjahren* heraussieht, nur mit einem ironischen Hinblick auf den Leser zu ertragen" sei.[16] Der Hegelianer Heinrich Gustav Hotho kommt in seiner positiven Rezension der Ausgabe von 1829 dem ironischen Ton des Werkes vielleicht noch am nächsten, wenn auch das Wort Ironie nicht fällt.[17] Ähnliche Einsicht und Verständnis für den Roman zeigt das Buch von Ferdinand Gregorovius von 1849 über die sozialistischen Elemente in den *Wanderjahren.* Bei Gregorovius fällt auch das Wort Ironie mehrere Male ausdrücklich.[18]

Von der Mitte bis zum Ende des 19. Jahrhunderts hat die Literaturwissenschaft die Ironie bei Goethe nicht erkannt und auch die *Wanderjahre* unter dem Begriff der „Altersschwäche" mißverstanden, wie es die Literaturgeschichten von Gervinus, Wilhelm Scherer und Hermann Hettner zeigen.[19] In der modernen Kritik wird die Ironie entweder im Hinblick auf die Stellung des Erzählers oder inhaltlich in der Wende und Folge der Ereignisse gesehen. Für Friedrich Gundolf liegt die Ironie in der Haltung des Erzählers, der mit einer Mischung von Mitgefühl und objektiver Menschenkenntnis über allem steht.[20] Hans Reiss sieht die Ironie hauptsächlich in der Selbstkritik des Erzählers.[21] Auch Arthur Henkels Bemerkungen zur Ironie beziehen sich hauptsächlich auf die Erzählhaltung.[22] In der distanzierten Haltung des Erzählers zum unmittelbaren lyrischen Ausdruck erfaßt er eine Form der Ironie, die er sehr schön „Entsagende Poesie" nennt.[23] Benno v. Wiese legt in seiner Interpretation der Novelle „Der Mann von funfzig Jahren" dar, wie der Stil hier selbst noch „zu einem Gegenstand der dichterischen Ironie" wird.[24]

---

[15] Fambach, 252—271.

[16] Blätter für literarische Unterhaltung. Nr. 264—266 (21.—23. September 1830); zitiert nach Paul Henkel: Entsagung. Eine Studie zu Goethes Altersroman (= Hermaea, N. F. 3). 2., unveränderte Aufl. Tübingen: Niemeyer 1964. S. 2—3.

[17] Fambach, 345—346.

[18] Ferdinand Gregorovius: Goethes Wilhelm Meister in seinen socialistischen Elementen. 2. Aufl. Schwäbisch-Hall: Fischhaber 1855. S. 28; 39; 102; 104.

[19] Georg Gottfried Gervinus: Geschichte der deutschen Dichtung. Bd. 5. 4. Aufl. Leipzig: Engelmann 1853. S. 655; Wilhelm Scherer: Geschichte der deutschen Literatur. 5. Aufl. Berlin: Weidmann 1889. S. 681; Hermann Hettner: Literaturgeschichte des 18. Jahrhunderts. Bd. 3, 2. Abth. (= Das klassische Zeitalter der deutschen Literatur: Das Ideal Humanität). Braunschweig: Vieweg 1870. S. 568 ff.

[20] Gundolf: Goethe. S. 735.

[21] Hans Reiss: Goethes Romane. Bern/München: Francke 1963. S. 228.

Inhaltliche Interpretationen bringen Karl Schlechta und Hans Joachim Schrimpf bei. Schlechta mißversteht die Ironie im Zeichen des versteckten Spotts und leisen Hohns. Außerdem stammen fast sämtliche Beispiele, die er in seinem Kapital über Ironie anführt, aus den *Lehrjahren,* so daß sich eine detaillierte Kritik hier erübrigt.[25] Schrimpf spricht von einer „Ironie der Entsagung" und erläutert an zahlreichen Beispielen, wie die Ironie sich „auf die Bedingtheit und Unzulänglichkeit überhaupt [richtet], mit der sich der Mensch der unübersehbaren Fülle des in Gott gehaltenen Wirklichen gegenübersieht".[26] Dabei verschiebt sich aber die Ironie zu sehr in Richtung auf „unerschütterliches Vertrauen" und „gläubige Zuversicht", so daß sie schließlich zum poetischen Liebesbeweis wird, in dem sich die „Gnade der objektiven Gehalte" spiegelt.[27] Durch diese Umdeutung der Ironie auf unerschütterliche Frömmigkeit hin geht der Schwebecharakter der Goetheschen Ironie verloren.

Erich Trunz' Verdienst um die *Wanderjahre* besteht nicht nur in der Edition des Textes, der seit Jahrzehnten nur in unvollkommener Form vorlag. Er hat auch in seinem Kommentar die Ironie vor allem als Gestaltungsprinzip des Romans erfaßt. Er sieht die Aufgabe der Ironie im Ausgleich der Lehrhaftigkeit und im Heranführen der Sprache ans Schweigen: „Die Makarien-Kapitel, die Schilderung der Pädagogischen Provinz, auch die Novelle ‚Nicht zu weit' führen an diese Grenze, wo ein Letztes nicht mehr Sagbares übrigbleibt."[28]

In der Faustforschung spielt der Begriff der Ironie eine große Rolle. Aber nun darf man die Tatsache der Erwähnung des Wortes Ironie in der Sekundärliteratur zu *Faust* nicht überschätzen, da im Zusammenhang mit Mephistopheles das Wort unvermeidbar ist. Goethe selbst erklärt im Gespräch: „So der Charakter des Mephisto ist durch die Ironie und als lebendiges Resultat einer großen Weltbetrachtung wieder etwas sehr Schweres."[29] Und so gehört seit Karl Ernst Schubarth, einem der ersten Interpreten des *Faust,* das Wort Ironie zum Vokabular der Faustkritik. Es erübrigt sich, im einzelnen auf die kommentierten

---

[22] Henkel: Entsagung. S. 13; 74; 82—83; 96—97; 100; 102—103; 106—107; 111.

[23] Ebd., S. 94—113.

[24] Benno v. Wiese: Johann Wolfgang Goethe. Der Mann von funfzig Jahren. In: B. v. W.: Die deutsche Novelle. Bd. 2. Düsseldorf: Bagel 1962. S. 31.

[25] Karl Schlechta: Goethes Wilhelm Meister. Frankfurt a. M.: Klostermann 1953. S. 203—220.

[26] Schrimpf: Das Weltbild des späten Goethe. S. 116.

[27] Ebd., S. 120.

[28] Trunz (HA 8, 585). Folgende Arbeiten erschienen nach Abschluß der vorliegenden Untersuchung: zur Ironie siehe Heidi Gidion: Zur Darstellungsweise von Goethes Wilhelm Meisters Wanderjahre (= Palaestra, 256). Göttingen: Vandenhoeck & Ruprecht 1969. S. 45; 76; 86; Bernd Peschken: Entsagung in Wilhelm Meisters Wanderjahren (= Abhandlungen zur Kunst-, Musik- und Literaturwissenschaft, 54). Bonn: Bouvier 1968. S. 31; 32; 34; 87; 91/2; 111; 112; 114; 135; 153; 175; 208.

[29] Eckermann, 103.

Ausgaben und Erläuterungen von Heinrich Düntzer und Kuno Fischer bis zu Ernst Beutler und Reinhard Buchwald einzugehen.[30] Auch Friedrich Theodor Vischer macht ausführlichen Gebrauch von dem Wort Ironie.[31]

Für die moderne Faustforschung gehen die entscheidenden Hinweise auf die ironische Struktur wohl von Konrad Burdach aus, auch wenn er den Begriff selbst nur selten verwendet. Burdach tritt als erster entschieden der Perfektibilitätsauffassung vom faustischen Menschen und seinem Streben entgegen und weist auf den zweideutigen Charakter der Faustgestalt hin.[32] Friedrich Gundolf hebt die Ironie hervor, die über der Mummenschanz schwebt, und die Gegensätze, die den ernst-scherzhaften Stil dieser Szene bestimmen, aber im übrigen bewegen sich seine Ausführungen im üblichen Rahmen der Mephisto-Ironie.[33] Helene Herrmann erkennt eine „freie ironische Geistigkeit" als Bildungsgesetz des *Faust II*.[34]

Wilhelm Böhm radikalisiert Burdachs Gedanken in negativer Richtung und betrachtet *Faust* als die größte „dramatische Satire der Weltliteratur überhaupt".[35] Der Begriff der Ironie wird von ihm teilweise so lose verwendet, daß er nicht an die Satire gebunden scheint, aber es ist dabei zu beachten, daß für Böhm die moralisch-satirische Absicht des *Faust* grundlegend bleibt. Auch wenn diese Absicht ins „Inkommensurable" verhüllt wird, bleibt die Ironie für ihn lediglich Mittel der Satire.[36] In der Herausarbeitung des Parallelismus von Paradoxie und Gegenparadoxie vermittelt Wilhelm Böhm wertvolle Einsichten.[37]

Kurt May sieht die Ironie in den antithetischen Setzungen, aber seine Beobachtungen zur Ironie sind fast ausschließlich auf die Sprache beschränkt und erstrecken sich nicht auf die Ironie der Metrik oder größerer Interpretations-

---

[30] zu den einzelnen Kommentaren s. Bibliographie in HA 3, 639; 642.

[31] Friedrich Theodor Vischer: Goethes Faust. 3. Aufl. Stuttgart/Berlin: Cotta 1921. S. 579—580.

[32] Konrad Burdach: Faust und Moses. In: BSBphKl. 1912. S. 358—403; 627—659; 736—789; ders.: Faust und die Sorge: In: DVjs. 1 (1923) S. 1—60; ders.: Die Disputationsszene und die Grundidee in Goethes Faust. In: Euphorion 27 (1926) S. 1—69; ders.: Die Schlußszene in Goethes Faust. In: BSBphKl. 1931. S. 585—604; ders.: Das religiöse Problem in Goethes Faust. In: Euphorion 33 (1932) S. 1—83; s. Wilhelm Emrich: Die Symbolik von Faust II. 3. Aufl. Frankfurt a. M.: Athenäum 1964. S. 447, Anm. 27.

[33] Gundolf: Goethe. S. 762—763; 765; 776.

[34] Helene Herrmann: Faust, 2. Teil. Studien zur inneren Form. In: ZfÄsth. 12 (1916—1917). S. 96.

[35] Wilhelm Böhm: Goethes Faust in neuer Deutung. Köln: Seemann 1949. S. 40.

[36] Wilhelm Böhm: Faust, der Nichtfaustische. Halle: Niemeyer 1933. S. 21—30.

[37] Böhm: Faust in neuer Deutung. S. 267.

einheiten wie Szene und Akt.[38] Max Kommerell ist die Einsicht in die Übertragung des ironischen Verhältnisses zwischen Faust und Mephisto auf ein ironisches Verhältnis von Welt- und Naturprinzipien zu verdanken. Mephistos „Vertraulichkeiten ... mit dem Parterre", seine „lustigen Ausflüge ins Proszenium" sieht Kommerell im Zeichen aristophanischer Ironie. Den Helena-Akt betrachtet er als „ein Mischgebilde entlegener, weise bezogener Stile, wohl das Widerantikeste, das es gibt, gerade weil es durch eine ironisch gebrauchte antike Form zusammenhält".[39]

Wilhelm Emrich erklärt in seinem Buch über die *Symbolik von Faust II*, daß „die eigentümliche Struktur ironischer Darstellungsweise" zu einem der wesentlichsten Themen seiner Untersuchung gehört.[40]

Er sieht in der ironischen Form der Faustdichtung „auch ihre inhaltliche Funktion aufgedeckt".[41] Nach seiner Ansicht richtet sich die Ironie der *Faust-II*-Dichtung

> ... sowohl gegen deren sinnliche Vorgänge wie gegen ihre geistigen Hintergründe. Ironie ist das Zeichen der Souveränität eines Geistes, der im Einzelnen das Höhere und im Höheren wieder das Einzelne aufzusuchen bemüht ist. Das heißt Goethes Drang zur Totalität, seine Frömmigkeit dem offenbaren Geheimnis gegenüber macht diese Dichtung ironisch.[42]

Emrich vermittelt wichtige Einzeleinsichten in das Wesen der Ironie, aber das Buch bleibt letztlich den Beweis der Ironie in Form der Textinterpretation schuldig.

Erich Franz' Faust-Buch *Mensch und Dämon* von 1953 stellt eine Weiterführung der Gedanken seines Buches *Goethe als religiöser Denker* von 1932 dar. Die von Franz herausgearbeiteten drei metaphysischen Grundhaltungen — Tragik, Religion, Ironie — weisen seiner Ansicht nach „in einem fruchtbaren Wechselverhältnis" über sich selbst hinaus auf ein Letztes, „sie alle drei Umgreifendes", von dem sich nicht in Worten sprechen läßt:

> Auf der letzten Höhe der Poesie aber, wenn alle Register gezogen werden, tauchen in der Tiefe des Menschenherzens Ahnungen eines letzten Zusammenhanges auf. Wer wirklich in dem Bann einer solchen Dichtung gestanden hat und sich

[38] Kurt May: Faust II. Teil. In der Sprachform gedeutet (= Kunst als Literatur). 2. Aufl. München: Hanser 1962. S. 43; 47; 49—50; 83; 87; 89; 101—102; 105—106; 109; 134—138; 153; 165; 238; 240; 284.

[39] Max Kommerell: Geist und Buchstabe der Dichtung. 3. Aufl. Frankfurt a. M.: Klostermann 1944. S. 63.

[40] Emrich: Die Symbolik von Faust II. S. 24.

[41] Ebd., S. 55.

[42] Ebd., S. 56.

> von dem Dichter über sich selbst ‚hinausmuten' ließ, fühlt sich nicht nur bereichert, befreit und beglückt, sondern auch besser und frömmer.[43]

Erich Franz spricht zwar von Synthese, aber es handelt sich im Grunde mehr um einen Synkretismus von Formen der Tragödie, des Mysterienspiels und der Komödie.

Im Gegensatz zu seinen Interpretationen des *Divans* und der *Wanderjahre* verkennt Emil Staiger in *Faust II* nicht das Wirken der Ironie, doch beziehen sich seine Ausführungen zumeist auf situations- oder personengebundene Ironie.[44] Der Helena-Akt wird als Parodie des Stils der antiken Tragödie erfaßt, wie auch schon bei Kommerell.[45] Richard Friedenthal betrachtet die Ironie als das große Kunstmittel im *Faust:* „Sie hebt auf, kehrt um, Hoch in Tief, verwandelt Zeit und Raum, die Gestalten stellen sich selbst in Frage. Ein ‚letztes Wort' gibt es nicht."[46]

Auf Arbeiten zu einzelnen Szenen und Akten, soweit sie sich auf ein allgemeines Prinzip der Ironie berufen, das sich auf den gesamten zweiten Teil des *Faust* bezieht, ist bereits in Kapitel IV hingewiesen worden. Hier ist nur noch Thomas Manns Vortrag über „Richard Wagner und den ‚Ring der Nibelungen'" von 1937 zu nennen, in dem er auf „Goethes ironische Art, den Mythus zu beschwören", hinweist:

> ... er zelebriert den Mythus nicht, er scherzt mit ihm, er behandelt ihn mit liebevoll-vertraulicher Neckerei, er beherrscht ihn bis ins Kleinste und Entlegenste und macht ihn im heiteren, witzigen Wort mit einer Genauigkeit sichtbar, die mehr von Komik, ja von zärtlicher Parodie als von Erhabenheit hat.[47]

---

[43] Erich Franz: Mensch und Dämon. Goethes Faust als menschliche Tragödie, ironische Weltschau und religiöses Mysterienspiel. Tübingen: Niemeyer 1953. S. 234; 238.

[44] Staiger, III, 320; 324; 337; 372; 382; 383; 442.

[45] Ebd., S. 373—375.

[46] Richard Friedenthal: Goethe. Sein Leben und seine Zeit. München: Piper 1963. S. 706; zu Herman Meyers Untersuchung Diese sehr ernsten Scherze. Eine Studie zu Faust II (= Poesie und Wissenschaft, XIX). Heidelberg: Stiehm 1970, siehe Vorwort, S. 11. Herbert Seidler weist auf „die echt Goethesche Verbindung von Ernst und Scherz als ... Gestaltungsprinzip" in Faust II hin (Die Klassische Walpurgisnacht. In: ChrWGV. 73 [1969] S. 3).

[47] Gesammelte Werke. Bd. 9. S. 507—508; ähnlich ebd., S. 750; T. M.: Briefe 1937 bis 1947. Frankfurt a. M.: Fischer 1963. S. 68; S. 569.

WORTBELEGE

„Scherz und Ernst“, Ironie

In diesem Exkurs sind sämtliche Belege für die Formel „Scherz und Ernst“ und für Gegenüberstellungen von „Scherz“ und „Ernst“ sowie für „Ironie“ nach den Sammlungen des *Goethe-Wörterbuchs* zusammengestellt, um einen lexikalischen Überblick über Goethes Sprachgebrauch zu geben.

Literarische Werke:

„Scherz und Ernst“ bzw. „Ernst und Scherz“:

WA	I	7,	152,	22 f.;
		11,	321,	v. 712;
		26,	45,	23;
		27,	91,	1;
		28,	262,	4;
		28,	321,	11 f.;
		29,	22,	2;
		34^{I},	91,	3 f.;
		36,	11,	4 f.;
		36,	125,	27 f.;
		36,	181,	17 f.;
		41^{II},	226,	14 f.;
		42^{II},	204,	1;
		49^{I},	8,	4.

„Scherz“ in Gegenüberstellungen zu „Ernst“:

WA	I	3,	39,	v. 27 f.	Im Ernste ... im Scherz;
		4,	100,	v. 3	im Scherz ... Ernst;
		5^{I},	227,	Xen 154	zum Ernst ... für den Scherz;
		11,	187,	24 f.	als Scherz ... als Ernst;
		13^{I},	83,	30	Ernst ... Scherz;
		16,	219,	v. 24	Scherz ... Ernst;
		16,	228,	v. 4	Ernst ... Scherz;
		17,	265,	12 f.	Scherz ... Ernst;
		20,	75,	4 f.	Scherz ... Ernst;
		24,	270,	9 f.	im Scherz ... im Ernst (HA 8, 173, 33);
		28,	106,	12	im Scherz ... im Ernst;
		28,	278,	23	durch ... Ernst ... durch ... Scherz;
		33,	34,	25	zum Scherz ... als Ernst;

33, 107, 1	durch Ernst ... durch Scherz;
33, 198, 16 f.	als Ernst ... als Scherz;
35, 109, 19	halb Scherz, halb Ernst;
41I, 146, 7 f.	halb im Scherz, halb im Ernst;
43, 242, 14	Scherz ward Ernst;
48, 209, 12 f.	im Ernst ... zum Spaß;
51, 212, 23 f.	halb im Scherze und halb im Ernste.

1, 326, (v. 378)	Frechheit und Ernst;
2, 223, v. 1	wenn ich den Scherz will ernsthaft nehmen;
2, 223, v. 3	wenn ich den Ernst will scherzhaft treiben;
2, 272, v. 3	Ernst ... Spaß;
4, 93, v. 16	Ernst ... Spaß;
4, 240, v. 8	Ernst und Spiel;
4, 291, v. 2	Ernst und Lust;
5I, 190, v. 7	im Ernst ... wie im Spiele;
12, 21, 27	wird Ernst aus dem Spiele;
16, 338, v. 76 f.	Sobald ihr scherzend kommt, dann ist es Ernst;
18, 51, 1 - 4	Spaß ... Ernst;
18, 65, 3 f.	Spaß ... bitterer Ernst;
22, 117, 17	mit einem schelmischen Ernst;
22, 167, 14 f.	mit ... schalkhaftem Ernst;
27, 373, 2 f.	Umwendung eines scheinbaren Ernstes in ... Scherz;
28, 137, 4	Fratzenspiel ... Ernst;
33, 145, 21	Ernst mit Lieblichkeit verbunden;
40, 82, 27 f.	sein Ernst zeigt sich ... wenn vom Spiele die Rede ist;
41I, 94, 13 f.	Ernst und Heiterkeit;
41II, 176, 5	Ernst, Scherz und Halbscherz;
47, 205, 5 f.	Ernst und Spiel;
47, 206, 1	Ernst und Spiel;
47, 300, 11 f.	Zeitvertreib mit einem gewissen Ernst;
50, 293, v. 619	mit heiterem Ernst.

„Ironie" und „ironisch":

WA I	7, 76, 8;	
	13II, 233, 20;	
	22, 19, 27,	(ähnl. WA I 52, 178, 26);
	27, 75, 16;	
	27, 161, 22;	
	27, 343, 17;	
	27, 391, 6,	(ähnl. WA I 27, 390, 21);
	32, 351, 10;	
	33, 208, 24;	
	34II, 33, 8, 5;	
	36, 178, 4;	
	41I, 256, 2;	
	41II, 72, 12;	

41^{II}, 191, 23;
41^{II}, 384, 20;
42^{I}, 89, 14;
45, 78, 11;
45, 138, 9;
49^{I}, 350, 14;
55, VIII, 23;

15^{II}, 174, (7);
17, 142, 17;
22, 120, 3;
24, 309, 11, (HA 8, 198, 32);
25^{II}, 239, 5;
27, 254, 23;
27, 346, 9;
28, 111, 6;
28, 240, 21;
29, 109, 6;
33, 328, 4;
35, 99, 19;
41^{II}, 171, 4;
45, 95, 14;
45, 298, 26;
49^{I}, 349, 17;
49^{I}, 353, 9;
49^{I}, 354, 5;
49^{II}, 22, 6, (ähnl. WA IV, 28, 390, 23);
49^{II}, 305, oben.

Naturwissenschaftliche Schriften:

WA II	5^{I}, 337, 6 f.	in Scherz und Ernst;
	6, 135, 22	Ernst und Spiel;
	11, 11, 1 f.	als Spiel, dem es bitterer Ernst ist;
	11, 88, 15 f.	halb im Ernst, halb im Scherz;
	12, 62, 3 f.	in Scherz und Ernst.

„Ironie" und „ironisch":

WA II	1, XII, 18;	
	4, 4, 9;	
	4, 103, 12 u. 17;	
	3, 309, 21;	
	5^{II}, 271, 15;	
	5^{II}, 384, 5;	
	11, 54, 5;	
	13, 448, 13,	(MuR 1198).

Tagebücher:

„Scherz und Ernst":

WA III	2, 114, 10;	
	5, 90, 3 f.;	
	3, 142, 20	scherzhafter Ernst

„Ironie" und „ironisch":

WA III	4, 120, 15;
	7, 58, 24;
	12, 169, 21.

Briefe:

„Scherz und Ernst":

WA IV	6, 159, 21 f.;	
	6, 398, 18;	
	7, 75, 25;	
	7, 153, 25;	
	8, 159, 1;	
	8, 263, 1;	
	10, 226, 2;	
	11, 298, 13;	
	19, 10, 7;	
	19, 297, 15;	
	22, 224, 13;	
	25, 165, 2;	
	26, 252, 9;	
	28, 174, 3;	
	33, 213, 11 f.;	
	34, 50, 7 f.;	
	36, 173, 19;	
	38, 317, 38;	
	39, 165, 16 f.;	
	40, 143, 23;	
	44, 307, 17;	
	46, 45, 16 f.;	
	48, 155, 24 f.;	
	48, 175, 27.	
	14, 118, 9	Ernst und Spiel (ähnl. WA IV 16, 139, 7),
	21, 119, 12 f.	heiterer Ernst;
	45, 218, 11 f.	Ernst und Spaß.
	49, 153, 13 f.	an diesen ernst gemeinten Scherzen;
	49, 283, 12 f.	diese sehr ernsten Scherze.

„Ironie" und „ironisch":

WA IV	10, 356, 10;
	25, 179, 24;

26, 414, 19;
27, 188, 22;
38, 250, 11;
41, 169, 5;
46, 194, 2;

22, 89, 13;
28, 169, 9;
33, 61, 6;
42, 24, 21;
47, 309, 26.

Gespräche:

Diese Aufstellung enthält nur Zitate, die auf Goethe selbst zurückgehen. Zeitgenössische Erwähnungen der Goetheschen Ironie in den Gesprächen (wie z. B. Biedermann 4, 425, 27 f.; Eckermann 558, 14; 560, 33) sind nicht aufgeführt.

Biedermann	2, 167, 27 f.	Scherz ... Ernst;
	1, 269, 2 f.	Ironie;
	2, 9, 15;	
	2, 177, 5;	
	2, 470, 26;	
	5, 157, 27;	
Eckermann	103, 21	(106, 26);
	475, 36	(498, 10);
	477, 25	(500, 4);
	550, 42	(578, 40).*
Biedermann	1, 534, 22	ironisch;
	2, 254, 41;	
	3, 248, 14;	
	5, 115, 6.	

* Seiten- und Zeilenangaben in Klammern beziehen sich auf die 21. Originalauflage, hrsg. von H. H. Houben, Leipzig: Brockhaus 1925, nach der das *Goethe-Wörterbuch* zitiert.

VERZEICHNIS DER ABKÜRZUNGEN

Angeführt werden hier die Abkürzungen der in den Anmerkungen zitierten Quellen und Hauptwerke der Sekundärliteratur; ansonsten gelten die in der Wissenschaft üblichen Abkürzungen. Mit Ausnahme der *Wanderjahre* und der *Maximen und Reflexionen* wird nach der Weimarer Ausgabe zitiert mit Angabe der Abteilung, des Bandes und der Seitenzahl. Beim *Divan* wird die neue Ausgabe von Hans Albert Maier zum Vergleich herangezogen. *Faust* wird nach der Verszahl zitiert. Die Zeichensetzung richtet sich nach den vorliegenden Ausgaben. Die Orthographie ist modernisiert bei behutsamer Wahrung des Lautstandes und unter Berücksichtigung besonderer Ausdrucksverhältnisse.

Biedermann — *Goethes Gespräche.* Gesamtausgabe. Neu hrsg. v. Flodoard Frhr. von Biedermann. Bd. 1—5. Leipzig: F. W. v. Biedermann 1909 bis 1911.

Curtius — Ernst Robert Curtius: *Europäische Literatur und lateinisches Mittelalter.* (1. Aufl. 1948) 5. Aufl. Bern/München: A. Francke 1965.

Eckermann — Johann Peter Eckermann: *Gespräche mit Goethe in den letzten Jahren seines Lebens.* Hrsg. v. H. H. Houben. 25. Originalaufl. Wiesbaden: Brockhaus 1959.

Fambach — Oscar Fambach: *Goethe und seine Kritiker.* Düsseldorf: L. Ehlermann 1953.

HA — *Goethes Werke.* Hamburger Ausgabe in vierzehn Bänden. Text kritisch durchgesehen und mit Anmerkungen versehen v. Erich Trunz u. a. (1. Aufl. 1948 ff.) 7. Aufl. Hamburg: Wegner 1964. Die einzelnen Bände enthalten verschiedene Auflagebezeichnungen.

JA — *Goethes Sämtliche Werke.* Jubiläumsausgabe in vierzig Bänden. In Verbindung mit ... hrsg. v. Eduard v. d. Hellen. Stuttgart/Berlin: Cotta 1902—1912.

Lausberg — Heinrich Lausberg: *Handbuch der literarischen Rhetorik.* Eine Grundlegung der Literaturwissenschaft. 2 Bde. München: M. Hueber 1960.

MuR — *Goethe. Maximen und Reflexionen.* Hrsg. v. Max Hecker. Weimar: Goethe-Gesellschaft 1907 (= Schriften der Goethe-Gesellschaft, 21. Bd.).

Pyritz — Hans Pyritz: *Goethe-Studien.* Hrsg. v. Ilse Pyritz. Köln/Graz: H. Böhlau 1962.

Staiger — Emil Staiger: *Goethe.* 3 Bde. 4., unveränderte Aufl. Zürich/Freiburg: Atlantis 1964.

WA — *Goethes Werke.* Hrsg. im Auftrag der Großherzogin Sophie von Sachsen. Abth. I—IV, 133 Bde. (in 143). Weimar: H. Böhlau 1887 bis 1919.

LITERATURVERZEICHNIS

I. Rhetorik

Arbusow, Leonid: Colores Rhetorici. 2. Aufl. Göttingen: Vandenhoeck & Ruprecht 1963.

Barner, Wilfried: Die Umwertung des Rhetorischen. In: W. B.: Barockrhetorik. Untersuchungen zu ihren geschichtlichen Grundlagen. Tübingen: Niemeyer 1970. S. 11 bis 16.

Curtius, Ernst Robert: Europäische Literatur und lateinisches Mittelalter. 5. Aufl. Bern—München: Francke 1965.

Emrich, Berthold: Topik und Topoi. In: DU. 18 (1966), H. 6. S. 47—93.

Ernesti, Johann Christian Gottlieb: Lexicon technologiae Graecorum rhetoricae. Hildesheim: Olms 1962. Nachdruck der Ausgabe Leipzig 1795.

Derselbe: Lexicon technologiae Latinorum rhetoricae. Hildesheim: Olms 1962. Nachdruck der Ausgabe Leipzig 1797.

Gerber, Gustav: Die Sprache als Kunst. 2 Bde. in 1 Band. Hildesheim: Olms 1961. Nachdruck der 2. Aufl. Berlin 1885.

Lausberg, Heinrich: Handbuch der literarischen Rhetorik. Eine Grundlegung der Literaturwissenschaft. 2 Bde. München: Hueber 1960.

Derselbe: Rhetorik und Dichtung. In: DU. 18 (1966), H. 6, S. 47—93.

Derselbe: Elemente der literarischen Rhetorik. Eine Einführung für Studierende der klassischen, romanischen, englischen und deutschen Philologie. 3., durchgesehene Aufl. München: Hueber 1967.

Storz, Gerhard: Unsere Begriffe von Rhetorik und vom Rhetorischen. In: DU. 18 (1966), H. 6. S. 5—14.

Tumlirz, Karl: Die Lehre von den Tropen und Figuren, nebst einer kurzgefaßten deutschen Metrik. 4., durchgesehene Aufl. Wien: Tempski 1902.

Volkmann, Richard: Rhetorik der Griechen und Römer. In: Handbuch der klassischen Altertumswissenschaft. Begründet von Iwan von Müller. Bd. II, 3. 2., neubearbeitete Aufl. München: Beck 1890. S. 637—676.

II. Ironie

Allemann, Beda: Ironie und Dichtung. Pfullingen: Neske 1956.

Derselbe: Ironie. In: Reallexikon der deutschen Literaturgeschichte. Begründet von Paul Merker und Wolfgang Stammler. Hrsg. von Werner Kohlschmidt und Wolfgang Mohr. Bd. 1. Berlin: de Gruyter 1958. S. 756—761.

Derselbe: Ironie. In: Literatur II, 1 (= Fischer-Lexikon, 35, 1). Hrsg. von Wolf-Hartmut Friedrich und Walther Killy. Frankfurt a. M.: Fischer 1965. S. 305—312.

Arndt, Ernst: De ridiculi doctrina rhetorica. Bonn, Phil. Diss. 1904.

Baumgart, Reinhard: Das Ironische und die Ironie in den Werken Thomas Manns (= Literatur als Kunst). München: Hanser 1964.

Behler, Ernst: Die Theorie der romantischen Ironie im Lichte der handschriftlichen Fragmente Friedrich Schlegels. In: ZfdPh. 88 (1969/70), Sonderheft: Friedrich Schlegel und die Romantik, S. 90—114.

Derselbe: Der Ursprung des Begriffs der tragischen Ironie. In: Arcadia 5 (1970) S. 113 bis 142.

Blackall, Eric A.: Irony and Imagery in Hamann. In: PEGS. N.S. 26 (1957) S. 1—25.

Boeschenstein, Hermann: Von den Grenzen der Ironie. In: Stoffe, Formen, Strukturen. Studien zur deutschen Literatur. Festschrift H. H. Borcherdt zum 75. Geburtstag. Hrsg. v. Albert Fuchs und Helmut Motekat. München: Hueber 1962. S. 43—58.

Bohtz, August Wilhelm: Ironie. In: Ersch-Gruber: Allgemeine Encyclopädie der Wissenschaften und Künste. Section II, Bd. 24. Leipzig: Brockhaus 1845. S. 111 bis 115.

Bollnow, Otto Friedrich: Die Ehrfurcht. 2. Aufl. Frankfurt: Klostermann 1958.

Brooks, Cleanth: Modern Poetry and the Tradition. Chapel Hill: The University of North Carolina Press 1939.

Derselbe: The Well Wrought Urn. New York: Harcourt, Brace & World 1947.

Büchner, Wilhelm: Über den Begriff Eironeia. In: Hermes 76 (1941) S. 339—358.

Chevalier, Haakon: The Ironic Temper: Anatole France and His Time. New York: Oxford University Press 1932.

Derselbe: Irony. In: Dictionary of World Literature. Hrsg. v. Joseph T. Shipley. Neue, durchgesehene Aufl. Paterson, N. J.: Littlefield, Adams & Co. 1960. S. 233 bis 235.

Collins, Anthony: A Discourse Concerning Ridicule and Irony in Writing, in a Letter to the Reverend Dr. Nathanael Marshall. London: Brotherton 1729.

Daiches, David: The Function of Irony. In: D. D.: Critical Approaches to Literature. Englewood Cliffs, N. J.: Prentice Hall 1956. S. 160—162.

Dempster, Germaine: Dramatic Irony in Chaucer (= Stanford University Publications, Language and Literature, IV, 3). Palo Alto: Stanford University Press 1932.

Dikkers, S. J. E.: Ironie als vorm van communicatie. Den Haag: Kruseman o. J.

Dyson, A. E.: The Crazy Fabric. Essays in Irony. London: Macmillan 1965.

Flögel, Carl Friedrich: Geschichte der komischen Literatur. Bd. 1. Liegnitz—Leipzig: Siegert 1784. S. 95—96.

Friedemann, Käte: Die romantische Ironie. In: ZfÄsth. 13 (1918—1919) S. 270—282.

Friedländer, Paul. Platon. Bd. 1. 3. Aufl. Berlin: de Gruyter 1964. S. 145—163.

Glicksberg, Charles I.: The Ironic Vision in Modern Literature. Den Haag: M. Nijhoff 1968.

Gottsched, Johann Christoph: Versuch einer Critischen Dichtkunst. 4. sehr vermehrte Aufl. Leipzig: Breitkopf 1751. S. 276—277.

Derselbe: Handlexikon, oder Kurzgefaßtes Wörterbuch der schönen Wissenschaften und freyen Künste. Leipzig: Fritsch 1760. S. 930.

Grant, Mary A.: The Ancient Rhetorical Theories of the Laughable (= University of Wisconsin Studies in Language and Literature, 21). Madison: University of Wisconsin 1924.

Green, D. H.: Irony and Medieval Romance. In: Forum for Modern Language Studies 6 (1970) S. 49—64.

Haidu, Peter: Aesthetic Distance in Chrétien de Troyes: Irony and Comedy in Cligés and Perceval. Genf: Librairie Droz 1968.

Hass, Hans-Egon: Die Ironie als literarisches Phänomen. Bonn, Phil. Diss. 1950 [Masch.]. [Nicht eingesehen.]

Derselbe: Demiurgische Subjektivität und Ironie (bei Goethe). Bonn, Habil.-Schr. 1955 [Masch.]. [Zur Zeit nicht zugänglich.]

Haury, Auguste: L'Ironie et l'humour chez Ciceron. Leyden: Brill 1955.

Heller, Erich: Thomas Mann. Der ironische Deutsche. Frankfurt a. M.: Suhrkamp 1959.

Highet, Gilbert: The Anatomy of Satire. Princeton: Princeton University Press 1962.

Himmel, Hellmuth: Ironie. In: Lexikon der Weltliteratur im 20. Jahrhundert. Bd. 1. Freiburg: Herder 1960. S. 985—988.

Höffding, Harald: Humor als Lebensgefühl. Leipzig—Berlin: Teubner 1918.

Hofmannsthal, Hugo von: Ironie der Dinge. In: H. v. H.: Gesammelte Werke (Prosa, IV). Frankfurt a. M.: Fischer 1955. S. 40—44.

Hübner, Alfred: Die „mhd. Ironie", oder die Litotes im Altdeutschen (= Palaestra, 170). Leipzig: Mayer & Müller 1930.

Jancke, Rudolf: Das Wesen der Ironie. Eine Strukturanalyse ihrer Erscheinungsformen. Leipzig: Barth 1929.

Janentzky, Christian: Über Tragik, Komik und Humor. In: FDH. (1936—1940) S. 1—51.

Jankélévitch, Vladimir: L'Ironie ou la bonne conscience. 2. Aufl. Paris: Presses Universitaires de France 1950.

Joannou, Demetrios: Ontologie der Komik. Freiburg: F. Wagner o. J. (1959).

Johnson, S. K.: Some Aspects of Dramatic Irony in Sophoclean Tragedy. In: Classical Review 42 (1928) S. 209—214.

Just, Gottfried: Ironie und Sentimentalität in den erzählenden Dichtungen Arthur Schnitzlers (= Philologische Studien und Quellen, H. 42). Berlin: Erich Schmidt 1968.

Kierkegaard, Sören: Über den Begriff der Ironie, mit ständiger Rücksicht auf Sokrates (= Gesammelte Werke, 31. Abteilung). Düsseldorf—Köln: Diederichs 1961.

Knox, Norman: The Word Irony and Its Context 1500—1755. Durham, N. C.: Duke University Press 1961.

Krug, Wilhelm Traugott: Ironie. In: W. T. K.: Allgemeines Handwörterbuch der philosophischen Wissenschaften. Bd. 2. 2. Aufl. Leipzig: Brockhaus 1833. S. 548 bis 549.

Lipps, Theodor: Komik und Humor. Hamburg—Leipzig: Voss 1898.

Morier, Henri: L'Ironie. In: H. M.: Dictionnaire de Poétique et Rhetorique. Paris: Presses Universitaires de France 1961. S. 217—219.

Muecke, D. C.: The Compass of Irony. London: Methuen 1969.

Derselbe: Irony (= The Critical Idiom, 13). London: Methuen 1970.

Paulhan, Frédéric: La Morale de l'ironie. Paris: Alcan 1909.

Pivčevič, Edo: Ironie als Daseinsform bei Sören Kierkegaard. Gütersloh: Mohn 1960.

Pleßner, Helmuth: Das Lächeln. In: H. P.: Zwischen Philosophie und Gesellschaft. Bern: Francke 1953. S. 193—203.

Radermacher, Ludwig: Weinen und Lachen. Studien über antikes Lebensgefühl. Wien: Rohrer 1947.

Ribbeck, Otto: Über den Begriff des eirōn. In: Rhein. Museum N. F. 31 (1876) S. 381 bis 400.

Richardson, Lilla Janette: Irony through Imagery. A Chaucerian Technique Studied in Relation to Sources, Analogues, and the Dicta of Medieval Rhetoric. Berkeley, Phil. Diss. 1962.

Sander, Gerhard: Ironie im 18. Jahrhundert. In: G. S.: Der reisende Epikureer. Studien zu Moritz August von Thümmels Roman Reise in die mittäglichen Provinzen von Frankreich (= Heidelberger Forschungen, H. 12). Heidelberg: Winter 1968. S. 15—27.

Schaefer, Albert (Hrsg.): Ironie und Dichtung. Sechs Essays von Beda Allemann, Ernst Zinn, Hans-Egon Hass, Wolfgang Preisendanz, Fritz Martini und Paul Böckmann (= Beck'sche Schwarze Reihe, Bd. 66). München: Beck 1970.

Schweizer, Werner R.: Der Witz. Bern—München: Francke 1964.

Sedgewick, Garnett G.: Of Irony, Especially in Drama. Toronto: University of Toronto Press 1935.

Sharpe, Robert B.: Irony in the Drama. An Essay on Impersonation, Shock and Catharsis. Chapel Hill: University of North Carolina Press 1959.

Steiner, Jacob: Aether der Fröhlichkeit. Zur Frage nach einer dichterischen Ironie aus Anlaß eines Buches von Beda Allemann. In: OL. 13 (1958) S. 64—80.

Strohschneider-Kohrs, Ingrid: Die romantische Ironie in Theorie und Gestaltung (= Hermaea, N. F. 6). Tübingen: Niemeyer 1960.

Szondi, Peter: Friedrich Schlegel und die romantische Ironie. In: Euphorion 48 (1954) S. 397—411.

T[hirlwall]. C[onnop]. (?): On the Irony of Sophocles. In: Philological Museum 2 (1833) S. 483—537.

Thompson, Alan R.: The Dry Mock. A Study of Irony in Drama. Berkeley/Los Angeles: University of California Press 1948.

Thomson, James A. K.: Irony. An Historical Introduction. London: Allen & Unwin 1926.

Turner, Francis McD. C.: The Element of Irony in English Literature. Cambridge [Eng.]: The University Press 1926.

Vischer, Friedrich Theodor: Ästhetik oder Wissenschaft des Schönen. Bd. 1. 2. Aufl. München: Meyer & Jessen 1922—1923. S. 312—315; 395; 400; 472—482. Bd. 2. S. 615—620.

Volkelt, Johannes: System der Ästhetik. Bd. 2. München: Beck 1910. S. 519—522.

Worcester, David: The Art of Satire. Cambridge, Mass.: Harvard University Press 1940.

III. Der alte Goethe

Böckmann, Paul: Goethes naturwissenschaftliches Denken als Bedingung der Symbolik seiner Altersdichtung. In: Literature and Science. Proceedings of the VI. Congress of the IFMLL, Oxford, 1954. Oxford: Blackwell 1955. S. 228—236.

Burdach, Konrad: Goethes Sprache und Stil im Alter. In: K. B.: Vorspiel. Zweiter Band: Goethe und sein Zeitalter. (DVjs.-Buchreihe, 3. Bd.). Halle: Niemeyer 1926. S. 61—72.

Fischer, Paul: Goethes Altersweisheit. Tübingen: Mohr 1921.

Flitner, Wilhelm: Goethe im Spätwerk. Glaube, Weltsicht, Ethos. Hamburg: Claassen und Goverts 1947. 2. verbesserte Ausgabe (Sammlung Dietrich, Bd. 175). Bremen: Schünemann 1957.

Fuchs, Albert: Goethes Spätzeit. In: Spätzeiten und Spätzeitlichkeit. Vorträge gehalten auf dem II. Internationalen Germanisten-Kongreß 1960 in Kopenhagen. Hrsg. im Auftrag der Internationalen Germanisten-Vereinigung von Werner Kohlschmidt. Bern: Francke 1962. S. 118—132. Wiederabdruck: A. F.: Goethe-Studien. Berlin: de Gruyter 1968. S. 260—275.

Harnack, Otto: Goethe in der Epoche seiner Vollendung 1805—1832. Versuch einer Darstellung seiner Denkweise und Weltbetrachtung. 2. umgearb. Aufl. Leipzig: Hinrichs 1901.

Jaloux, Edmond: La Vieillesse de Goethe. In: Revue universelle 51 (1932) S. 385 bis 406, 534—550, 696—711.

Kaubisch, Martin: Grundzüge von Goethes Altersschau. In: Tat 12 (1920) S. 168 bis 173. Wiederabdruck: NJbbWJ. 4 (1928) S. 338—342.

Knauth, Paul: Goethes Sprache und Stil im Alter. Leipzig: G. Fock 1898.

Kroymann, Jürgen: Betrachtungen zum platonischen und goethischen Alterswerk. In: Aparchai 4 (1961), Festschrift für Georg Rohde. Hrsg. von Gerhard Radke. S. 133—150.

Lewy, Ernst: Zur Sprache des alten Goethe. Ein Versuch über die Sprache des Einzelnen. Berlin: Cassirer 1913.

Müller- Seidel, Walter: Goethe und das Problem seiner Alterslyrik. In: Unterscheidung und Bewahrung. Festschrift Hermann Kunisch. Hrsg. von Klaus Lazarowicz und Wolfgang Kron. Berlin: de Gruyter 1961. S. 259—276.

Schmitz, Hermann: Goethes Altersdenken im problemgeschichtlichen Zusammenhang. Bonn: Bouvier 1959.

Schrimpf, Hans Joachim: Das Weltbild des späten Goethe. Überlieferung und Bewahrung in Goethes Alterswerk. Stuttgart: Kohlhammer 1956.

Derselbe: Über Goethes Altersweisheit und Altersstil. In: Festschrift zur Eröffnung der Universität Bochum. Hrsg. von Hans Wenke und Joachim H. Knoll. Bochum: Kamp 1965. S. 161—175.

Derselbe: Goethe. Spätzeit, Altersstil, Zeitkritik (= Opuscula, 32). Pfullingen: Neske 1966.

Spranger, Eduard: Goethe als Greis. Festvortrag. In: JbGGes. 18 (1932) S. 181 bis 207; letzter Wiederabdruck in E. S.: Goethe. Seine geistige Welt. Tübingen: Wunderlich 1967. S. 318—349.

Stöcklein, Paul: Wege zum späten Goethe. Dichtung, Gedanke, Zeichnung. Interpretationen um ein Thema. 2. neubearb. u. erw. Aufl. Hamburg: Marion von Schröder Verlag 1960.

Trunz, Erich: Alterslyrik. In: Goethe Handbuch. Goethe, seine Welt und Zeit in Werk und Wirkung. 2., vollkommen neugestaltete Aufl. unter Mitw. zahlreicher Fachgelehrter hrsg. von Alfred Zastrau. Bd. 1. Stuttgart: Metzler 1961. Sp. 169 bis 178.

Derselbe: Altersstil. Ebd., Sp. 178—188.

Trunz, Erich (Hrsg.): Studien zu Goethes Alterswerken (= Reihe Goethezeit, Bd. 2). Frankfurt a. M.: Athenäum 1971.

IV. West-östlicher Divan

Atkins, Stuart: Zum besseren Verständnis einiger Gedichte des West-östlichen Divans. In: Euphorion 59 (1965) S. 178—206.

Becker, Carl: Das Buch Suleika als Zyklus. In: Varia Variorum. Festgabe für Karl Reinhardt. Dargebracht von Freunden und Schülern. Münster—Köln: Böhlau 1952. S. 225—252.

Böckmann, Paul: Die Heidelberger Divan-Gedichte. In: Goethe und Heidelberg. Unter Mitarbeit von Richard Benz ... Hrsg. von der Direktion des Kurpfälzischen Museums. Heidelberg: Kerle 1949. S. 204—239; Wiederabddruck: Die Liebessprache der Heidelberger Divangedichte. In: P. B.: Formensprache. Hamburg: Hoffmann & Campe 1966. S. 167—192.

Braginski, J. S.: Die west-östliche Synthese im Diwan Goethes und die klassische altpersische Dichtung. In: WB. 14 (1968) S. 385—392.

Burdach, Konrad: Goethes West-östlicher Divan in biographischer und zeitgeschichtlicher Beleuchtung. In: K. B.: Vorspiel (= DVjs.-Buchreihe, Bd. 3). Bd. 2. Halle: Niemeyer 1926. S. 282—324.

Derselbe: Die Aufnahme und Wirkung des West-östlichen Divans. Ebd., S. 375—401.

Derselbe: Die Kunst und der dichterisch-religiöse Gehalt des West-östlichen Divans. Ebd., S. 333—374.

Derselbe: Zum hundertjährigen Gedächtnis des West-östlichen Divans. Ebd. S. 402 bis 445.

Derselbe: Zur Entstehungsgeschichte des West-östlichen Divans. Hrsg. von Ernst Grumach (= Veröffentlichungen des Instituts für deutsche Sprache und Literatur, 6). Berlin: Akademie-Verlag 1955.

Cohn, Jonas: Goethes Gedicht „Wiederfinden". Versuch einer Sinndeutung. In: AfPh. 1 (1947) S. 118—131.

David, Claude: Note sur le Divan: D'un prétendu mysticisme. In: Études 6 (1951) S. 220—230.

Fuchs, Albert: Le West-östlicher Divan, livre de l'amour. In: PEGS. N. S. 12 (1952/53) S. 1—30; deutsche Fassung: Der west-östliche Divan als Buch der Liebe. In: A. F.: Goethe-Studien. Berlin: de Gruyter 1968. S. 82—96.

Grumach, Ernst: „Locken! Haltet mich gefangen!" In: Goethe 14/15 (1952/53) S. 334 bis 340.

Hass, Hans-Egon: Über die strukturelle Einheit des West-östlichen Divans. In: Stil- und Formprobleme. Vorträge des VII. Kongresses der Internationalen Vereinigung für moderne Sprachen und Literaturen in Heidelberg. Hrsg. v. Paul Böckmann. Heidelberg: Winter 1959. S. 309—318.

Derselbe: Johann Wolfgang von Goethe. West-östlicher Divan. Im Gegenwärtigen Vergangnes. In: Die deutsche Lyrik. Form und Geschichte. Interpretationen. Bd. 1. Vom Mittelalter bis zur Frühromantik. Hrsg. v. Benno v. Wiese. Düsseldorf: Bagel 1956. S. 290—317; 442/443.

Hillmann, Ingeborg: Dichtung als Gegenstand der Dichtung. Zum Problem der Einheit des West-östlichen Divans (= Bonner Arbeiten zur deutschen Literatur, Bd. 10). Bonn: Bouvier 1965.

Kayser, Wolfgang: Beobachtungen zur Verskunst des West-östlichen Divans. In: PEGS. N. S. 23 (1953/54) S. 74—96; Wiederabdruck: W. K.: Kunst und Spiel. Fünf Goethe-Studien. Göttingen: Vandenhoeck & Ruprecht 1961. S. 47—63.

Kommerell, Max: Gedanken über Gedichte. 2. Aufl. Frankfurt a. M.: Klostermann 1956.

Korff, Hermann August: Die Liebesgedichte des West-östlichen Divans in zeitlicher Folge mit entstehungsgeschichtlichem Kommentar. 2. Aufl. Zürich: Hirzel 1949.

Derselbe: Goethe im Bildwandel seiner Lyrik. Bd. 2. Hanau: Dausien 1958.

Kristinus, Heinz: Das „Buch des Sängers" als Zyklus. Eine Studie zum Nachweis der Einheit des West-östlichen Divans (= Schriften des Instituts für deutsche Sprache und Literatur, Nr. 5). Ankara: Ankara üniversitesi basimevi 1966.

Lentz, Wolfgang: Goethes Noten und Abhandlungen zum West-östlichen Divan (= Veröffentlichung der Joachim Jungius-Gesellschaft der Wissenschaften, Hamburg). Hamburg: Augustin o. J. (1958). 2. Aufl. 1961.

Derselbe: Bemerkungen zu Goethes „Sommernacht". In: Grüße. Hans Wolffheim zum sechzigsten Geburtstag. Festschrift hrsg. von Klaus Schröter. Frankfurt a. M.: Europäische Verlagsanstalt 1965. S. 37—49.

Marg, Walter: Goethes „Wiederfinden". In: Euphorion 46 (1952) S. 59—79.

Mommsen, Katharina: Die Barmekiden im West-östlichen Divan. In: Goethe 14/15 (1952/53) S. 279—301.

Dieselbe: Goethe und 1001 Nacht (= Veröffentlichungen des Instituts für deutsche Sprache und Literatur, 21). Berlin: Akademie-Verlag 1960. S. 101—118.

Dieselbe: Goethe und Diez. Quellenuntersuchungen zu Gedichten der Divan-Epoche (= SB. d. Deutschen Akademie der Wissenschaften zu Berlin. Klasse für Sprachen, Literatur und Kunst. 1961, 4). Berlin: Akademie-Verlag 1961.

Mommsen, Momme: „Schwänchen und Schwan". Zu einem Gedicht im West-östlichen Divan. In: Goethe 13 (1951) S. 290—295.

Derselbe: Studien zum West-östlichen Divan (= SB. d. Deutschen Akademie der Wissenschaften zu Berlin. Klasse für Sprachen, Literatur und Kunst. 1962, 1). Berlin: Akademie-Verlag 1962.

Müller, Joachim: Zu Goethes Timurgedicht. In: J. M.: Der Augenblick ist Ewigkeit. Leipzig: Koehler 1960. S. 165—186.

Preisendanz, Wolfgang: Die Spruchform in der Lyrik des alten Goethe und ihre Vorgeschichte seit Opitz (= Heidelberger Forschungen, H. 1). Heidelberg: Winter 1952.

Pyritz, Hans: Goethe und Marianne von Willemer. Eine biographische Studie. 3. Aufl. Stuttgart: Metzler 1948.

Rösch, Ewald: Goethes Selige Sehnsucht — eine tragische Bewegung. In: GRM. 51 (1970) S. 241—256.

Ruoff, Wilhelm: Goethe und die Ausdruckskraft des Wortes. Eine Untersuchung des typischen Sprachgebrauchs im West-östlichen Divan. Leipzig, Phil. Diss. 1933.

Schaeder, Hans Heinrich: Goethes Erlebnis des Ostens. Leipzig: Hinrichs Verlag 1938.

Schrader, F. Otto: „Selige Sehnsucht". Ein Bekenntnis zur Seelenwanderung. In: Euphorion 46 (1952) S. 48—58.

Staiger, Emil: Goethe „Sommernacht". In: E. S.: Meisterwerke deutscher Sprache aus dem neunzehnten Jahrhundert. 2. verm. Aufl. Zürich: Atlantis 1948. S. 119—135.

Stöcklein, Paul: Suleika. In: P. S.: Wege zum späten Goethe. Dichtung, Gedanke, Zeichnung. Interpretationen um ein Thema. 2. Aufl. Hamburg: M. v. Schröder 1960. S. 263—279.

Strich, Fritz: Goethes West-östlicher Divan. In: F. S.: Kunst und Leben. Vorträge und Abhandlungen zur deutschen Literatur. Bern: Francke 1960. S. 101—117.

Trunz, Erich: Goethes Gedicht an Hafis „Offenbar Geheimnis". In: Festschrift für Herbert von Einem. Hrsg. v. Gert von der Osten und Georg Kauffmann. Berlin: Gebr. Mann 1965. S. 252—265.

Wertheim, Ursula: Von Tasso zu Hafis. Probleme von Lyrik und Prosa des West-östlichen Divans (= Germanistische Studien). Berlin: Rütten & Loening 1965.

Wurm, Christian: Commentar zu Göthe's West-östlichem Divan bestehend in Materialien und Originalien zum Verständnis desselben hrsg. von ... Nürnberg: Schrag 1834.

V. Wilhelm Meisters Wanderjahre

Bastian, Hans-Jürgen: Zum Menschenbild des späten Goethe. Eine Interpretation seiner Erzählung Sankt Joseph der Zweite in Wilhelm Meisters Wanderjahren. In: WB. 12 (1966) S. 471—488.

Derselbe: Makrostruktur von Wilhelm Meisters Wanderjahren. In: WB. 14 (1968) S. 626—639.

Bauer, Georg-Karl: Makarie. In: GRM. 25 (1937) S. 178—197.

Bimler, Kurt: Die erste und zweite Fassung von Wilhelm Meisters Wanderjahren. Breslau, Phil. Diss. 1907.

Böckmann, Paul: Literarische Renaissancen. In: P. B.: Formensprache. Hamburg: Hoffmann & Campe 1966. S. 453—460.

Derselbe: Voraussetzungen der zyklischen Erzählform in Wilhelm Meisters Wanderjahren. In: Festschrift für Detlev W. Schumann zum 70. Geburtstag. München: Delp 1970. S. 130—144.

Borcherdt, Hans Heinrich: Der Roman der Goethezeit. Urach: Port-Verlag 1949.

Cillien, Ursula: Die Ironie in Goethes Wilhelm Meister. In: Neue Sammlung 5 (1965) S. 258—264.

David, Claude: Goethes Wanderjahre als symbolische Dichtung. In: SuF. 8 (1956) S. 113—128.

Emrich, Wilhelm: Das Problem der Symbolinterpretation im Hinblick auf Goethes Wanderjahre. In: W. E.: Protest und Verheißung. Studien zur klassischen und modernen Dichtung. 2. Aufl. Frankfurt a. M./Bonn: Athenäum 1963. S. 48—66.

Derselbe: Symbolinterpretation und Mythenforschung. Möglichkeiten und Grenzen eines neuen Goetheverständnisses. Ebd., S. 67—94.

Fischer-Hartmann, Deli: Goethes Altersroman. Studien über die innere Einheit von Wilhelm Meisters Wanderjahren. Halle: Niemeyer 1941.

Fuchs, Albert: Makarie. In: A. F.: Goethe-Studien. Berlin: de Gruyter 1968. S. 97 bis 117.

Gidion, Heidi: Zur Darstellungsweise von Goethes Wilhelm Meisters Wanderjahre (= Palaestra, Bd. 256). Göttingen: Vandenhoeck & Ruprecht 1969.

Gilg, André: Wilhelm Meisters Wanderjahre und ihre Symbole (= Zürcher Beiträge zur deutschen Literatur- und Geistesgeschichte, Nr. 9). Zürich: Atlantis 1954.

Gregorovius, Ferdinand: Goethes Wilhelm Meister in seinen socialistischen Elementen entwickelt. 2. Aufl. Schwäbisch-Hall: Fischhaber 1855.

Henkel, Arthur: Entsagung. Eine Studie zu Goethes Altersroman (= Hermaea, N. F. 3). 2., unveränderte Aufl. Tübingen: Niemeyer 1964.

Jantz, Harold: Die Ehrfurchten in Goethes Wilhelm Meister. Ursprung und Bedeutung. In: Euphorion 48 (1954) S. 1—18.

Karnick, Manfred: Wilhelm Meisters Wanderjahre oder die Kunst des Mittelbaren. Studien zum Problem der Verständigung in Goethes Altersepoche (= Zur Erkenntnis der Dichtung, Bd. 6). München: Fink 1968.

Krüger, Emil: Die Novellen in Wilhelm Meisters Wanderjahren. Kiel, Phil. Diss. 1926.

Küntzel, Gerhard: Wilhelm Meisters Wanderjahre in der Fassung von 1821. In: Goethe 3 (1938) S. 3—39.

Kunz, Josef: Die Novellen der Wanderjahre. In: J. K.: Die deutsche Novelle zwischen Klassik und Romantik (= Grundlagen der Germanistik, 2). Berlin: Erich Schmidt 1966. S. 24—40.

Lange, Victor: Goethe's Craft of Fiction. In: PEGS. N. S. 22 (1952/53) S. 31—63; Wiederabdruck: Goethe. A Collection of Critical Essays. Hrsg. v. Victor Lange. Englewood Cliffs, N. J.: Prentice Hall 1968. S. 65—85.

Loeb, Ernst: Makarie und Faust. Eine Betrachtung zu Goethes Altersdenken. In: ZfdPh. 88 (1969/70) S. 583—597.

Meyer, Eva Alexander: Goethes Wilhelm Meister. München-Pasing: Filser-Verlag 1947.

Mommsen, Katharina: Goethe und 1001 Nacht (= Veröffentlichungen des Instituts für deutsche Sprache und Literatur, 21). Berlin: Akademie-Verlag 1960. S. 118—152; 57—68.

Monroy, Ernst Friedrich von: Die Form der Novelle in Wilhelm Meisters Wanderjahren. In: GRM. 31 (1943) S. 1—19.

Neuhaus, Volker: Die Archivfiktion in Wilhelm Meisters Wanderjahren. In: Euphorion 62 (1968) S. 13—27.

Ohly, Friedrich: Zum Kästchen in Wilhelm Meisters Wanderjahren. In: ZfdA. 91 (1961/62) S. 255—262.

Peschken, Bernd: Das „Blatt" in den Wanderjahren. In: Goethe 27 (1965) S. 205—230.

Derselbe: Entsagung in Wilhelm Meisters Wanderjahren (= Abhandlungen zur Kunst-, Musik- und Literaturwissenschaft, Bd. 54). Bonn: Bouvier 1968.

Raabe, August: Das Dämonische in den Wanderjahren. In: Goethe 1 (1936) S. 119 bis 127.

Radbruch, Gustav: Wilhelm Meisters sozialpolitische Sendung. In: Logos 8 (1919) S. 152—162.

Reiss, Hans: Goethes Romane. Bern/München: Francke 1963; engl. Fassung: Goethe's Novels. London: Macmillan 1969.

Derselbe: Wilhelm Meisters Wanderjahre. Der Weg von der ersten zur zweiten Fassung. In: DVjs. 39 (1965) S. 34—57.

Röder, Gerda: Glück und glückliches Ende im deutschen Bildungsroman. Eine Studie zu Goethes Wilhelm Meister (= Münchener Germanistische Beiträge, Bd. 2). München: Hueber 1968.

Sarter, Eberhard: Zur Technik von Wilhelm Meisters Wanderjahren (= Bonner Forschungen, N. F. 7). Berlin: Grote 1914.

Schädel, Christian Hartmut: Metamorphose und Erscheinungsformen des Menschseins in Wilhelm Meisters Wanderjahren. Zur geistigen und künstlerischen Einheit des Goetheschen Romans (= Marburger Beiträge zur Germanistik, Bd. 25). Marburg: Elwert 1969.

Schlechta, Karl: Goethes Wilhelm Meister. Frankfurt a. M.: Klostermann 1953.

Spranger, Eduard: Die sittliche Astrologie der Makarie in Wilhelm Meisters Wanderjahren. In: E. S.: Goethes Weltanschauung. Wiesbaden: Insel 1949. S. 192—206; Wiederabdruck: E. S.: Goethe. Seine geistige Welt. Tübingen: Wunderlich 1967. S. 350—363.

Stahl, Ernest L.: Goethe as Novelist. In: Essays on Goethe. Hrsg. v. William Rose. London: Cassell 1949. S. 45—73.

Thalmann, Marianne: J. W. Goethe, Der Mann von fünfzig Jahren. Wien: Amandus-Edition 1948.

Trunz, Erich: Die Wanderjahre als Hauptgeschäft im Winterhalbjahr 1828/29. In: Natur und Idee. Festschrift Andreas B. Wachsmuth. Hrsg. v. Helmut Holtzhauer. Weimar: Böhlau 1966. S. 242—262.

Waidson, H. M.: Death by Water: or, the Childhood of Wilhelm Meister. In: MLR. 56 (1961) S. 44—53.

Wiese, Benno von: Johann Wolfgang Goethe. Der Mann von funfzig Jahren. In: B. v. W.: Die deutsche Novelle von Goethe bis Kafka. Bd. 2. Düsseldorf: Bagel 1962. S. 26—52.

Wundt, Max: Goethes Wilhelm Meister und die Entwicklung des modernen Lebensideals. Berlin/Leipzig: Göschen 1913.

VI. Faust II

Adorno, Theodor W.: Zur Schlußszene des Faust. In: T. W. A.: Noten zur Literatur II. Frankfurt a. M.: Suhrkamp 1961. S. 7—18.

Atkins, Stuart: Goethe, Calderon and Faust: Der Tragödie Zweiter Teil. In: GR. 28 (1953) S. 83—98.

Derselbe: The Visions of Leda and the Swan in Goethe's Faust. In: MLN. 68 (1953) S. 340—344.

Derselbe: Goethe, Aristophanes, and the Classical Walpurgisnight. In: CL. 6 (1954) S. 64—78.

Derselbe: Irony and Ambiguity in the Final Scene of Goethe's Faust. In: On Romanticism and the Art of Translation. Festschrift E. H. Zeydel. Hrsg. v. Gottfried F. Merkel. Princeton: Princeton University Press 1956. S. 7—27.

Derselbe: Goethe's Faust. A Literary Analysis. Cambridge/Mass.: Harvard University Press 1958.

Derselbe: Faustforschung und Faustdeutung seit 1945. In: Euphorion 53 (1959) S. 422—440.

Derselbe: The Interpretations of Goethe's Faust since 1958. In: OL. 20 (1965) S. 239—267.

Derselbe: Studies of Goethe's Faust since 1959. In: GQ. 39 (1966) S. 303—310.

Böckmann, Paul: Die zyklische Einheit der Faustdichtung. In: P. B.: Formensprache. Studien zur Literarästhetik und Dichtungsinterpretation. Hamburg: Hoffmann & Campe 1966. S. 193—209.

Böhm, Wilhelm: Faust, der Nichtfaustische. Halle: Niemeyer 1933.

Derselbe: Goethes Faust in neuer Deutung. Köln: Seemann 1949.

Borcherdt, Hans Heinrich: Die Mummenschanz im zweiten Teil des Faust. In: Goethe 1 (1936) S. 289—306.

Blume, Bernhard: Fausts Himmelfahrt. In: Études 22 (1967) S. 338—345.

Burdach, Konrad: Faust und Moses. In: BSBphKl. 1912. S. 358—403; 627—659; 736—789.

Derselbe: Faust und die Sorge. In: DVjs. 1 (1923) S. 1—60.

Derselbe: Die Disputationsszene und die Grundidee in Goethes Faust. In: Euphorion 27 (1926) S. 1—69.

Derselbe: Die Schlußszene in Goethes Faust. In: BSBphKl. 1931. S. 585—604.

Derselbe: Das religiöse Problem in Goethes Faust. In: Euphorion 33 (1932) S. 1—83.

Burger, Heinz Otto: Motiv, Konzeption, Idee — das Kräftespiel in der Entwicklung von Goethes Faust. In: DVjs. 20 (1942) S. 17—64; Wiederabdruck: H. O. B.: Dasein heißt eine Rolle spielen (= Literatur als Kunst). München: Hanser 1963. S. 144—193.

Butler, E. M.: The Fortunes of Faust. Cambridge [Eng.]: Cambridge University Press 1952.

Diener, Gottfried: Fausts Weg zu Helena. Urphänomen und Archetypus. Stuttgart: Klett 1961.

Döring, Hellmut: Homunculus. In: WB. 11 (1965) S. 185—194.

Emrich, Wilhelm: Die Symbolik von Faust II. 3., durchgesehene Aufl. Frankfurt a. M.: Athenäum 1964.

Derselbe: Das Rätsel der Faust-II-Dichtung. Versuch einer Lösung. In: W. E.: Geist und Widergeist. Frankfurt a. M.: Athenäum 1965. S. 211—235.

Enders, Carl: Faust-Studien. Müttermythos und Homunculus-Allegorie. Bonn: Bouvier 1948.

Fairley, Barker: Goethe's Faust. Six Essays. Oxford: Clarendon Press 1953.

Franz, Erich: Mensch und Dämon. Goethes Faust als menschliche Tragödie, ironische Weltschau und religiöses Mysterienspiel. Tübingen: Niemeyer 1953.

Fuchs, Albert: Die Persönlichkeit Fausts. Versuch einer psychologischen Synthese. In: A. F.: Goethe-Studien. Berlin: de Gruyter 1968. S. 26—41.

Derselbe: Mephistopheles. Ebd., S. 42—52.

Derselbe: Faust und die Natur. Ebd., S. 53—63.

Derselbe: Die Mütter. Eine Mephistopheles-Phantasmagorie. Ebd., S. 64—81.

Gillies, Alexander: Goethe's Faust. An Interpretation. Oxford: Blackwell 1957.

Goldsmith, Ulrich K.: Ambiguities in Goethe's Faust. In: GQ. 39 (1966) S. 311—328.

Guthke, Karl S.: Goethe, Milton und der humoristische Gott. In: Goethe 22 (1960) S. 104—111.

Herrmann, Helene: Faust, der Tragödie zweiter Teil. Studien zur inneren Form des Werkes. In: ZfÄsth. 12 (1916/17) S. 86—137; 161—178; 316—351.

Dieselbe: Faust und die Sorge. In: ZfÄsth. 31 (1937) S. 321—337.

Hohlfeld, Alexander R.: Zum irdischen Ausgang von Goethes Faustdichtung. In: A. R. H.: Fifty Years with Goethe. Madison: University of Wisconsin Press 1953. S. 61—91; 92—126.

Hungerford, Edward B.: Goethe's Helena. In: E. B. H.: Shores of Darkness. New York: Columbia University Press 1941. S. 240—291.

Jantz, Harold: The Symbolic Prototypes of Faust the Ruler. In: Wächter und Hüter. Festschrift für Hermann J. Weigand. Hrsg. v. Curt von Faber du Faur, Konstantin Reichardt und Heinz Bluhm. New Haven, Connecticut: The Department of Germanic Languages 1957. S. 77—91.

Derselbe: Kontrafaktur, Montage, Parodie: Tradition und symbolische Erweiterung. In: Tradition und Ursprünglichkeit. Akten des III. Internationalen Germanistenkongresses 1965. Hrsg. v. Werner Kohlschmidt und Herman Meyer. Bern/München: Francke 1966. S. 56—65.

Derselbe: The Mothers in Faust. The Myth of Time and Creativity. Baltimore: The Johns Hopkins Press 1969.

Derselbe: Goethe's Last Jest in Faust: or „Faust holt den Teufel“. In: Festschrift für Detlev W. Schumann zum 70. Geburtstag. München: Delp 1970. S. 166—172.

Kerényi, Karl: Das Ägäische Fest (= Albae Vigiliae, 11). Amsterdam/Leipzig: Pantheon 1941. 3. Aufl. Wiesbaden: Limes 1950.

Klett, Ada: Der Streit um Faust II seit 1900 (= Jenaer germanistische Forschungen, 33). Jena: Biedermann 1939.

Kommerell, Max: Geist und Buchstabe der Dichtung. Frankfurt a. M.: Klostermann 1944.

Lukács, Georg: Goethe und seine Zeit. Bern: Francke 1947; Wiederabdruck in G. L.: Werke (= Probleme des Realismus III). Bd. 6. Neuwied: Luchterhand 1965. S. 525—621; ferner: G. L.: Faust und Faustus. Vom Drama der Menschengattung zur Tragödie der modernen Kunst (= rowohlts deutsche enzyklopädie, 285—287). Reinbek: Rowohlt 1967. S. 128—210.

Mason, Eudo C.: Goethe's Faust. Its Genesis and Purport. Berkeley/Los Angeles: University of California Press 1967.

May, Kurt: Faust II. Teil. In der Sprachform gedeutet (= Literatur als Kunst). München: Hanser 1962 (1. Aufl. 1936).

McClain, William H.: Goethe's Chorus mysticus as Significant Form. In: MLN. 74 (1959) S. 43—49.

Meyer, Herman: Diese sehr ernsten Scherze. Eine Studie zu Faust II (= Poesie und Wissenschaft, 19). Heidelberg: Stiehm 1970.

Michelsen, Peter: Fausts Erblindung. In: DVjs. 36 (1962) S. 26—35.

Milch, Werner: Wandlungen der Faustdeutung. In: ZfdPh. 71 (1951—53) S. 23—38.

Moenkemeyer, Heinz: Zum Verhältnis von Sorge, Furcht und Hoffnung in Goethes Faust. In: GQ. 32 (1959) S. 121—132.

Mommsen, Katharina: Goethe und 1001 Nacht (= Veröffentlichungen des Instituts für deutsche Sprache und Literatur, 21). Berlin: Akademie-Verlag 1960. S. 185 bis 290.

Dieselbe: Natur- und Fabelreich in Faust II. Berlin: de Gruyter 1968.

Petersen, Julius: Helena und der Teufelspakt. In: FDH. (1936—40) S. 199—236.

Pniower, Otto: Fausts zweiter Teil. In: O. P.: Dichtungen und Dichter. Berlin: S. Fischer 1912. S. 79—116.

Politzer, Heinz: Vom Baum der Erkenntnis und der Sünde der Wissenschaft. Zur Vegetationssymbolik in Goethes Faust. In: Jb. d. Dt. Schillerges. 9 (1965) S. 346 bis 372.

Rehder, Helmut: The Classical Walpurgis Night in Goethe's Faust. In: JEGP. 54 (1955) S. 591—611.

Reinhardt, Karl: Die klassische Walpurgisnacht. Entstehung und Bedeutung. In: Antike und Abendland 1 (1945) S. 133—162; Wiederabdruck: K. R.: Tradition und Geist. Göttingen: Vandenhoeck & Ruprecht 1960. S. 309—356; ferner: Interpretationen 2. Deutsche Dramen von Gryphius bis Brecht. Hrsg. v. Jost Schillemeit. Frankfurt a. M.: Fischer 1965. S. 102—146.

Requadt, Paul: Die Figur des Kaisers im Faust II. In: Jb. d. Dt. Schillerges. 8 (1964) S. 153—171.

Rüdiger, Horst: Weltliteratur in Goethes Helena. In: Jb. d. Dt. Schillerges. 8 (1964) S. 172—198.

Salm, Peter: Faust and Irony. In: GR. 40 (1965) S. 192—204.

Schadewaldt, Wolfgang: Faust und Helena. In: DVjs. 30 (1956) S. 1—40; Wiederabdruck in: W. S.: Goethestudien. Natur und Altertum. Zürich: Artemis 1963. S. 165—205.

Schröder, Franz Rolf: Fausts Wette und Tod. In: GRM. 39 (1958) S. 226—232.

Seidler, Herbert: Die Klassische Walpurgisnacht. In: ChrWGV. 73 (1969) S. 18—38.

Seidlin, Oskar: Helena: Vom Mythos zur Person. In: PMLA. 62 (1947) S. 183—212; Wiederabdruck in: O. S.: Von Goethe zu Thomas Mann. Göttingen: Vandenhoeck & Ruprecht 1963. S. 65—93.

Staroste, Wolfgang: Mephistos Verwandlungen. Vorbemerkungen zum Aufbau von Faust II. In: GRM. 42 (1961) S. 184—197.

Stöcklein, Paul: Die Sorge im Faust. In: P. S.: Wege zum späten Goethe. 2. Aufl. Hamburg: M. v. Schröder 1960.

Derselbe: Wie beginnt und wie endet Goethes Faust? In: Litw. Jb. d. Görres-Ges. N. F. 3 (1962) S. 29—51.

Streicher, Wolfgang: Die dramatische Einheit von Goethes Faust. Betrachtet unter den Kategorien Substantialität und Funktionalität (= Studien zur deutschen Literatur, 4). Tübingen: Niemeyer 1966.

Strich, Fritz: Goethes Faust. Bern/München: Francke 1964.

Valentin, Veit: Die Klassische Walpurgisnacht. Eine litterarhistorisch-ästhetische Untersuchung. Leipzig: Dürr 1901.

VI. Faust II

Vischer, Friedrich Theodor: Goethes Faust. 3. Aufl. Stuttgart/Berlin: Cotta 1921.

Wiese, Benno von: Die deutsche Tragödie von Lessing bis Hebbel. 6. Aufl. Hamburg: Hoffmann & Campe 1964.

Wittkowski, Wolfgang: Faust und der Kaiser. Goethes letztes Wort zum Faust. In: DVjs. 43 (1969) S. 622—630.

Weitere Literaturangaben befinden sich in den Anmerkungen.

REGISTER

Im Namenregister werden sowohl die Personen, die im Text zitiert werden, als auch die Autoren, die in den Anmerkungen verzeichnet sind, aufgeführt. Wenn ein Name nur in einer Anmerkung genannt wird, so folgt im Register auf die Seitenzahl ein „A". Das Werk- und Sachregister führt nur Titel und Stichwörter auf, die im darstellenden Text vorkommen. Das Register wurde von Leslie Wong zusammengestellt.

Namenregister

Werkregister

Sachregister

(Die Personen der *Wanderjahre* und des *Divans* sind durch die Zusätze *Wj.* und *Divan* gekennzeichnet.)